合同法与道德

Contract Law and Morality

《美国法律文库》编委会

编委会主任 江　平
编委会成员（按姓氏笔画排列）
　　　　　　方流芳　邓正来　江　平　朱苏力
　　　　　　吴志攀　何家弘　张志铭　杨志渊
　　　　　　李传敢　贺卫方　梁治平

执 行 编 委
　　　　　　张　越　余　娟

美国法律文库

THE AMERICAN LAW LIBRARY

合同法与道德

Contract Law and Morality

亨利·马瑟 著
Henry Mather

戴孟勇 贾林娟 译

中国政法大学出版社

合同法与道德

Contract Law and Morality
Copyright © 1999 by Henry Mather
All rights reserved

绿林出版集团通过 The Susie Adams Rights Agency, UK. 授权中国政法大学出版社出版。

本书的任何部分都不得以任何形式或各种电子的、化学的或机械的手段（包括影印、各种信息存储、无特许证或未经版权所有人其它书面授权引入检索系统）进行复制或传播。

This Edition published under license from Greenwood Publishing Group Inc. via The Susie Adams Rights Agency, UK.

No part of this book may be reproduced or transmitted in any form or by any means electronic, chemical or mechanical, including photocopying, any information storage or retrieval system without a license or other permission in writing from the copyright owners

本书的翻译出版由美国驻华大使馆新闻文化处资助
中文版版权属中国政法大学出版社，2004 年
版权登记号： 图字：01-2004-2123 号

纪念巴迪（Bud）

和

阿黛尔·马瑟（Adele Mather）

出 版 说 明

"美国法律文库"系根据中华人民共和国主席江泽民在1997年10月访美期间与美国总统克林顿达成的"中美元首法治计划"（Presidential Rule of Law Initiative），由美国新闻署策划主办、中国政法大学出版社翻译出版的一大型法律图书翻译项目。"文库"所选书目均以能够体现美国法律教育的基本模式以及法学理论研究的最高水平为标准，计划书目约上百种，既包括经典法学教科书，也包括经典法学专著。他山之石，可以攻玉，相信"文库"的出版不仅有助于促进中美文化交流，亦将为建立和完善中国的法治体系提供重要的理论借鉴。

美国法律文库编委会

2001年3月

前 言

这不是一本时髦之作。我在书中提出了研究合同法的道德方法，但却回避了当前备受伦理学家和法律学者青睐的各种理论手段。我提出的方法在理论上并不精致，也没有试图将所有的问题简化为一条简单的原则。相反，我试图从一般人的理解和一些有关行为准则及公平竞争的理念出发，给出些建议。因此，有些读者可能会觉得我的论证既杂乱又乏味。

从另外一个角度来看，这本书也不是时髦之作。很难说它与什么政治纲领有关。它既不保守，也不自由，更谈不上激进（尽管有些人可能将其视为反动）。

本书的第一部分是纯理论部分。第一章是对缔约的社会实践所作的介绍性分析。本章确定了缔约的两个基本目的：促进有益信赖和推动互惠合作。由于这些目的必须在正义的范围内实现，所以问题就产生了：在缔约的过程中，正义有何要求？

在第二章，我评价了有关合同正义的三个理论：合同自由、财富最大化、平等主义的分配正义。以上每种理论在法律界都有相当多的支持者，然而我排除了它们的适用。虽然我也赞成要求更大的经济平等，但我们的合同法必须在资本主义市场经济中发挥作用，因此无法做更多的事情来推动平等。

在第三章，也是本书的核心，我提出了一种自然法方法，在这种方法中，合同法追求的是亚里士多德式的矫正正义（但是也超越了矫正正义）。在讨论了道德的复杂性之后，我提出了七项公共道德原则和十一项司法回应原则，作为探询正义的指导方针。公共道德原则用来规制缔约双方的行为，而司法回应原则涉及的则是合同纠纷的法律解决方法。

人们都知道公共道德原则，但却经常漠视各种道德准则。我们生活在一个新的"黑暗时代"，[1]一个道德危机的时代——道德和法律遭到越来越多的蔑视；[2]一个自私自利、享乐主义、虚伪而缺乏对他人关心的时代。在1987年，美国人花在毒品上的钱几乎和投入到公立学校中的钱一样多。[3] 最近的一项民意调查显示，53%的雅皮士因为找不到愿意按照他们的意愿进行欺诈的会计师，而自己填写所得税申报表。[4] 如果我们要重建一个正派的、文明的社会，那么我们的法律制度就必须弘扬并执行某些基本的道德原则。合同法因此必须承担道德教育的功能。从这方面以及从许多其他方面来说，我提出的合同法方法借鉴了亚里士多德（Aristotle）、圣托马斯·阿奎那（Saint Thomas Aquinas）以及其他古代自然法传

---

[1] See ALASDAIR MACINTYRE, AFTER VIRTUE 263 (2d ed. 1984).
[2] See HAROLD J. BERMAN, LAW AND REVOLUTION 39, 40 (1983).
[3] See JAMES LINCOLN COLLIER, THE RISE OF SELFISHNESS IN AMERICA 184 (1991).
[4] See id. at 259. 科利尔（Collier）认为，20世纪70年代见证了利己主义的急剧攀升（see id. at 184）；而在20世纪80年代，美国政府则将利己主义作为自己的官方政策（see id. at 238）。

统下的思想家的思想。

　　我提出的方法只能在一个更宽泛甚至有些不精确的意义上方可称为自然法方法。虽然我作出的许多有关法律和道德的基本假设都源于自然法传统，但是我提出的具体内容却没有效仿亚里士多德、阿奎那或者其他自然法思想家。大多数伟大的自然法理论家所处的社会、经济以及与我们所处的时代差别很大。他们也不像我们更为精通缔约经济学。因此，如果有时我在细节问题上偏离了这些思想家的观点，也在意料之中。倘若这种偏离偶尔可以修正他们的理论观点中的瑕疵，也不是我骄傲的理由。"我们是站在巨人肩膀上的矮子。因此，我们比他们看得更多更远，不是因为我们的视力更好或者长得更高，而是因为我们被举起并且置于（原文如此）他们巨大的身体上面。"〔5〕

　　在第四章到第七章中，我将第一章和第三章所提出的理论方法运用到几个特定的合同法问题上。对每一个问题，我都先概述现行的法律规定，然后作出评价。有时我赞同现行的法律立场，有时我建议加以改变。第四章涉及的是法律应当强制执行哪些允诺的问题。第五章讲的是救济问题。第六章分析了要约和承诺的问题。第七章可说是尝试性地、也不够完善地试图解决欺诈性未披露的问题。

　　最后一章，即第八章，作了一些总结，试图证明对合同采用自然法方法的正当性。读者也许会感到疑惑，为什么不把这些理由放

---

〔5〕 据说是 Bernard of Chartres 所写，被 JACQUES LE GOFF 引用于 INTELLECTUALS IN THE MIDDLE AGES 12 (Teresa Lavender Fagan trans., 1993).

在接近本书开篇的地方，放在我详尽地阐述自己的自然法方法之前？我的想法是，如果被证明具有正当性的方法已经获得充分的展示和运用，那么读者应该能够更好地评价我提出的理由。一个人不可能在了解某种合同法方法如何在适用中推导出确定的结论前，对其作出明智的评价。这类智力之旅的最终目的，就是证明出发点的正当性。

感谢南希·谢利（Nancy Shealy）和多丽丝·库珀（Doris Cooper）辛苦地打印手稿。感谢丹尼斯·诺兰（Dennis Nolan）对初稿的评论。与其他很多人的讨论都让我受益匪浅，但我并不想将他们一一列出，因为生怕遗漏了某位。希望他们可以原谅我。

/ 目录 /

I	前言
1	第一章　允诺的目的
20	第二章　三种有缺陷的正义理论
62	第三章　研究合同法的自然法方法
142	第四章　可强制执行的允诺
159	第五章　救济
195	第六章　合意：要约与承诺
215	第七章　控制订约过程：未披露
242	第八章　为什么是自然法？
250	索引

第一章

允诺的目的

在本章中,我们将考察允诺的社会实践,并尝试确定其目的。这会为后面的内容奠定基础。

一、允诺

合同法所规范的乃是包含一个或者多个允诺的交易。允诺是一个关于在将来做或不做某事的许诺或者保证。这种许诺或者保证会引起受约人的信赖。当某人作出一个允诺时,他实际上是在告诉受约人:"你可以指望我,你可以信任我,你可以依赖我。"就像一位评论者所指出的:"作出允诺的目的在于诱使人们按照这些允诺而行事。"[1]

允诺发生在一定的社会实践关系中,并从中获得其意义。当人们实施一项固定的行为模式,认为这是正确的行事方法时,社会实践就形成了。我们在社会实践中观察到的行为的规律性,乃是人们将实践规则予以内在化并据此来评判彼此的行为的结果。

在允诺的社会实践中,我们有一项重要的规则:"遵守诺言!"

---

[1] P. S. ATIYAH, PROMISES, MORALS, AND LAW 144 (1981).

2　合同法与道德

社会上的大多数成员在大部分时间里都会坚持这项规则,因为他们认为这是正确的行为方式。由于允诺经常得到遵守,所以信赖一个允诺往往是合理的,允诺也经常被人们信赖。

然而,允诺的社会实践却不够健全,也不尽完善。它不像我们的数学规则、语言习惯或者棒球运动那样得到了高度的发展。我们拥有自己的基本规则,即"遵守诺言!"但是无论如何,允诺的实践都不能决定何者构成了一个允诺。人们通常都承认,为了作出一个允诺,一个人不需要说"我承诺";不过,我们没有任何约定的标准可用以确定什么样的言辞或行动构成或者不构成一个允诺。我们的允诺实践也不包括这样一套规则,即判断何者可看作是违反允诺的行为的免责事由或正当理由。几乎没有人认为所有的允诺都绝对地具有约束力,但是那些承认免责事由的人,在哪些情况能证明违反允诺具有正当性的问题上,并没有达成一致意见。再者,我们的允诺实践缺少一个广为接受的解释允诺的方法。允诺往往是一项充满了含糊之词的语言行为,由于缺少一套规定的解释方法,导致社会实践无法确定一个模棱两可的允诺应作何解释,进而无法判定某些允诺究竟是得到了遵守还是遭到违反。最后,允诺的社会实践并没有对那些未经批准的违反允诺的行为规定惩罚或者制裁措施(除了一般的社会责难以外)。

2　　我们的法律制度要想执行允诺,就必须超越有关为解决合同纠纷而确立的各种规则和标准方面的社会实践。然而,如果一项社会实践或者交易常规是现实存在的,并且与某一法律问题相关,那么我们就会期待法律制度对此予以重视。例如,在《统一商法典》中,"协议"一词被界定为:不仅包括明确同意的条款,还包括被认定为商业习惯的"贸易惯例",以及协议的双方当事人通过彼此之间的交易而确立的任何"交易过程"或"履行过程"。[2] 我们的法律制度由此使许多默示允诺得以生效,这些允诺从未在允诺人的言辞中表达过,但却蕴涵在交易常规之中。从法律的角度来看,一个人自愿从事一项涉及正常业务的交易,将会被视为已答应遵守交易常规,除非他明确地作出了相反的表示。[3]

默示允诺的另一项来源是法院在裁决一个允诺是否成立时所采用的客观方法。设若缺乏一种确定的社会实践来判定何者构成一项允诺,那么法院可以采用一个主观的方法,比如只要某人实际上打算承担义务,就认为她作出了一项允诺;或者法院可以采用一个客观的方法,比如倘若某人的言行能够被合理地解释为一项许诺,就认为她作出了一项允诺。鉴于人们往往不可能知道一个人的头脑里究竟在想些什么,加之有必要保护那些对看似一项允诺的言行产生

---

[2] U. C. C. §1-201 (3) (1995)."贸易惯例"规定在§1-205 (2),"交易过程"规定在§1-205 (1),"履行过程"则规定在§2-208 (1)。

承认默示协议或默示允诺系以交易常规为基础,并不是20世纪的立法者发明的一个新方法。在古罗马法中,据说那些天然地附属于一桩买卖的合同条款,不需要人们的明确同意即可具有法律约束力。See JUSTINIAN'S DIGEST 19. 1. 11. 1; HAROLD J. BERMAN, LAW AND REVOLUTION 137 (1983). 在发展于欧洲中世纪晚期的商法中,商事货物买卖本身就带有关于货物质量的默示保证。See id. at 349.

[3] 基于便利的原因,日常交易的处理通常采用最低限度的事先协商和明示协议来进行。每一方当事人都心照不宣地认为,对方当事人已默认遵守交易常规。最为典型的是,每一方当事人在开始履行之际,都会信赖这样一个默示的假设。如果这种默示的假设得不到法律的支持,她就有可能发现自己被卷入了一个与她合理地相信其所从事的交易大相径庭的交易之中。例如,阿奇博尔德(Archibald)打电话给一个比萨饼店主说:"请给我送一份大的意大利辣味香肠比萨饼,我住在安德鲁斯大街(Andrews Street)210号。"店主遂送来了比萨饼。从法律的角度来看,阿奇博尔德已经通过默示的方式允诺向店主支付一份大的意大利辣味香肠比萨饼的市价。See RESTATEMENT (SECOND) OF CONTRACTS §4 illus. 1 (1981). 如果此一允诺不是默示地作出的,那么其法律效果就会是那位店主赠与了一份比萨饼,也即与该店主合理地相信她所从事的交易完全不同的另一个交易。为防止出现此类意外的、混乱的结果,人们就认为允诺是默示地作出的。

合理信赖的人,因而我们的法院通常会采用客观的方法。[4] 由此,即使某人从未明确地说过"我承诺",甚至从未打算承担义务,她仍然会受到蕴涵于其言行之中的一项允诺的约束。

当我们考虑到蕴涵于商业习惯或交易常规之中的全部允诺,并且考虑到通过对言行进行合理的情境解释而揭示出来的全部允诺时,我们发现由法院强制执行的大量允诺都是默示允诺。因此,当我们说合同法所规范的是包括一项允诺的交易时,我们必须在一个广泛的意义上来使用"允诺"一词,以便为大量的默示允诺留出空间。

二、目的

前已述及,如果我们的法律制度打算执行允诺,它就必须用另外的规则或标准来补充允诺的社会实践。当然,问题是应当采用什么样的规则或标准。像任何社会实践一样,允诺实践被用来服务于使其具有价值的确定的目标或目的。看来,在选择合同法的规则或标准时,立法者们应当考虑到允诺的目的,选择那些能够促进允诺目的的规则或标准。那么,就让我们考察一下允诺的目的。我们不应想当然地认为所有的允诺都是为了同样的目的而作出的,因此我们需要考虑不同类型的允诺。

1. 经济交换型允诺(Economic Exchange Promises)

有一类十分常见的允诺,我将称之为"经济交换型允诺"。这种允诺的内容是向他人转让财产(例如不动产、动产或金钱)或服务以换取相应的财产或服务,其中用来交换的物品通常是在市场

---

[4] See RESTATEMENT (SECOND) OF CONTRACTS §2 and cmt. b thereto (1981); E. ALLAN FARNSWORTH, CONTRACTS §3.6 (3d ed. 1998).

上流转的物品。例如，甲允诺向乙交付一条船，乙为此船允诺向甲支付5000美元。有时候，经济交换型允诺所面对的并不是一个出现在规定时间内的个别的交换关系，而是在一个持续很长时间或者不确定期限的买卖关系中产生的连续交换关系。

人们为什么要作出经济交换型允诺呢？其解释必须从分工和经济交换的作用开始。任何分工都使得交换成为必需的。如果有些人只制造服装而不生产粮食，另一些人只种植粮食而不制造服装，那么就必须出现一些交换，以便使人们的基本需要得到满足。制衣商必须从农夫那里购买粮食，农夫也必须从制衣商手中购买衣服。[5] 分工使交换成为必需，不同的评价则使交换成为可能。如果某个制衣商认为一个葡萄柚的价值大于她钱包中的一块钱，而某个农夫则认为一块钱的收入在价值上要超过自己所种植的一个葡萄柚，那么制衣商与农夫可能就会同意用一块钱来换取那个葡萄柚。如果制衣商与农夫自愿进行此一交换，并且如果每个当事人的评价都反映了该方当事人的真实利益，而非某种不合理的偏好，那么我们就可以认定这种交换使双方当事人都获得了改善。的确，此即为自愿的经济交换的目的：它倾向于以一种互惠互利的方式来重新分配经济资源。[6]

但是，我们还没有谈到允诺的问题。允诺是怎样与交换产生关联的呢？许多互惠互利的交换关系无法以一种绝对的即时交易的方式来完成；一方当事人在某种程度上必须先于另一方当事人而履

―――――――

〔5〕 制衣商愿意给予农夫足够的服装（作为礼物）以满足农夫对衣服的需求，农夫愿意给予制衣商足够的粮食以满足制衣商对粮食的需求，这种情况从理论上来说是可能的。考虑到人类利他主义的局限性，上述情况虽然可能发生，但极不可靠。同样可能的是，通过政府的指令也可以实现对衣服和粮食的恰当分配。然而，我还不知道在哪一个社会里曾经大规模地、成功地尝试过这种方法。

〔6〕 See THOMAS AQUINAS, SUMMA THEOLOGICA part 2 of the 2d part, question 77, article 1（买卖似乎是为了双方当事人的利益而达成的）。

行。假设某土地所有人希望以50000美元来聘请一位木匠为她建造一座房子，但却不愿意提前支付这一价款。木匠可能会同意先建房子，然后再领取报酬，也可能愿意在每完成一段工程时就收到相应比例的价款。无论哪一种方法，木匠都是在通过先工作、后取酬的方式向土地所有人提供信用。除非土地所有人向木匠作出一个郑重的保证或者许诺（即一个允诺），表明他将在某个规定的时间或时期内付给他50000美元，否则木匠就不会着手为其建造房子。这仅仅是许多互惠互利的交换关系中的一个例子，假如不是向先开始履行的当事人作出了一个允诺的话——此允诺旨在诱使该当事人先走一步并相信对方当事人届时会履行她在交易中的义务——这样的例子决不会发生。

甚至当一项经济交换可以由双方当事人同时履行时，允诺仍然适合于一个非常有益的目的：它使得双方当事人能够规划其未来事务。假设ABC家具公司决定在明年生产一款新产品，橡木是用来制造这一产品的主要原料。ABC公司的董事们预计在明年1月他们将需要500呎橡木。他们可以一直等到明年1月，然后再赶往贮木场，以不涉及任何允诺的即时交换的方式购买500呎橡木。他们也可以现在就与木材制品公司签订一份合同，只要ABC公司答应为每板呎橡木支付2.50美元，该木材供应商愿意允诺在明年1月向其交付500呎橡木。这样一份合同将有利于ABC公司的商业规划。它不但确保ABC公司在明年1月可以得到所需的橡木，而且还保证ABC公司能够以每板呎不超过2.50美元的价格获得橡木（ABC公司的董事们可能会担心明年1月橡木会匮乏或至少变得更贵）。

有了这些保证以后，ABC公司的董事们现在就可以着手规划明年1月的商业活动了。由于预料到ABC公司将为明年1月的橡木支付 1250 美元，因此他们可以进一步决定明年 1 月所生产的新产品的定价。这正是 ABC 公司的销售人员想尽快获得的一个决定。ABC 公司的董事们也可以开始决定该公司有多少资金将被运用于新产品，多少资金会被留给其他类型的产品。因此，如果 ABC 公司现在为明年 1 月所需的橡木签订一份合同，那么这份合同中包含的各种允诺就会提供关于明年 1 月所购买的橡木的先期信息，这种信息使得 ABC 公司的临时决议能够适合于即将到来的交易。[7]

设若 ABC 公司与木材制品公司签订了一份合同，则其制定临时决议时就会依赖于那份合同。如果一个人因某一允诺而实施一项有风险的作为或不作为，那么他就会对这一允诺产生信赖。如果木材制品公司履行合同，那么这种信赖中的某些部分对 ABC 公司就是有益的；反之，如果木材制品公司违约，那么对 ABC 公司是有害的。[8] 如果信赖给 ABC 公司带来某种收益，使其处境比在没有信赖的情况下更好（也就是说，如果从信赖中获得的收益超过了信赖成本），那么信赖就是有益的。如果信赖造成了损失，使 ABC 公司的处境比在未产生信赖的情况下更遭（也就是说，如果信赖成本超过了从信赖中获得的收益），那么信赖就是有害的。例如，ABC 公司可能会信赖木材制品公司的允诺（在明年 1 月以每板呎 2.50 美元的价格供应橡木），告诉 ABC 公司未来的顾客说，新产品将在 1 月份以每套 100 美元（这一价格预计为 ABC 公司的每套产品带来 10 美元利润，条件是 ABC 公司以每板呎 2.50 美元的价格获得橡木）的价格上市。如果木材制品公司履行其合同，那么 ABC 公司将从其先期的市场营销活动中受益；它会比在没有营销

---

〔7〕 See Charles J. Goetz & Robert E. Scott, Enforcing Promises: An Examination of the Basis of Contract, 89 YALE L. J. 1261, 1264, 1267 (1980).

〔8〕 See id.

活动的情况下卖掉更多套产品（以每套10美元的利润）。但是，如果木材制品公司违反其合同，而ABC公司在1月份不得不进入市场并以每板呎3美元的价格购买所需的橡木，那么ABC公司的信赖就会证明是有害的；如果ABC公司执行它自己作出的将在1月份以每套100美元的价格出售新产品的销售预告（由于客户关系的原因，它可能不得不这样做），那么ABC公司就会发现自己的行为导致1月份的销售产生了净亏损——倘若ABC公司没有信赖木材制品公司的合同而进行先期的市场营销活动，而是一直等到它获得橡木以后才为其新产品确定价格，则这一净亏损本来是可以避免的。

5 从这个例子中我们可以看到，如果允诺得到遵守，对经济交换型允诺的信赖就能为受约人带来额外利益；但若允诺遭到违反，对经济交换型允诺的信赖就会证明是有害的。由此可以得出两个更进一步的结论：第一，看来经济交换型允诺的一个主要目的就是促进有益信赖；[9] 第二，有害信赖的危险似乎是坚持必须遵守此类允诺的一个主要原因。

关于允诺的目的，我们现在可以概括一下对经济交换型允诺的分析：（1）经济交换型允诺的一个主要目的，是提供促使人们进行互惠互利的经济交换关系的可靠许诺，如果缺少此类许诺，人们决不会进行这种经济交换；（2）经济交换型允诺的另一个主要目的，是提供能够使受约人规划未来事务并从事有益信赖的可靠许诺。

2. 其他协作型允诺（Other Coordination Promises）

允诺并非专门用于市场中的经济交易。在两个或者更多的人要

---

[9] See id. at 1269（"有益的信赖大概是允诺的首要社会理论基础"）。

协力完成某种无法通过市场来实现的事情时,人们偶尔也会作出允诺。我们将把此类允诺称作"其他协作型允诺"。例如,甲和乙可能彼此允诺要保守一个秘密(允诺不向任何第三人泄露他们所知道的某一事实)。丈夫与妻子可能相互允诺要尽力向他们的孩子灌输一个信念,即撒谎永远是错误的,一个人必须说实话。这两个例子都涉及到为实现某种共同目标而协作努力的协议。不过,双方当事人打算实现的目标无须是共同的。两个人可能会同意协调他们的行为,以便为一方当事人实现一个目标,而为对方当事人完成另一个迥然不同的目标。丙可能向他的隔壁邻居丁作出允诺,只要丁不让他的狗跑进他的院子里,他就会阻止他的客人把车停在他的车道上。就像本段中描述的其他允诺以及经济交换型允诺一样,在其用来促成受约人的协作行为以帮助立约人实现某一目标的意义上,丙的允诺也是一个协作型允诺。就此而言,"其他协作型允诺"与经济交换型允诺一样,都是交易型允诺。立约人实际上是在告诉受约人:"若你为我做此事,我将为你做彼事。"

作出其他协作型允诺的目的,看起来与经济交换型允诺的目的几乎是一样的。任何协作型允诺,不论是一个经济交换型允诺还是其他协作型允诺,都被用来促成那种使立约人和受约人彼此受益的协作行为。作成此类允诺的实践促进了互惠互利的计划,因此有助于增加参与该实践的全体社会成员的公共利益。[10] 当然,即使在没有允诺的情况下,合作也能带来互惠互利的结果。不过,约定的

---

[10] See JOHN FINNIS, NATURAL LAW AND NATURAL RIGHTS 303 (1980)(允诺实践极大地促进了公共利益,因为它在实现任何人类计划所必需的时间内提供了一个保持合作的有效手段)。根据阿奎那的观点,法律的主要目标是公共利益;法律,就其本质来说,以公共利益为目的。See THOMAS AQUINAS, SUMMA THEOLOGICA part 1 of the 2d part, question 90, article 2. 菲尼斯(Finnis)的前提与阿奎那的前提相结合,似乎导致了这样一个结论,即法律应当促进允诺实践。

许诺可诱使人们从事一些合作冒险事业,如果没有此类许诺,人们会立即拒绝或者早在实现目标之前就放弃了这些合作;允诺有助于促使受约人加入一个合作关系,并提供一个稳定的保证,以防止受约人在计划开始之后反悔。[11] 就像经济交换型允诺那样,其他协作型允诺也有助于促进规划和有益的信赖。允诺的一个目的就是约束未来,[12] 使受约人能够在允诺的履行行为到来之前预先规划其事务并从事有益的信赖。因此,我们再一次看到同样的两个目的:通过自愿合作来实现互惠互利的结果,以及促进有益的预期信赖。

3. 非交易型允诺 (Nonbargain Promises)

当某人作出一个经济交换型允诺或其他协作型允诺时,他是在表明:只要受约人以某种规定的方式进行合作,他就将履行其允诺。木材制品公司允诺交付橡木,是以 ABC 公司支付合同价款为条件的。丙允诺阻止他的客人把车停在丁的车道上,是以丁不让他的狗跑进他的院子里为条件的。然而,在有些时候,某人虽然作出一个允诺,却并不要求受约人完成任何特定形式的行为。在立约人许诺做某事而不期望受约人做任何事情的意义上,这一允诺是无条件的。我将把此类允诺称作"非交易型允诺"。

例如,甲可能允诺赠与乙 1000 美元,仅仅是因为乙处境贫困。这一允诺没有附加任何条件。甲并没有期望乙作出任何交换或要求

---

[11] See JOHN RAWLS, A THEORY OF JUSTICE 346—47 (1971) (通过彼此作出许诺,人们建立起并稳定了互惠互利的合作方案;在某人即将先于他人而履行时,尤其需要允诺的存在)。

[12] See John Rawls, Two Concepts of Rules, 64 PHIL. REV. 3, 16 (1955).

任何形式的协作行为。[13] 不过，一个非交易型允诺未必是受到利他动机驱使的赠与允诺。丙可能允诺付给丁1000美元，因为丁先前曾救过丙的命，而丙认为自己有回报的道德义务。戊可能允诺付给己1000美元，因为在过去的某个时候戊曾经伤害过己，并且戊觉得在道德上有义务来补偿她。动机是无关紧要的。只要立约人不期望、不要求受约人方面完成任何特定的行为，他就是作出了一个非交易型允诺。

非交易型允诺的目的是什么？我们不能想当然地认为它服务于促进互惠互利的交易这一目的。一项允诺转让1000美元的行为可能是互惠互利的；实际完成转让行为的立约人也许会获得一种精神利益，这种利益在价值上要超过其支出的1000美元财产。另一方面，这种转让行为可能不是互惠互利的；立约人或许不认为这种转让对自己有益，而其允诺实施转让行为仅仅是出于一种道德责任感。即使转让1000美元的行为是互惠互利的，允诺通常也不是引起转让行为的必要因素；在多数情况下，即便让与人没有预先作出任何允诺，仍可能发生转让行为（与经济交换形成对照，在经济交换中，除非将要首先履行的当事人得到一个允诺，否则转让行为绝不会发生）。

作出非交易型允诺，而非单纯地进行等待并作出转让行为，其可能的目的是给受约人一个她可以信赖的许诺。如果我们问为何受约人会想要此一允诺，其答案可能是，在转让行为完成之前，她需

---

[13] 甲可能对乙说："如果你今晚拜访我家，我就会给你1000美元。"在形式上，这一允诺是有条件的；为了得到礼物，乙必须拜访甲的家。然而，只要看起来甲作出允诺并非旨在促使乙拜访甲的家，我仍将此允诺看作一个非交易型允诺。如果该条件仅仅是对进行赠与的适宜方式所作的详细说明（如果甲曾经想在另一个时间或地点进行赠与），则其不过是附属于赠与而已，并不表明当事人正在作出一个真正的交易。当然，问题是我们常常不知道立约人的动机是什么或者他曾经想做什么。但是，我们不应让此类心理神秘主义妨碍我们去提供一个有关允诺及其目的的分析性说明的努力。

要一个可以信赖的保证。如果我们问为何立约人愿意作出此一允诺，我们就是在问，为何立约人想告诉受约人，她可以指望他、信任他（那就是一个允诺所包含的内容）。显而易见的答案是，立约人希望给受约人提供一个她可以信赖的许诺。[14] 由此看来，甚至在非交易型允诺的场合，允诺也服务于如下目的：预先告知一桩交易，使受约人能够规划其临时行为，以及使受约人合理地从事那些如果允诺得到遵守就将证明是有益的信赖。

三、信赖因素

我们已经看到，经济交换型允诺和其他协作型允诺的一个主要目的，就是促进能产生互惠互利结果的合作行为。然而，我们不能想当然地认为这也是非交易型允诺的一个目的。这三种允诺共同具有的一个目的，乃是约束未来并由此促进有益的信赖。[15] 人们作出允诺是为了引起信赖。

允诺不仅会引起信赖，也常常为人们所信赖。受约人之所以信赖允诺，既是因为他们希望从信赖中获益，也是因为他们意识到了遵守诺言的社会实践；他们知道绝大多数人都遵守其大部分允诺，并且他们认为立约人将承认这一道德义务，即服从要求必须遵守允诺的社会实践规则。这种社会实践通常令信赖合理化，并有助于解释为何允诺常常被人们信赖这一事实。

当立约人作出一个经济交换型允诺时，受约人通常会信赖这一

---

〔14〕 当然，显而易见的答案并不总是正确的答案。为了增加实际完成转让行为的概率这一惟一目的，受约人有可能寻求获得允诺，立约人则会作出允诺（立约人正试图增强自己的决心），而双方当事人都认为受约人最不可能信赖这一允诺。但这并不是寻常情况，我们感兴趣的是允诺的通常目的。

〔15〕 See CHARLES FRIED, CONTRACT AS PROMISE 13 (1981)（允诺的一般目的是给我提供一个使自己承担义务的方法，以便其他人有可能依赖我将来的行为来促进他们的计划，并由此追求更为复杂、更为深远的计划）。

允诺，放弃许多与其他人缔结一个类似的市场交易关系的选择机会。[16] 受约人也有可能基于对即将到来的交易的期望而改变其计划。对其他协作型允诺来说，受约人也许没有选择机会可供放弃，但她很可能会因为对允诺的合作行为的期望而着手重新安排其事务。甚至对于非交易型允诺，受约人也可能产生信赖。尽管大多数非交易型允诺是没有任何选择机会可言的赠与允诺，但受约人仍可能基于对允诺的转让行为的期望而开始修改其消费计划或其他计划。

信赖一个允诺所蕴涵的内在危险是，如果允诺得到遵守就将证明其有益性的信赖，会在允诺遭到违反时变得有害。信赖往往会产生成本；如果这些成本不能通过冲销从信赖中获得的利益而得到弥补，那么这种信赖就是有害的。

许多不同类型的信赖成本都是可能发生的，但有三种常见的信赖成本最为重要。第一类信赖成本是由我称之为"履行的实际成本（out-of-pocket costs of performance）"所构成的。已向立约人作出对待允诺的受约人，在履行（或准备履行）她自己因信赖对方当事人的允诺而作出的允诺时，可能会引发成本。例如，由于信赖与买方签订的销售一台冰激凌机的合同，卖方可能会花费2000美元来履行为买方制造冰激凌机的允诺，买方已答应为该机器支付2500美元。在这个例子中，卖方的实际成本是2000美元花费，但"实际成本"并不局限于金钱费用；我们将在一个广泛的意义上来使用这一术语，即实际成本也包括其他财产的转让、时间或劳动的支出以及其他资源的流出。

第二类信赖成本可以被称作"非履行的实际成本（nonperform-

---

[16] 在市场中交换的大多数东西，都能够从不止一个卖方那里买到，也可以被卖给不止一个买方。在大多数市场中，既没有卖方垄断，也不存在买方垄断。

ance out‐of‐pocket costs)"。这些成本是受约人基于信赖而产生的实际成本,但受约人所做(或准备做)的事并非她向对方当事人允诺要去做的事。例如,由于信赖销售冰激凌机的合同,买方可能会花费500美元从湖景(Lakeview)农场购买用在冰激凌机中的奶油。这是一笔实际成本,但并非履行成本,因为买方从未答应过卖方去购买奶油。

第三类信赖成本是由"机会成本(opportunity costs)"构成的。由于它们并不意味着资源的流出,故非实际成本。当受约人通过放弃可以获益的其他选择机会而信赖一个允诺时,就会产生机会成本。例如,由于信赖与买方签订的销售冰激凌机的合同,卖方可能放弃了将同一机器以2400美元的价格出售给埃尔西乳品店(Elsie's Dairy Bar)的机会,也即放弃了一个能为卖方带来400美元利润的替代性销售,放弃了一个要不是因为信赖买方将用2500美元来购买该机器的允诺,卖方可能早就完成了的买卖。虽然卖方没有支出400美元的实际成本,但她已经放弃了一个赚取400美元净利润的机会。

如果允诺遭到违反,那么已经产生信赖成本的受约人不但会发现其信赖是有害的,而且还会发现自己处于一个比她从未作出过允诺时更为糟糕的状况。[17] 如果买方违反其购买冰激凌机的允诺,并且卖方也无法找到其他人来购买该机器,那么卖方就会因为信赖买方的允诺而浪费2000美元的履行的实际成本,并因该允诺而遭受2000美元的净损失。即使卖方能够以2000美元卖掉该机器,卖

---

[17] 有害信赖并不必然使受约人的处境比从未作出过允诺时的状况更糟。正如我对"有害信赖"所作的界定那样,如果信赖成本超过从信赖中获得的利益,那么信赖就是有害的。尽管受约人产生了有害信赖,但若违反允诺的立约人以一种与受约人的信赖无关的方式部分地履行其允诺,由此给受约人带来的利益超过了她因为信赖而遭受的净损失,那么她的处境仍将比作出允诺之前的状况更佳。

方也失去了如果不与买方缔约,而是与埃尔西乳品店做生意时本可以赚到的400美元利润。另一方面,如果卖方因不能向买方交付冰激凌机而违反允诺,且买方无法获得一个代用机器,那么买方就会因其对卖方的允诺产生的有害信赖而浪费500美元的非履行的实际成本(为了奶油),并因该允诺而遭受500美元的净损失。

四、依法强制执行允诺

我们还没有谈到法律制度应当怎样来处理允诺的问题。显而易见,所有法律制度的一个基本功能就是和平地解决纠纷。[18] 然而,有不同的方式可用于和平地解决纠纷,其中的某些方式要优于其他方式。我们想必会愿意让我们的法律制度以一种促进正义和公共利益的方式来解决纠纷。允诺的社会实践促进了公共利益。因此,由法定机构(它们对公共利益负责)通过强制执行允诺必须履行的规则来支持允诺的社会实践,也许是合适的。[19]

不过,司法资源是有限的,我们不能期望我们的法院去强制执行有益于社会的每一个社会实践。我认为,当且仅当符合以下三个标准时,一项社会实践才值得依法强制执行:(1)该社会实践提供了若缺少它即无法获得的重要社会利益;(2)该社会实践在大多数情况下是公平、公正的;(3)缺少了法律保护,信赖该实践的人就会被那些滥用该实践的人严重地伤害。我们对允诺的目的所作的分析,表明了允诺是如何促进互惠互利的合作行为以及关于有益信赖的规划的,因此带来了在缺少允诺的情况下将很难获得的重要社会利益。

---

〔18〕 的确,"法律程序"可以被定义为一种旨在和平解决纠纷的公开的、正式的程序。See MICHAEL GAGARIN, EARLY GREEK LAW 7-8 (1986).

〔19〕 See JOHN FINNIS, NATURAL LAW AND NATURAL RIGHTS 307 (1980). See also supra note 10.

关于第二个标准，几乎没有人会认为允诺的社会实践是不公平或不公正的。作为一个一般规则，允诺的社会实践仅仅要求允诺必须得到遵守，并为在某些情况下证成违反允诺的正当性留下了余地。由于允诺实践的要求很不明确，因此难以认定这些要求是不公正的。

至于第三个标准，为了保护那些信赖允诺且容易因滥用允诺实践而受到损害的当事人，法律救济看来是必需的。我们已经看到一个违反允诺的行为如何有可能导致有害的信赖，并使得受约人的处境比从未作出过允诺的情况下更遭。怎样才能避免这种损害呢？我们可以努力阻止违反允诺的行为，并补偿因违反允诺的行为而受到损害的受约人。在一定程度上，社会制裁和立约人对其声誉的关注会阻止违反允诺的行为。然而，日益增多的少数美国立约人，却很少关心社会制裁或他们自己的声誉。要想阻止此类人士违反允诺，惟有通过法律制裁的途径。再者，现有的社会制裁很少对因违反允诺的行为而受到损害的当事人提供补偿。只有通过法律救济才能提供充分的补偿。既然如此，看来为了保护允诺的社会实践以及那些信赖此一实践的人，法律必须通过一定的制裁措施来执行允诺，以阻止违反允诺的行为并补偿此类行为的受害人。我们由此可以说，允诺的社会实践符合所有三个标准，应予依法强制执行。

10 然而，这并不意味着法律制度应当执行每一个允诺。即使立约人永远负有遵守其允诺的道德义务，法律义务也不必与道德义务共同扩张，法律救济亦无须与道德权利共同扩张。流行的观点（我认为是一个正确的观点）认为，在处理两个公民之间的私人交易时，只有在为了阻止或补偿不法行为造成的严重损害而必须运用强制的情况下，法律制度才应当介入并对违反道德义务的当事人施加强制。[20] 在合同关系中，这一原则会导致如下结论，即只有当有害的信赖带来严重损害时，才能证明对被违反的允诺依法进行强制执行是正当的。[21] 由此，依法强制执行允诺似乎主要取决于保护

---

[20] See Hugh Collins, Contract and Legal Theory, in LEGAL THEORY AND COMMON LAW 136, 140-41 (William Twining ed., 1986)（讨论占主导地位的"现代自由主义"观，即只有在为了阻止损害或补偿损害的情况下，才能证明施加法律强制是正当的）。在一个像我们这样的自由社会中，人们认为强制在本质上就是坏的，只有在为了阻止或矫正对其他人造成某种更大损害的需要超过了对被告施加强制所带来的损害时，法律强制才被认为是正当的。有关这一观点的一个主要论述可参见 JOHN STUART MILL, ON LIBERTY 13-15, 92, 115-16 (Currin V. Shields ed., 1956)。我用"损害"一词来指称使一个人的处境比过去更糟的任何情况。

[21] 如果不是从事了有害的信赖，很难想像一个受约人（或受益第三人）如何能够遭受严重的损害。参见下文注 22 关于丧失期待的讨论。虽然倘若损害了维持允诺实践所必需的社会信任，任何违反允诺的行为都会危害社会，但是我认为，只有在有害信赖已经发生时（也即只有在信任已被证明是不利的情况下），损害才可能是严重的。

信赖的需要。[22]

我们对这一问题所作的分析，揭示了合同法应当保护允诺实践并促进其目的的三种方式。首先，对于经济交换型允诺和其他协作型允诺，合同法应当采用那些能促进互惠互利目的的规则和标准。其次，对于所有类型的允诺，合同法应当采用那些有助于促进有益信赖这一目的的规则和标准。最后，仅仅在确有必要保护产生信赖的受约人或其他人免遭有害信赖所带来的严重损害时，合同法才应当提供依法强制执行允诺的救济措施。

然而，这三种办法并不能确定，至少不能以任何直截了当的方式来确定：所有的合同纠纷应当怎样合法地加以解决。立法者们仍

---

[22] 尽管评论者们很少宣称信赖是依法强制执行允诺的首要基础，但他们却经常将信赖看作是一个主要基础。See, e. g., P. S. ATIYAH, PROMISES, MORALS, AND LAW 36 (1981) (允诺易于被信赖以及确实引起信赖的事实，是允诺应当得到遵守、合同应当具有法律执行力这一规则的一个主要理由); FREDERICK POLLCOK, PRINCIPLES OF CONTRACT 9 (4th ed. 1888) (一个立约人受到拘束，不仅仅是因为他拥有或表达了一个确定的意图，而且还因为他所表达的意图赋予了对方当事人以某种方式信赖其行动的权利)。

我认为信赖是依法强制执行允诺的首要基础，因为其他看似合理的基础远不像信赖那样坚强有力、无所不在。保护受约人的单纯期待不足以构成一个强有力的基础。假定法律应当仅仅保护人们免遭损害，那么我们可以把没有得到预期收益的失望看作是一种精神损害，但这种损害似乎过于轻微和不确定，以至于不值得受到法律保护。

阻止不当得利的需要远不如保护信赖的需要那样普遍存在。虽然有许多这样的事例，即受约人并未给与立约人一定的利益就对其产生信赖，但大概很少出现立约人不是基于对允诺的信赖而从受约人处获得利益的情况。如果受约人在立约人作出允诺之时或之后给与立约人某种利益，则该利益很可能是基于对允诺的信赖而给与的。如果利益的给与发生在作出允诺之前，并且利益的受领人当时并无回报的法律义务，那么他的法律义务一定是由他作出的招致信赖的允诺而引起的。（如果受领人负有回报的法律义务，则约定的义务就属画蛇添足了。）因此，很少需要用利益的给与来解释为什么允诺应当依法予以强制执行。

最后，对立约人自治的尊崇，也没有像信赖那样为依法强制执行允诺提供一个强有力的基础。一个人在作出允诺时自由自愿地承担一项道德义务的单纯事实，并不意味着其义务应当由法律制度予以强制执行。我们自由地承担了许多道德义务，但在我们造成损害之前，法律明智地拒绝强制执行这些义务。

须决定，究竟是所有的有害信赖都应受到保护，还是仅对某些类型的有害信赖予以保护。他们必须决定，当履行行为不再是互惠互利的行为时，合同是否依然具有执行力，并须确定何者构成不履行的免责事由。法院和立法机关还必须决定应该怎样来解释允诺，以及在违反允诺的行为造成严重损害时将提供什么样的救济。如前所述，允诺的社会实践并没有提供解决这些问题的规则。为了解决纠纷，法律制度必须超越实践、实践的规则以及实践的目的。这些纠纷不仅应当和平地加以解决，而且应当像正义所要求的那样去解决。正义的要求优于任何社会实践的规则和目的。问题是：在合同法中，正义所要求的是什么？我们将通过本书的其余部分来努力解决这一问题。

第二章

三种有缺陷的正义理论

在本章中，我们要讨论可能应用到合同法中的三种正义理论：合同自由、财富最大化和分配正义。我将指出，在合同领域中，所有这些理论都无法提供一个适当的正义概念。每一种理论都深受狭隘的、片面的正义观之害。每一种理论都忽视了当事人行为的道德品质。每一种理论都提出了它自己无法解决的技术性问题。

一、合同自由理论

合同自由理论在19世纪晚期和20世纪早期的"古典"合同法中占据着支配地位，在当代合同法以及学术中的重要地位仍然显而易见。这一理论的焦点是自愿的允诺性同意问题。

1. 合同自由理论概说

当代的合同自由理论通常建立在自由主义的政治哲学之上。[1]

---

[1] 在19世纪，人们也基于功利主义的观点（合同自由有助于实现社会总效用的最大化）或者社会达尔文主义的观点（合同自由有助于适者生存）为合同自由辩护。此类论证现已不再流行。

自由主义者们声称个人自由是任何公正社会的惟一合法关怀。[2]正义尊崇自由选择。用罗伯特·诺齐克（Robert Nozick）对于转让正义所作的自由主义口号式的语言来说，就是"按其所择给出，按其所选给与"。[3] 关于财产权利的转让，凡是得到同意的就是正当的，并且只有得到同意的才是正当的。

这种自由主义的正义理论反映在合同自由观念中，就是法院应当维护经过缔约各方的自由选择而创设的权利义务。当事人可以就其同意的任何条款自由地订立合同。[4] 这样选择的条款决定了什么是公正的。不论一项合同交易对当事人中的一方多么苛刻，只要该交易得到双方当事人的同意，则其结果就是公正的。

既然认为一个人的合同权利义务依赖于他所同意的条款，那么合同自由理论就必须回答这一问题：哪些同意是有价值的？当然，只有自愿的同意才有价值。然而，一个人也许在不同的时间以相反的方式来自愿地表示同意。一个人可能先是同意某一特定的在未来

---

[2] See JAN NARVESON, THE LIBERTARIAN IDEA 13 (1988).
强调个人自由的是康德主义者。康德认为，根据人的本性，在这一自由与其他人依照普遍的道德法则而享有的自由和谐共存的范围内，每个人都拥有一种消极自由权（不受他人意志的强制）。See IMMANUEL KANT, THE METAPHYSICAL ELEMENTS OF JUSTICE 43–44 (John Ladd trans., 1965). 一个人所有的政治权利和法律权利都来源于这个与生俱来的自由权。See id. at ix（译者对康德的概括介绍）。法律制度的任务不是使人们道德化，而是保护消极自由。See id. at xi（译者对康德的概括介绍）。只有在一个人妨害了另一个人的自由时，国家才应当对其施加强制。See id. at 35–36.

[3] ROBERT NOZICK, ANARCHY, STATE, AND UTOPIA 160 (1974).

[4] See FRIEDRICH KESSLER, GRANT GILMORE, & ANTHONY T. KRONMAN, CONTRACTS 55 (3d ed. 1986)（认为合同自由理论的一个基本原则是，双方当事人可以自由地签订他们想要的任何内容的合同）。
之所以允许人们自由地签订任何内容的合同，有一个合理的实践方面的原因。在一个自由企业经济中，法律不得不承认许多种商业交易的存在，但却无法预料所有此类交易的确切形式，因此必须赋予双方当事人决定其交易条件的自由。See Friedrich Kessler, Contracts of Adhesion—Some Thoughts About Freedom of Contract, 43 COLUM. L. REV. 629, 629 (1943). "合同自由……是自由企业制度的必然对应物。" Id. at 630.

转让财产或提供服务的行为，但后来又撤销或变更其同意。在合同自由原则中，具有价值的同意乃是在允诺中表达出来的允诺性同意。[5] 一个人依法负有的合同义务取决于他所作的允诺。[6] 无允诺即无合同义务。不过，如果某人已经自愿地作出允诺，那么他就负有履行该允诺的道德及法律义务。[7]

根据合同自由原则，履行自愿性允诺的义务应当由法律制度严格地予以执行。[8] 违约人不应基于下述理由而免于承担法律责任，即她的允诺系建立在某种错误看法之上，或者在她作出允诺之后环

---

[5] 在自由主义理论中，在一项真实的即时让与中所明示或默示地表达出来的同意也是有价值的；不过，合同法主要关注对未来交易的同意。

[6] 合同自由理论的一个当代的、温和的支持者查尔斯·弗雷德（Charles Fried）指出，合同法的道德基础是允诺原则，该原则认为允诺创设了新的、自愿负担的义务。See CHARLES FRIED, CONTRACT AS PROMISE 1 (1981).

有人可能会问，怎样才能从对个人自由的尊崇中获知允诺的特殊意义呢？弗雷德的回答是：

"允诺习俗……有一个极为普通的目的……为使我尽可能地自由行事，……必须有一个我可以承担义务的方法。我必须能够将一个本可自由选择的行动方针变成无可选择的。通过如此行事，我可以促进其他人的计划，因为我能使他们有可能信赖我将来的行为，并因此使他们能够实施更复杂、更深远的计划。如果我……愿意让其他人信赖我……我必须能够将自己交到他们手中，要比他们仅仅在那里预料我将来的做法更为坚定。"

Id. at 13. 对于立约人的自由系通过受到限制而得以促进这种观念抱有疑问的那些人可能更喜欢说，立约人遵守其允诺的道德及法律义务乃是由保护受约人的自由与自治的需要而引起的。如果像弗雷德所说的那样，受约人系基于对允诺的信赖而依赖立约人并追求远大的计划，那么违反允诺的行为将会妨碍那些计划，并由此妨碍受约人的自治与自由。

[7] 在古典合同法中，一个允诺除非具备对价，否则通常不得合法地予以实施。不过，对对价的要求并非源于合同自由原则，而是来自其他动机，可能来自对商事交易协议的法律保护进行限制的愿望。See E. ALLAN FARNSWORTH, CONTRACTS § 1.6, at 19 (3d ed. 1998).

[8] 当然，依法强制执行意味着对违约人的强制。在合同自由理论中，使立约人的自由意志能约束它自己的需要或者保护受约人的自由的需要，都能证明对自由的这种干涉是正当的。

境发生了变化。[9] 虽然一个人可以自由地作出她所选择的任何允诺，但她要受到其自愿作成的所有允诺条款的严格约束。最终，合同自由理论归结为自愿的允诺具有神圣性，应当严格地予以执行。这一理论被它在英国法院中的一个支持者巧妙地概括为：人们应当拥有"最大限度的缔约自由，而且……他们自由自愿地签订的合同应当被看作是神圣的，并应由法院予以执行。"[10]

2. 对合同自由理论的批评

即便是那些接受合同自由理论的信条的人，也承认大量的合同纠纷并不能通过这些信条而得到解决。[11] 上文简要介绍的合同自由理论只是一种不充分的正义指南；它必须由其他原则加以补充。

作为一种实现正义的方法，坚持个人自由的优越性并不能使我们走得很远。在提交到法院处理的大多数合同纠纷中，一方当事人的自由都与对方当事人的自由相冲突。如果没有一套以标准单位来衡量自由的方案，那么法院就不能仅仅对原告自由的潜在损失和被告自由的潜在损失进行量化，然后随便作成一个使自由的损失最小

---

[9] See FRIEDRICH KESSLER, GRANT GILMORE, & ANTHONY T. KRONMAN, CONTRACTS 862–63 (3d ed. 1986)（指出 19 世纪的古典合同法使得人们很难以错误或者情势变更为由而免予承担合同责任；其倾向是接近绝对责任）。

[10] Printing and Numerical Registering Co. v. Sampson, 19 L. R. – Eq. 462, 465 (1875) (Jessel, M. R.).

[11] See, e. g., CHARLES FRIED, CONTRACT AS PROMISE 58–63, 81 (1981)（履行不能、履行不可行、目的落空、错误、欺诈以及未披露事实等案件，必须通过其他的衡平原则加以解决）。

化的判决。[12] 法院必须作出一种自由（一方当事人做 X 事的自由）优先于另一种自由（对方当事人做 Y 事的自由）的定性判决。此一判决只有运用自由之外的某种价值才能够作成。

合同自由理论试图通过将焦点集中在自愿的允诺性同意方面来解决相冲突的自由的问题。双方当事人的法律权利义务，以及由此产生的相冲突的自由之间的优先性，完全地、严格地取决于自愿的合同性允诺条款。然而，这种方法却引出了三个问题，合同自由理论无法圆满地予以回答。

17　首先，法院应当如何解决合同条款中并未提到的、双方当事人都没有作出允诺的问题？合同自由的支持者们可能会认为，在此一情形中，双方当事人都不应负责，因为他们均未违反允诺；双方当事人可以自由地为所欲为，法院则应听之任之。当争议的问题系被告应否承担责任时，这一论证是有意义的。然而，对于其他问题来说，例如被告明显违反允诺时的责任范围问题，此一论证即毫无意义。当合同条款对违约救济未予规定时，我们不能期望法院说，违约的被告不应为任何损失数额负责，因为他从未答应要赔偿任何特定的损失额。根据合同自由理论，为了维护允诺在法律上的神圣性，必须实行某种救济性的制裁措施；然而，在双方当事人的允诺性同意中，却并未认可任何救济方法。就此而言，合同自由理论无

---

〔12〕 经济损失往往可以用金钱来计算，但无法将其等同于自由的损失。经济财富只是决定一个人能做什么或不能做什么的诸多因素中的一个因素。我们也不能通过将注意力集中在每个人的有效选择的数量、有效选择的范围（从最佳选择到最坏选择之间的距离）或者最佳的有效选择方面，而有意将一个人的自由与另一个人的自由相比较。对每个人来说，他的最佳选择几乎是多余的，如果我们将原告的最佳选择与被告的最佳选择相比较，那么我们不过是在比较潜在效用而已。类似地，如果我们把原告丧失做 X 事的自由与被告丧失做 Y 事的自由相比较，我们也许会认为原告将比被告失去更多的效用，然而这并不意味着原告一定会失去更多的自由。两个特定的自由或者对自由的限制，并不能仅仅从自由方面进行数量上的比较。

力提供一个解决办法。[13]

从允诺性同意只有出于自愿才能具有约束力的合同自由观念中产生了第二个问题。允诺在什么时候不是自愿作出的？合同自由理论无法给出一个令人满意的答案。让我们考虑一下胁迫问题。合同自由的支持者们承认，如果立约人的允诺是在受到胁迫因而并非真正自愿的情况下作出的，那么应当允许立约人违反其允诺而不必承担法律责任。在确定何者构成胁迫的过程中，法院不能理所当然地认为，每当对方当事人限制立约人的选择自由时，胁迫就出现了。如果买方允诺支付给卖方 75000 美元来购买房屋，其原因是卖方拒绝了买方先前发出的 50000 美元的要约，那么没有人会认为胁迫原则解除了买方支付 75000 美元的约定义务。当卖方拒绝给予买方以 50000 美元来购得该房屋的机会时，虽然买方的选择自由受到了限制，但这并未导致其支付 75000 美元的允诺变成非自愿的。我们不能期望法律去保护一个人为所欲为的自由。

我们只能要求法律保护一个人免受有害的强制。[14] 由此，可

---

[13] 弗雷德指出，由于合同法在道德上系以允诺为根据，因此通过允诺的内容来确定违约的救济方法并由此给予预期的损害赔偿，无疑是正常的。See, CHARLES FRIED, CONTRACT AS PROMISE 17 – 18 (1981). 不过，预期的损害赔偿只有在我们假设的如下情况中才是正常的：（1）与其他救济方法相反，作为原告的受约人对预期的损害赔偿享有一项道德权利，以及（2）原告的法律权利必须与她的道德权利相一致。这两个假设都有问题，并且没有一个假设是由合同自由原则引起的。正如理查德·克拉斯韦尔（Richard Craswell）所言，自治的观念和允诺具有约束力的观念并未支配预期的损害赔偿；它也与信赖的损害赔偿、实际履行以及惩罚性损害赔偿相一致。See, Richard Craswell, Contract Law, Default Rules, and the Philosophy of Promising, 88 MICH. L. REV. 489, 517 – 18 (1989).

然而，克拉斯韦尔也指出，个人自治的观念表明，法院应当支持合同中所规定的违约救济方法。See id. at 518. 约定违约金条款的法律效力因此成为一个可以由合同自由理论来解决的问题。只要双方当事人达成这样一个自愿的允诺性同意条款，合同自由理论就会要求对其予以强制执行。

[14] 用"有害的"一词，我的意思是指不利的。如果某件事情使一个人的处境变得更糟，那么此事对她就是有害的。

能只有在立约人允诺了有害于他自己的事情，而且若不是要对其施加一个更大损害的威胁他就不会作出允诺的情况下，法律才能将该允诺看作是受到胁迫而非自愿地作出的。这样的允诺就是强制性的。请注意，在介绍一个涉及到损害意图的强制概念时，我们已经超出了合同自由理论（该理论并不关注一个人的处境是变得更好还是更糟，而仅仅关注一个人选择了什么或者未选择什么）。

但是，要想理解胁迫原则，我们就必须与合同自由理论走得更远。我们不愿意假设所有受到强制的允诺都是在胁迫之下作出的，因而在法律上可以撤销。某些强制被证明是正当的。如果我的隔壁邻居扬言要将她的房子刷成粉红色，并且她享有将房子刷成粉红色的合法权利，那么为了求她将房屋刷成别的颜色，我可能会允诺支付给她100美元。向我的邻居支付100美元导致我的经济状况恶化，但是为了避免一种更大的损害，我可能会愿意支付这笔金钱。因此，如果我作出这样的允诺，那么我就受到了强制。然而，我的允诺不应当因为胁迫而成为可撤销的允诺。原因何在？因为这种强制并不是非法的。我的邻居有权将其房屋刷成粉红色，并有权要求以金钱作为其放弃行使该权利的交换。在解决我的自由与我邻居的自由之间的冲突时，法院必须绕过自由的观念，并考虑导致我作出允诺的强制性威胁的道德性质。胁迫不能简单地定义为强制，而必须界定为非法的强制。因此，法院必须考虑合同自由理论没有提到的正义和公平观念。

甚至当一个允诺明显地出于自愿并且明确地将争议提交给法院处理时，第三个问题依然经常出现：严格地强制执行允诺必定会促进自由吗？某些合同性允诺的履行妨害了第三人（并非合同的双方当事人）的自由，有许多这样的允诺都不应当予以强制执行。例如，考虑一下甲和乙之间签订的一份谋杀丙的合同。在此类案件中，法院必须决定是保护缔约当事人的自由还是保护受害的第三人的自由。合同自由理论必须在以下两者中进行选择，即要么坚持要求严格地强制执行所有的合同性允诺（这在有些案件中当然是错误的答案，例如谋杀合同），要么承认第三人的自由有时候必须优先（未能够指明第三人的自由在何时应当优先）。[15] 甚至当允诺并未显著地影响第三人时，我们也不应确定地认为，为了促进自由，此类允诺（如果是自愿的）必须严格地予以强制执行。我们有理由怀疑，法院是否应强制执行关于中午12：30在"汉堡王"（Burger King）共进午餐的允诺。我们也有理由怀疑，如果履行已经变得不可能，或者立约人不知道被对方当事人隐瞒的重要信息，那么一个允诺是否还应被合法地强制执行。在此类案件中，数个自由之间发生了冲突，并且这些冲突无法依据合同自由理论予以公正地解决。最有益于促进自由的事情（能保护较好的自由的事情），也许是对一个允诺进行强制执行或者不予强制执行，这取决于自由之外的其他价值。

在前面的段落中，我们提到了合同自由理论无法令人满意地回答的一些问题，以及合同自由理论没有给出答案或者提出的答案让人不能接受的一些合同法问题。上文简要介绍的合同自由理论的根本缺陷，乃是把个人自由、自由选择以及允诺的神圣性当作惟一的相关价值。我们的世界包含着应当受到法律承认的许多其他价值，仅举几个例子就可管中窥豹：公共福利、平等、道德德性、保护对允诺的信赖以及对司法资源的有效利用。如果不借助于此类价值，有些合同法争议就无法得到解决。此外，这些其他价值经常与自由、自由选择以及允诺的神圣性相冲突，有时候还要求对合同自由

---

[15] 法院并不能简单地拒绝执行那些影响到未对合同表示同意的第三人的任何合同，而合同自由理论也没有提供其他标准来确定第三人的自由何时应当优先。

进行法律干预。单靠合同自由理论本身，并不能确定正义何时需要以及何时不需要这种干预。尽管合同自由理论提供了一些应当得到维护的道德洞见，但它并不能充当缔约正义的一个综合性指南。

二、财富最大化理论

理查德·波斯纳（Richard Posner）提出将财富最大化作为正义的标准。[16] 波斯纳认为，它提供了判断行为和法律制度是否公正的标准。[17]

1. 财富最大化理论概说

根据波斯纳的观点，正义要求实现财富总量的最大化，[18] 因此法律规则应当激励公民们去做最大限度地增加财富总量（总经济价值）的任何事情。[19] 像功利主义一样，财富最大化也是一种综合性的正义理论。财富的损益如何在交易当事人之间进行分配无关宏旨，只要财富总量得到最大限度的增长。因此，一桩甲获得10个财富单位而乙丧失5个财富单位的交易，比一桩甲和乙各自获得2个财富单位的交易更为可取。（前一交易包含5个财富单位的总收益，后一交易只包含4个财富单位的总收益）

对于波斯纳来说，财富是以一个人愿意并能够为他所没有的事物支付的代价来衡量的，或者是以一个拥有某物的人愿意将该物售

---

[16] See RICHARD A. POSNER, THE ECONOMICS OF JUSTICE vii, 6, 115 (1981).
[17] See id. at 115.
[18] See id.
[19] See RICHARD A. POSNER, ECONOMIC ANALYSIS OF LAW 107–08, 288 (5th ed. 1998); RICHARD A. POSNER, THE ECONOMICS OF JUSTICE 75 (1981); RICHARD A. POSNER, THE PROBLEMS OF JURISPRUDENCE 362 (1990).

出的价格来衡量的。[20] 一旦初始财产权分配完毕，我们即可利用所有人的要价和非所有人的出价来确定财产的转让是增加还是减少了财富总量。[21] 一项财产转让行为给受让人带来的财产收益，等于他愿意并且能够为该财产支付的最高金额；转让人减少的财富则是用她愿意出售该财产的最低金额来衡量的。假设甲拥有一辆汽车，她愿意以不少于 10000 美元的价格将其出售，乙则愿意并且能够为该车支付 15000 美元。如果你从甲那里（征得或者未征得甲的同意）取得该车并将其交付给乙，那么你就为甲带来一笔 10000 美元的财产损失，并带给乙一笔 15000 美元的财产收益。你使财富总量得到了增加（假定你完成这项转让行为并未给任何人带来其他成本）。如果乙虽然愿意支付 15000 美元，但却只能拿出 11000 美元，那么乙的财产收益将是 11000 美元（财产收益是由愿意且有能力支付的金额来衡量的）。不过，你仍然使财富总量得到了增加。对于波斯纳来说，"效率"意味着以刚才所描述的方式来衡量的总

---

[20] See RICHARD A. POSNER, ECONOMIC ANALYSIS OF LAW 12, 17 (5th ed. 1998); RICHARD A. POSNER, THE ECONOMICS OF JUSTICE 60–61 (1981); RICHARD A. POSNER, THE PROBLEMS OF JURISPRUDENCE 357 (1990).

[21] See Richard A. Posner, Wealth Maximization Revisited, 2 NOTRE DAME J. L. ETHICS & PUB. POL'Y 85, 90, 92 (1985).

经济价值（财富）的最大化。[22] 请注意，个人偏好被看作是给定的，并且不得用任何道德标准加以评价；在财富最大化理论中，经济价值是惟一的价值。[23]

要想最大限度地增加财富总量，法律能做些什么呢？首先，它可以促进自愿的自由市场交易。波斯纳认为，此类交易有助于实现财富总量的最大化。[24] 每一方当事人对所得之物的重视要超过其

---

[22] See RICHARD A. POSNER, ECONOMIC ANALYSIS OF LAW 13 (5th ed. 1998).
波斯纳采用了综合性的卡尔多—希克斯（Kaldor – Hicks）效率标准。See id. at 14; RICHARD A. POSNER, THE ECONOMICS OF JUSTICE 94 (1981). 根据卡尔多—希克斯标准，当且仅当那些从变动中获益者的所得超过受损者的所失时（以便使获胜者有可能补偿失败者并仍然拥有净收益），从情况1向情况2的变动才是有效率的。See WILLIAM J. BAUMOL, ECONOMIC THEORY AND OPERATIONS ANALYSIS 529 (4th ed. 1977); JULES L. COLEMAN, MARKETS, MORALS AND THE LAW 84 (1988). 在波斯纳的财富最大化理论中，这些收益和损失都是用"财富"也即主观价值来衡量的，而获益者的主观价值则受到其偿付能力的限制。
甲向乙转让某一物品或者法律权利的行为增加了财富总量的事实，并不必然使其增加总效用。See RICHARD A. POSNER, THE ECONOMICS OF JUSTICE 90 – 91 (1981). See also WILLIAM J. BAUMOL, ECONOMIC THEORY AND OPERATIONS ANALYSIS 530 (4th ed. 1977)（一项符合卡尔多—希克斯标准并以主观价值来衡量损益的变动，未必会带来总效用的增加）。在甲损失其愿意以1000美元来出售的东西的过程中，与乙在获得其愿意且能够支付2000美元的东西时所得到的效用相比，甲也许会失去更多的效用。（如果甲穷乙富，那么1000美元对甲可能要比2000美元对乙意味着更多的效用。）当然，即使某些特定的交易减少了总效用，一系列交易（其中的每个交易都增加了财富总量）也可能最终增加总效用。然而，缺少人与人之间的基数效用的比较，这样的情况事实上是不可能出现的。Cf. Jules Coleman, The Normative Basis of Economic Analysis: A Critical Review of Richard Posner's The Economics of Justice, 34 STAN. L. REV. 1105; 1112 – 13 (1982)（书评）（讨论了符合卡尔多—希克斯标准的一系列交易的长期效用的影响）。

[23] See Ernest J. Weinrib, Utilitarianism, Economics, and Legal Theory, 30 U. TORONTO L. J. 307, 310 (1980)（批评了波斯纳的理论）。

[24] See Anthony T. Kronman & Richard A. Posner, Introduction: Economic Theory and Contract Law, in THE ECONOMICS OF CONTRACT LAW 1, 2 (Anthony T. Kronman & Richard A. Posner eds., 1979); RICHARD A. POSNER, ECONOMIC ANALYSIS OF LAW 11 (5th ed. 1998); RICHARD A. POSNER, THE ECONOMICS OF JUSTICE 79 (1981)（在一个没有严重的独占或者外部性问题的市场中发生的任何自愿交易，必定会增加社会财富）。

让出之物,而资源则转移到最重视它们的人手中。合同法能够(并且确实)促进此类交易。

其次,当高昂的交易成本(达成协议的成本,与履行协议的成本相对)或其他障碍阻止就某一争议达成自愿的市场协议时,法律可以模拟市场,并采用在协议是合理的情况下双方当事人将会选择的(可能是有效率的)方式来解决该问题。[25] 大多数合同纠纷要么涉及到(1)一方当事人遭受损失,但并不清楚哪一方当事人同意承担该损失,要么涉及到(2)一方当事人违反了协议,而问题是对方当事人应当享有什么样的救济。在这两种情况中,虽然达成了市场协议,但该协议仅仅是局部的协议,而将问题搁置起来留给法院来解决(对该问题的谈判成本或其他障碍阻止了双方当事人签订完整的协议)。

对于未能由合同明确地加以分配的损失(类型(1)的情况),波斯纳建议,法律规则应当将损失分配给能更廉价地预防损失或者将损失予以投保的当事人。[26] 这一规则以当事人本来可能会采取的分配损失的方式来模拟市场,并给予人们一个从事有效率的行为的激励,换言之,就是使避免损失的总成本最小化。[27] 如果当事人乙的 1000 美元损失可以由当事人甲以 50 美元的成本来预防,或者由乙以 75 美元的成本来预防,那么双方当事人可能将损失分配给甲,甲则会花费 50 美元来预防损失;这 50 美元的成本或许已经以双方当事人同意的任何方式由甲与乙分担了。较之将损失分配给乙,然后再分担乙的 75 美元的预防成本,这种做法会更有效率。

---

[25] See RICHARD A. POSNER, ECONOMIC ANALYSIS OF LAW 16 (5th ed. 1998).

[26] See id. at 104–06.

[27] See id.

在缺少约定的损失分配办法的情况下，如果甲知道若发生损失法律将让他予以承担，那么甲就会有动力来采取措施预防损失的发生（这比让乙采取预防措施更有效率）。

对于违反允诺的责任以及应如何确定责任（类型（2）的情况），波斯纳建议，法律规则应当为打算违约的当事人提供一个做有效率之事的激励（最大限度地增加财富总量的任何措施）。[28] 如果履约比违约更有效率，那么法律规则应当规定一个履约的激励；然而，如果违约更有效率（即如果违约方从违约中获得的利益超过受害人的损失），那么法律规则就应当规定一个违约的激励。

2. 道德上的反对意见

作为一种正义理论，波斯纳的财富最大化理论容易受到一些建立在道德理由之上的反对意见的责难。此处我们将探讨那些看起来与合同法关系最密切的反对意见。

a. 财富最大化理论忽视道德价值。人们难以想像出任何理由来解释，为什么立法者应当只关注财富总量的最大化而忽视其他的道德因素。然而，这正是财富最大化理论所要求的。假设债务人从债权人处借款1000美元并签订一份借款协议，协议规定如果债务人违约，债权人可以打断债务人的膝盖。我们能想出占据绝对优势的道德理由来说明此一惩罚条款是不可强制执行的。但是波斯纳说，从财富最大化的立场来看，"除非存在某种欺诈或胁迫要素，否则就没有拒绝强制执行（该）合同的经济基础。"[29] 当存在自愿的协议并且不存在市场失效的情况时，财富最大化理论强烈要求

---

[28] See id. at 107–08, 132–34.
[29] See RICHARD A. POSNER, THE ECONOMICS OF JUSTICE 86 (1981).

合同自由而忽视其他道德价值。[30]

现在考虑一个不存在合同条款来规范法律争议的情况。假设当一个意外的灾难出现时，甲正在履行与乙签订的合同，这一灾难给甲带来10000美元的损失。该合同没有将发生此一损失的风险分配给任何一方当事人。甲本可以用100美元的成本来采取措施预防损失的发生。乙本可以用125美元的成本来预防损失的发生。由于甲乃是能更廉价地避免损失的人，所以财富最大化理论要求法院运用一个规则，将全部10000美元的损失都分配给甲承担。（此一规则为将来的有效率行为提供了一个激励。）但是，甲（在道德上）应当承担全部损失吗？乙（在道德上）应当承担全部损失吗？财富最大化的方法忽视了这些问题，并仅仅因为避免损失的成本存在着25美元的差别，就将10000美元的全部损失强加给甲承担。真可谓差之毫厘，谬以千里。

更普遍的是，财富最大化理论因其过分狭隘的正义视角而变得更糟。它只关注在将来促进经济效率，而忽视了所有其他的道德因素，包括道德赏罚问题。它未能考虑到，根据其所作所为，是否值得使某一当事人的处境变得更糟或者更好。只要财富总量得到最大限度地增加，它并不关心谁的处境变得更好、谁的处境变得更糟。因此，它忽视了那些重要的道德关联因素。

b. 财富最大化理论容易产生要么全有、要么全无的解决办法，并且容易忽视采取折中方案来分配损失的可能性。财富最大化理论不仅忽视了诸如赏罚之类的道德上的关联因素，而且容易将要么全有、要么全无的结果强加到那些采用折中方案可能会更公平的案件中。前文假设的情况就说明了这个问题。当法院必须对在合同中没

---

[30] See id.

有被分摊的意外损失进行分配时,波斯纳会让法院将全部损失分配给能更廉价地避免损失的当事人。然而,考虑到案件中的所有事实,也许让双方当事人分担损失会更为公平。(能更廉价地避免损失的人可能仍然要承担大部分损失,但并非全部损失。)财富最大化的方法忽视了所有此类解决办法。它关注于为能更廉价地避免损失的人提供一个防止损失的有效激励,而最有力的激励则是由这一规则提供的,也即将全部损失,而非仅仅部分损失,分配给能更廉价地避免损失的人。因其迷恋于经济效率,财富最大化理论由此忽视了许多可能是公正的折中方案。

应予注意的是,在将全部损失分配给能更廉价地避免损失的人时,法律并非在模拟市场。如果由当事人来议定一个分配损失风险的合同条款是可行的,那么他们或许已经妥善地把风险分配给能更廉价地避免损失的人了。但是,该当事人可能会因为承担风险而要求得到某种补偿。例如,若当事人设法查明卖方能以500美元的成本预防损失,而买方可以用1000美元的成本预防损失,那么他们大概会把损失风险分配给卖方,但他们也可能采用某种无法确定的数额来调高合同价款。[31] 在将全部损失分配给卖方并忽视对合同价格可能进行的调整时,波斯纳的财富最大化的解决方案并没有模拟市场。[32]

鉴于波斯纳对损失分配问题所采取的要么全有、要么全无的方

---

[31] 我们将假定,双方当事人都认为可能的损失(损失程度乘以损失概率)恰好超过1000美元。因此他们希望有人能努力预防损失。无论他们如何同意分担防损成本,他们都会将损失的风险分配给卖方,以便卖方能够用500美元的总成本(这一数额低于若买方预防损失时所发生的1000美元的总成本)来预防损失。如果双方当事人同意对半分担500美元的防损成本,那么卖方的合同价格将会增加250美元。不过,根据双方当事人的相对议价能力,他们可能会决定以其他方式来分担预防成本。

[32] See Ernest J. Weinrib, Utilitarianism, Economics, and Legal Theory, 30 U. TORONTO L. J. 307, 320–21 (1980).

法并不能以模拟市场为由而证明是正当的，故其只有作为促进有效率行为的一个激励才可能证明其正当性。然而，法律规则仅仅在以下范围内才能促进有效率的行为：（1）立法者能够确定有效率的行为及规则，（2）人们意识到这些法律规则并能据此预见法律后果。正如我们即将看到的，对于合同法来说，财富最大化的方法在这两个方面都是有缺陷的。

3. 技术上的反对意见

即使我们忽略财富最大化理论存在的道德上的反对意见，对于合同法来说，这种方法也应当因为两种内在的技术缺陷而予以抛弃。

首先，财富最大化的分析通常无法为合同争议提供一个确定的法律规则，因为人们并不清楚什么行为在经济上是有效率的。[33] 在处理那些需要对合同条款未予分摊的损失进行分配的争议时，我们将不得不确定哪一方当事人可以更廉价地避免损失（预防损失或者将损失予以投保）。然而，我们往往不知道哪一方当事人是能够更廉价地避免损失的人。[34] 对于许多类型的损失来说，我们可以预料其避免损失的比较成本大体上是相等的。

在确定最有效的违约救济方法，也即阻止无效率违约和鼓励有效率违约的法律救济方法时，我们需要知道哪些违约行为是有效率的以及哪些违约行为是无效率的。此类知识往往因为缺乏经验数据

---

[33] 对财富最大化理论在提供确定的法律规则（普遍地并非仅仅在合同法中）方面的有限性的讨论，see Mario J. Rizzo, The Mirage of Efficiency, 8 HOFSTRA L. REV. 641, 647（在许多场合，财富最大化理论并不能明确地分配法律权利或法律责任；在其他场合，某一部分的效率提高可能使我们在总体上变得更糟），658（由于对信息的要求，将经济效率作为法律规则的一个标准是不切实际的）(1980)。

[34] See Richard A. Epstein, The Social Consequences of Common Law Rules, 95 HARV. L. REV. 1717, 1720 (1982).

而难以获得。例如，（非当事人的）外部损益必须被量化，但我们绝不可能将因违约行为而引起的社会信任方面的损失予以量化。由于财富最大化的分析通常不能够使立法者确定有效率的行为，因此合同法无法有效地为有效率的行为提供激励，从而也无法履行波斯纳分派给它的任务。

其次，对于许多争议来说，从财富最大化的分析中得出的合同规则，不是导致法律后果变得无法预测的抽象规则，就是要求一套过于复杂的、经常改变的具体规则。[35] 无论哪种情况，都将使当事人很难知道应该怎么做才能遵守法律并提高经济效率。

举例言之，在将合同条款未予分摊的意外损失进行分配时，法院可能会采用这样一个抽象规则，即"损失将被分配给能更廉价地避免损失的当事人"。此一规则使法律后果变得无法预测。[36] 在许多案件中，每一方当事人都不知道自己是否为能更廉价地避免损失的人，除非他对比较成本做一个昂贵的调查（他不愿相信对方当事人对其成本的说明）。这种公式化规则的一个替代办法是，采用一套建立在与避免损失的比较成本有关的经验数据之上的具体规则，每个规则都为特定的卖方类型、买方类型以及损失类型规定了分配损失的方法。这样一套规则能够使那些已经掌握规则的人预见到法律后果，但将过于复杂。对于某大型建筑公司已约定为一位顾客建造一幢房屋，而建筑物在完工之前却被大火烧毁的案件，我们将需要一个规则。对于某独立的管道工人已约定在某公司的办公大楼内安装一个新设备，而安装成本经证实要远大于缔约时所预料的

---

〔35〕 Cf. RONALD DWORKIN, LAW'S EMPIRE 280 – 82 (1986)（讨论了侵权法）。
〔36〕 波斯纳注意到了这一问题，并因此赞成为每一种类型的案件确定一个具体的分配规则。See Richard A. Posner & Andrew M. Rosenfield, Impossibility and Related Doctrines in Contract Law: An Economic Analysis, 6 J. LEGAL STUD. 83, 95 – 96 (1977).

成本的案件，我们将需要另一个规则。[37] 此外，每当技术或经济的发展改变了比较成本优势时，这些规则就必须随之改变。

当我们考察波斯纳为其提出法律解决办法的那些合同争议时，财富最大化理论所具有的两个技术缺陷就暴露出来了。对于大多数此类争议来说，有效率的行为并不能得到确认，而波斯纳式的（Posnerian）规则不是带来不可预见性，就是过于复杂易变。我们现在将考察几个这样的争议。

a. 隐蔽瑕疵。卖方向买方出售某种货物。该货物经证实存在着一个隐蔽瑕疵（双方当事人在缔约时均未发现），买方因这一瑕疵而遭受损失。明示的合同条款没有将发生此一损失的风险分配给任何一方当事人。波斯纳认为，法律应当把风险分配给能够更廉价地检验货物（从而发现瑕疵并预防损失）的那一方当事人。[38] 这样一个规则将会鼓励能更廉价地避免损失的人去检验货物。[39]

但是，哪一方当事人能够更廉价地检验货物呢？如果卖方是制造商而买方是一个批发商或零售商，那么卖方大概会比买方能更廉价地检验货物的隐蔽瑕疵。不过，如果卖方是批发商而买方是零售商，那么他们的比较检验成本很可能大致相等（每一方当事人或许都不得不聘请一位专家来完成检验工作）。同样，如果卖方是零售商而买方是消费者，那么比较检验成本很可能也大致相等。如果

---

[37] 一个仅仅规定卖方将一直承担损失（或者买方将一直承担损失）的规则不可能很有效率。有些类型的卖方会比买方具有较高的预防成本，而有些类型的卖方则会具有较低的预防成本。

问题是找到制定法律规则的一般性标准，以便从长远来看能获得最理想的结果。这个问题并非财富最大化方法所独有的。不过，在财富最大化或任何其他结果主义的方法——该方法根据那些取决于许多变量的可预测到的经验结果来评价法律规则——中，这一问题被加剧了。

[38] See RICHARD A. POSNER, ECONOMIC ANALYSIS OF LAW 85 (3d ed. 1986).

[39] 我们假定检验成本低于有待预防的可能损失。

卖方是批发商，而买方是一个购买货物用作原材料或组成配件的制造商，那么只要买方拥有一台有效的检验设备，其检验成本也许会较低。因此，在许多交易中，检验成本将大致相等；在其他情况下，有时卖方会具有较低的检验成本，有时买方则具有较低的检验成本。在检验成本大致相等的许多案件中，对检验成本进行比较并不能产生一个确定的法律解决办法。

对于其他案件而言，法院也无法有效地运用"损失将由能更廉价地检验货物的隐蔽瑕疵的当事人予以承担"的抽象规则。此一规则会导致法律后果变得无法预料。除非双方当事人负担费用来调查在哪种情况下他们有可能通过一个明示的合同条款来分配风险，并且我们所说的争议也没有出现，否则他们不见得会知道哪一方当事人能更廉价地检验货物的隐蔽瑕疵。

有效的公式化规则的替代办法将为检验货物的隐蔽瑕疵带来一套过分复杂的具体规则，每个规则都支配着一个由卖方类型、买方类型、货物类型以及瑕疵类型所构成的不同组合。此外，每当技术或经济的发展改变了与任何一个规则有关的比较成本优势时，该规则都不得不随之改变。

《统一商法典》并没有采用任何前述方法来制定公式化的规则。该法典仅仅规定，当卖方是一个商人且合同中未作约定时，卖方即默示地担保其所售货物具有适销性（从而没有隐蔽瑕疵）。[40] 根据其简洁性、可预见性和公正性，这一规则看来是正当的。然而，该规则似乎没有被看成是最优的效率规则；在买方能够更廉价地检验隐蔽瑕疵的许多场合，它却将检验任务分配给了卖方。

---

[40] See U. C. C § 2-314 (1) (2) (1995). Code § 2-316 (3) (b). 当买方具备检验的机会时即排除默示担保，但这一点通常不适用于隐蔽瑕疵。See id. § 2-316 (3) (b).

当然，我们不能期望拥有完美的法律效率。或许我们应当问：在这三种并不完美的制定规则的方法中，从长远来看，哪一种方法最能促进经济效率？没有人知道答案。我们缺少足够的经验数据来充分说明所有涉及到的可变因素（它们不仅包括检验成本，而且包括法律的制定与判决的成本，以及当事人的信息成本）。对于隐蔽瑕疵问题而言，财富最大化理论不是一个有前途的解决办法，它缺少完成其任务所必需的分析工具和经验工具。

b. 被歪曲的要约。甲试图发出一个以1000美元向乙购买珠宝的电报要约。电报公司犯了个错误，在发送给乙的电报中标明出价为2000美元，而不是1000美元。乙接受了这一被歪曲的要约。如果甲后来拒绝用2000美元来购买珠宝，那么是由甲承担违约责任呢，还是应当由法院判定合同没有成立？波斯纳认为，误解的风险应当由能够以较低成本预防误解的那一方当事人承担；这会鼓励未来的有效率行为。[41] 因此，如果甲能够以比乙更低的成本来避免误解的发生，那么甲就应当承担违约责任。

在涉及到被歪曲的电报要约的大部分场合，避免误解的最有效率的方法大概是，打个电话确认受约人收到的条款是否与要约人交给电报公司的条款相同。我们可以预料，不论由要约人还是由受约人打电话，其打电话的成本大体上是相同的。波斯纳的财富最大化方法看起来并未产生一个确定的结果。[42] 如果一方当事人接受美国电话电报公司（AT&T）的服务，而对方当事人接受斯普林特公

---

[41] See RICHARD A. POSNER, ECONOMIC ANALYSIS OF LAW 111–12 (5th ed. 1998).

[42] 波斯纳指出，在尚不清楚哪个规则为有效率的行为提供了较好的激励时，法院通常应当选择不产生责任的规则，因为这会减少涉讼的合法要求的数量。See id. at 112–13（讨论了如下问题，即为了接受悬赏要约并成立一个单方合同，一个人是否必须意识到该要约的存在）。这种方法是武断的、不公平的。当然，除了减少诉讼的需求之外，正义还要求考虑一些其他因素。

司（Sprint）的服务，那么在打个电话的比较成本之间可能存在着差别，但这一差别将非常轻微，以致对于将全部风险分配给拥有较低成本的当事人来说没有任何意义。

即使在某个具体案件中，避免损失的比较成本之间存在着显著的差别，波斯纳的方法也会遇到一个无法克服的问题。从长远来看，为了获得最大限度的经济效率，立法者们如何判断制定法律规则的普遍性标准？一个抽象的、一般的规则会牺牲可预见性；一套具体的规则容易过分地复杂易变。我们早已讨论过这一问题，此处不再赘述。

c. 共同错误。在双方当事人签订财产买卖合同，且卖方和买方对于待售之物的性质具有同样的错误看法或错误假设时，就会产生共同错误问题。如果该物经证实要远高于当事人缔约时所预料的价值，那么卖方很可能会拒绝按合同价格来履行。如果该物经证实要远低于当事人缔约时所预料的价值，那么买方就会倾向于拒绝履行。在这两种情况中，问题是合同应否予以强制执行，或者合同应否由因受到错误的影响而遭受不利的当事人予以撤销。波斯纳认为，错误的风险应当分配给能够以较低的成本获悉真相并避免错误的当事人，一般来说，这一当事人将是卖方。[43]

但是，在许多——或许是大部分——共同错误的案件中，真相不可能被双方当事人通常的检验所发现，因此有人必须聘请专家来检查待售之物。为了获悉一头奶牛是不能生育还是繁殖力强，某人将不得不聘请一位兽医来检查奶牛。为了确定一把小提琴是史特拉第瓦里制作的提琴（Stradivarius）还是仅仅为一把漂亮的小提琴，某人必须聘请一位行家。为了发现土地中是否蕴涵着贵重的矿藏，

---

[43] See id. at 114."所有人能够以低于买方的成本取得有关其财产特征方面的信息，因此他可以比那些预期的买方更廉价地避免这方面的错误。" Id.

某人必须聘请一位地质学家。无论由卖方还是买方向专家支付报酬，聘请一位专家的成本应当是相同的。我们再次发现，法律争议并不能通过询问哪一方当事人能够以较低的成本来避免损失而得到解决。

4. 结论

经济观念在分析合同问题方面常常是有益的。的确，没有收益、纯利润、机会成本和交易成本等概念，我们就不能充分地理解合同法。因此，在合同法中拒绝所有类型的经济分析将是愚蠢的。

不过，波斯纳的财富最大化方法应当予以抛弃。在忽视大部分道德价值并实行要么全有、要么全无的解决办法方面，它采用了一种过分狭隘的正义观。它假定经济效率是惟一值得关注的事情。此外，财富最大化的方法常常不能确定什么是有效率的行为，并且无法确定从长远来看可以最有效地促进效率的法律规则。由于这些技术缺陷，财富最大化的方法注定是没有效率的！

三、分配正义的方法

分配正义与社会在其成员中分配社会生活的利益和负担的方式有关，我们由此可以期待一种分配正义理论来规定应如何将收入或财富在全体公民中进行分配。[44] 分配正义通常区别于矫正（或校正）正义，后者关注的是对涉及不法行为的私人交易所造成的结

---

[44] See ARISTOTLE, NICOMACHEAN ETHICS 1130b 30 – 34 (Martin Ostwald trans. , 1962); JEFFRIE G. MURPHY & JULES L. COLEMAN, PHILOSOHPY OF LAW 165 (rev. ed. 1990).

果进行矫正。[45] 例如，当一个人对另一人实施侵害行为或欺诈行为时，矫正正义原则就规定了对由此产生的不法损益进行矫正的法律救济方法。

26　　合同法规则可以被用来实现矫正正义或分配正义，或实现矫正正义与分配正义的某种混合。一般来说，在同一个案件中是不可能使矫正正义和分配正义都得到实现的。例如，假定原告拥有50000美元的财产净值，被告拥有40000美元的财产净值。原告和被告签订了一个合同。被告违反了该合同。被告的违约行为给他带来1000美元的不法收益，给原告造成1000美元的损失。再假定分配正义的指导原则要求全体公民享有均等的财富，矫正正义的指导原则要求被告向原告支付一笔款项来恢复原状，该款项可消除被告的不法收益并补偿原告的损失。如果法院追求矫正正义，那么它会命令被告向原告支付1000美元。矫正正义与原告或被告的财富总量无关，而仅仅涉及到矫正特定交易中的不法损益。然而，如果法院追求分配正义，那么它就不会让被告对损害承担责任。原因在于，我们所假设的分配正义原则只关心使每个人的全部财富相等，而被告的违约行为令其财产净值增加到41000美元，并将原告的财产净值减少到49000美元，使双方当事人更接近于期望中的平等。一个迷恋于分配正义的法律制度甚至会要求原告向被告（违约方）支

[45] See ARISTOTLE, NICOMACHEAN ETHICS 1130b 34 – 1131a 9, 1131b 33 – 1132a 9（Martin Ostwald trans., 1962）; JEFFRIE G. MURPHY & JULES L. COLEMAN, PHILOSOHPY OF LAW 165（rev. ed. 1990）.

付4000美元,以求彻底地使他们的财富相等。[46]

前面的假设似乎表明,对于合同法来说,分配正义不是一个合适的目标。然而,一些批判法学派(Critical Legal Studies)的学者和其他评论者认为,合同法能够并且应当被用来促进分配正义。他们主张,分配正义要求消除社会等级制度和经济的不平等。[47] 他们进一步断言,合同法规则能够有效地促进此类再分配的目标。[48]

尽管分配正义也许与收入和财富之外的东西有关,而且不必是平均主义的,[49] 但是为便于讨论,我们不妨假定分配正义本质上要求收入或财富分配中的平等。我的观点是,收入和财富应当以比其在美国更为平等的方式来进行分配。然而,我也相信,对于在我

---

[46] 如果矫正正义原则要求消除不法收益,那么只要不法行为人拥有的不法收益等于他在交易后的分配余额,矫正正义就会规定与分配正义同样的法律救济方法。只要交易前的分配是完全公正的(至少对双方当事人来说),这种情况就有可能发生。如果矫正正义原则要求补偿无辜受害者的损失(该损失未必等于不法行为人的收益),那么只要受害者从交易中遭受的损失等于她在交易后的分配亏空,矫正正义和分配正义就会规定同样的救济方法。只要双方当事人之间在交易前的分配是完全公正的,这种情况就有可能发生。按照大多数分配正义的概念,完美的分配正义几乎不存在,甚至在双方当事人之间也是如此,分配正义的目标和矫正正义因此经常发生冲突。(我已经假定,当事人在交易前的财产净值和交易后的财产净值之间的任何差异,都是由引起诉讼的交易造成的;纵然还有其他的即时交易,它们也很难使分配正义的救济方法与矫正正义的救济方法完全相同。)

[47] See MARK KELMAN, A GUIDE TO CRITICAL LEGAL STUDIES 184 (1987); Peter Gabel & Jay M. Feinman, Contract Law as Ideology, in THE POLITICS OF LAW 172, 172–73 (David Kairys ed., 1982); Jay M. Feinman, Critical Approach to Contract Law, 30 U. C. L. A. L. REV. 829, 857 (1983); Mark Tushnet, Critical Legal Studies: An Introduction to Its Origins and Underpinnings, 36 J. LEGAL EDUC. 505, 507 (1986).

[48] See MARK KELMAN, A GUIDE TO CRITICAL LEGAL STUDIES 184 (1987); Jay M. Feinman, Critical Approach to Contract Law, 30 U. C. L. A. L. REV. 829, 857 (1983); Anthony T. Kronman, Contract Law and Distributive Justices, 89 YALE L. J. 472, 473–75, 499, 507 (1980).

[49] 分配正义理论也许会规定一个不平等分配的模式(例如,在三个阶层中以3:2:1的固定比率进行分配),或者规定以(不平等的)价值或需要为基础进行按比例分配。分配正义理论甚至会拒绝所有的模式和比例,而仅仅认为,任何分配,只要是由某种被认可的程序例如自由市场中的自愿转让行为所引起的,那么就是公正的。

们的资本主义市场社会中实现更大的经济平等这一目标来说，合同法是一个相对缺乏效率的工具。

现在我们考察合同法可能被用来促进财富平等的不同方式。首先，各种法律救济方法可直接取决于双方当事人的比较财富。例如，在前文假设的情况中，法院可以命令原告向被告支付4000美元，以求使他们的财富相等；如果这种做法在道德上无法接受，那么法院可以仅仅让被告不对其违约行为负责，因为他仍然比原告拥有较少的财富。显然，要求获得这两种结果的任何规则都必须予以抛弃。每个诉讼当事人将不得不花费相当多的时间和金钱来证明他自己的财产净值（以及发现对方当事人隐匿的财产）。只要比对方当事人拥有较少的财富，免予承担合同责任的预期就会鼓励较穷的当事人去违约或者欺骗对方当事人。由于面临欺骗的威胁以及不大可能获得补偿，富人会拒绝同较穷的人缔约，后者将因此处于缺少必要的商品和服务的境地。

与偏爱较穷的当事人这种扭曲的法律救济方法相反的是，法律可以对所有的人提供相同的救济，但坚持要求除非合同的履行能够给较穷的当事人带来大于对方当事人的经济收益，否则合同就不具有执行力。（合同交易会因此有助于缩小财富差距。）然而，这种方法并不可行。法院仍须确定谁是较穷的当事人，而在许多案件中，这会使其承担相当多的费用。更为重要的是，这种方法可能会导致缔约行为的减少。每个人都渴望实现其个人收益的最大化；她会因此不愿意同一个较穷的人做买卖，而更喜欢与一个拥有较多财富的人进行交易。如果大部分人都持这种态度，那么将难以找到贸易伙伴。为较穷的当事人谋求更大收益的任何要求所产生的一个附带问题是，当事人从合同交易中获得的收益往往是无法确定的。这个问题将在下文讨论。

我们现在将考察三种方法，它们看起来比那些已经叙述过的方法更为可行。这三种方法是：（1）要求每个合同都用来为双方当事人产生均等收益；（2）对价格之外的特定合同条款实行法律管制；以及（3）对合同价格实行法律管制。

1. 均等收益要求（Equal Gain Requirement）

法律可以规定，如果在缔约时合同条款看起来能为一方当事人带来比对方当事人更大的收益，那么受益较少的当事人可以撤销合同。这样一个均等收益的要求不会使财富均等化，但它有助于阻止财富差距的扩大——假定那些自由的、未受管制的合同容易为拥有较多前合同财富的当事人带来较大的收益。（如果未受管制的合同容易为拥有较少前合同财富的当事人带来较大的收益，那么一个均等收益的要求就会妨碍财富的均等化。）

如果较富有的当事人的最佳合同选择比对方当事人的最佳选择更有利可图，那么如下假设很可能是正确的，即合同自由会为较富有的当事人带来比对方当事人更大的收益。这些最佳选择确立了协商范围，任何合同性协议都会在其中找到位置。在图1中，我们假设买方与卖方的最佳合同选择是会为买方带来一笔200美元收益的另一个交易（与其他人），而卖方的最佳合同选择会为卖方带来一笔700美元的收益。除非买方能够获得至少200美元的收益，否则她不会与卖方缔约；而卖方除非能够获得至少700美元的收益，否则他也不会与买方缔约。双方的协商范围将位于KK′合同曲线上（在这个案件中，它代表着从交易中产生的一笔1500美元的总盈余，将由双方当事人根据合同条款来进行分配），但会被限制在ab线段内。由于卖方拥有较多的选择，所以协商范围位于合同曲线上靠近卖方的那一端。如果买卖双方都完全了解交易信息并且同样擅长谈判，那么他们的合同应当在接近 m 点的位置，即协商范围的中点；在这个位置上，合同条款会给予卖方 1000 美元的预期收益，给予买方 500 美元的预期收益。除非买方能够在协商范围中非常接近她那一端的地方（b 点）缔结合同，否则卖方的预期收益将会大于买方的预期收益（e 点是均等收益点，在此处每一方当事人各有一笔 750 美元的预期收益）。

图1　协商范围

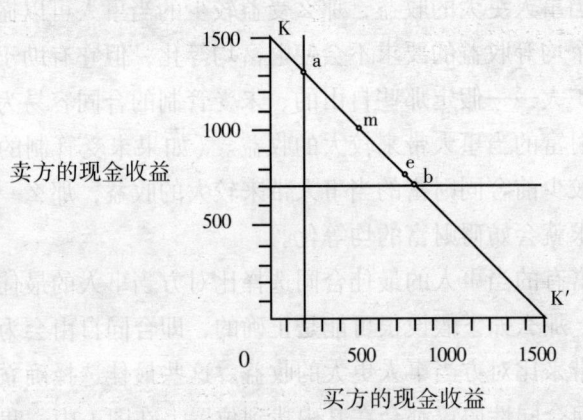

为便于讨论，我们将假定较富有的当事人通常拥有更好的选择机会，并且假定未受管制的合同由此给较富有的当事人带来的金钱收益会比较穷的当事人更大。均等收益的法律要求或许看起来在阻止贫富差距的扩大方面有些作用。然而，有三个充分的理由可用来拒绝此一法律要求。

第一个理由是难以查明每一方当事人的预期收益。当一家商业公司与另一家商业公司缔约时，通常每一方当事人都有可能提出它从交易中获得预期利润的证据。但是，穷人（分配不公正问题对他们最为严重）往往作为消费品的购买者或作为雇员而签订合同。

消费品购买者的收益（她的"消费者剩余"）等于她对所购商品的主观评价（她愿意为之支付的最高金额）减去她支付的合同价款。（她购买该商品并不是为了转售，故而没有从所购商品的市场价值中获得收益。）鉴于不可能查明消费者的主观价值，因此她的消费者剩余也极不确定。就雇佣合同来说，我们能够查明雇员所接受的议定工资，但却无法以金钱来确定她的净收益，因为我们无法量化地评价她所放弃的东西（闲暇时间、身体的或精神的不适等等）。只要法院不能查明较穷的当事人从合同中获得的收益，那么它就无法判断该合同是否为每个当事人带来了均等收益。并且，在查明双方当事人的预期收益方面所存在的困难，会使缔约行为变成一个捉摸不定的活动；在许多情况下，当事人将不知道他是在签订一个可以执行的、均等收益的合同，还是在签订一个他可以撤销的合同或者可以被对方当事人撤销的合同。

即便可以查明双方当事人的预期收益，仍然会存在两个严重的问题。首先，均等收益的要求将排除一些本来对双方当事人都有利的合同。假设在图 1 中，卖方的最佳选择会给他带来一笔 800 美元（或超过 750 美元的任何其他金额）而非 700 美元的收益。倘若卖方知道法律允许买方去撤销一个旨在为卖方带来超过 750 美元收益的合同，并且知道他有一个获得 800 美元收益的选择机会，那么卖方很可能会拒绝与买方签订合同。每当均等收益点位于协商范围之外时，均等收益的要求就会阻止一个很可能是互惠互利的合同。（如果没有均等收益的要求，我们的当事人或许已经在例如 m 点签订了一个合同，这会使每个当事人的处境比她的最佳选择所带来的处境更好。）

再者，均等收益的要求会迫使卖方实施价格歧视行为。不论买方是消费者还是经营者，每位买方都会期望从一个单位的特定产品中获得一份多少有点不同的总金钱利益,每位作为消费者的购买者都会拥有一个不同的主观价值,每位作为经营者的购买者都会期望从加工和转售中获得一份不同的利润。只要卖方为其售出的每一单位产品花费了同样的成本,那么在卖方签订的全部合同中,他能够满足均等收益要求的惟一办法,就是根据顾客的不同而改变合同价格,以便使每位顾客的净收益等于卖方自己的纯利润。此类价格歧视行为既无效率又不公平:无效率是因为它在试图确定均等收益点和商定价格方面需要花费巨额交易成本,而不公平(以及无效率)则是因为它偏袒那些不太看重或者低效率地使用产品的买方。卖方只要对所有的买方收取同样的价格,就会更有效率,也更为公平。

考虑到上述问题,均等收益的法律要求必须予以否弃。否弃此一要求也使得合同法能够与缔约的社会实践的目的相一致。缔约实践是用来促进有益信赖和互惠互利的交易的,而非用来使任何事情均等化。

2. 对价格之外的合同条款的管制

为了将一些财产从相对富有的人转移到相对贫穷的人那里,立法者们可能会管制特定的合同条款,而不是要求均等收益。我们将首先考察对价格之外的合同条款的管制。举例言之,一个法律规则可能会要求房东承担公寓大楼中的取暖费和水费,或者要求雇主为雇员购买健康保险,或者使放弃消费品买卖中的默示担保的行为归于无效。假设某个这样的规则被引进到一个大部分买方都是贫穷的消费者的市场中,该规则旨在为每个买方所购买的每单位产品增加1美元的财产收益,并且遵守该规则会使卖方为每单位产品花去1美元。这一规则会对财富的分配产生什么影响呢?这是一个困难的经验问题,答案取决于一些变量,其中的有些变量将难以发现和度量。然而，经济分析的方法却揭示了某些倾向。

为了补偿每单位 1 美元的成本增量，卖方公司可能会降低其他成本。在当代经济中，这很可能意味着解雇一些员工。不过，如果每单位 1 美元的成本增量通过降低其他成本而得到完全补偿，并且卖方因此不提高受到管制的产品的价格，那么作为消费者的买方将会得到每单位 1 美元的财产利益。

图 2　卖方将成本增量转嫁给买方的影响

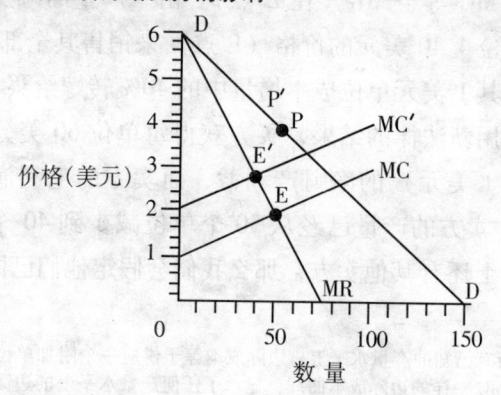

如果卖方无力降低每单位 1 美元的其他成本，那么不管剩下多少净成本增量，他们都会通过提高合同价格的方式来努力将其转嫁给作为买方的消费者。[50] 在图 2 中，我们假定，面对着因遵守新法律规则而产生的 1 美元的单位成本，卖方丝毫没有降低其他成本，并且试图通过向买方索要一个较高的价格来转嫁其附加成本。在新法律出台之前，卖方通过将产量固定在 50 个单位来追求利润

---

[50]　假定在采用新法律之前卖方正在使利润最大化，并且假定销售价格的任何增长都会减少销售额并降低净利润，那么卖方将宁可降低其他成本也不愿提高产品价格。不过，卖方也许无力降低每单位 1 美元的其他成本。

的最大化,以便使 E 点的边际成本(MC)等于边际收益(MR)。[51] 按照这个产量水平,卖方能够以每单位 4 美元的价格(在该公司的需求曲线 DD 上的 P 点,此需求曲线表明顾客在任何特定的单价水平上所购买的单位产品的数量)来销售其全部产品。在全部产量水平上,新法律将卖方的边际成本增加了 1 美元,使其边际成本曲线提高到 MC′。作为回应,卖方立即把产量调整到 40 个单位,即 MC′等于 MR(在 E′点)。由于产量的减少,卖方现在可以以每单位 4.40 美元的价格(P′点)来销售其全部产品。由此,卖方能够将其 1 美元单位成本增量中的 40% 转嫁给买方。

  作为适用新法律的结果,买方获得每单位 60 美分(而不是预期的每单位 1 美元)的净财产利益,而卖方的毛利润和净利润则减少了。[52] 卖方的产量已经从 50 个单位减少到 40 个单位。如果在同一市场上还有其他卖方,那么我们会假定他们已同样地限制了

---

 [51] 在所有已知的产量水平上,边际成本等于供应一个附加单位的额外费用。一条像图 2 中的 MC 一样的边际成本曲线,显示了任何产量水平上的边际成本,并因此表明边际成本是如何随着产量水平的改变而变化的。

  在所有已知的产量水平上,考虑到单位价格的任何减少对于增加一个单位的销售额都是必要的,因此边际收益等于从销售一个附加单位中产生的总收益增量。一条像图 2 中的 MR 一样的边际收益曲线,显示了任何产量水平上的边际收益,并因此表明边际收益是如何随着产量水平的改变而变化的。由于卖方的需求曲线说明降低单位价格对于增加一个单位的销售额是必要的,因此卖方的边际收益曲线即来自于其需求曲线。

  卖方通过将产量固定在边际成本等于边际收益之处来使利润最大化。较高水平的产量会导致边际成本超过边际收益。较低水平的产量则会放弃通过提高产量来增加利润的机会(因为边际收益仍然超过边际成本)。

 [52] 在采用新法律之前,卖方的平均可变成本(平均边际成本)是每单位 1.50 美元,每一单位产生 4.00 美元的收益,每单位的毛利润是 2.50 美元。由于生产并销售了 50 个单位,因此在图 2 中采用的任何会计期间内,卖方的毛利润总额都是 125 美元。作为适用新法律的结果,卖方的平均可变成本变成 2.40 美元,每一单位产生 4.40 美元的收益,每单位的毛利润为 2.00 美元。由于只生产并销售了 40 个单位,因此卖方的毛利润总额为 80 美元。卖方的净利润等于毛利润减去固定成本(该成本在图 2 中没有显示出来)。在我们的短期方案中,固定成本是不变的,因此卖方的净利润就像其毛利润一样,也下降了 45 美元。

产量并提高了产品价格。有些买方由此被逐出市场（大致说来，是那些愿意且能够为每单位产品支付 4 美元而非 4.40 美元的买方），并且无法再获得卖方所销售的任何东西。因此，尽管新法律将某些财产从富有的卖方转移到贫穷的买方手中，从而给大多数买方带来一些财产利益，但有些买方（很可能是最穷的买方）却受到严重的损害，因为他们现在被剥夺了必要的商品或服务——这是一个非常不平等的结果！

对价格之外的某种合同条款所作的法律管制，是否果真有助于财富的均等化，要取决于一些因素。法律管制到什么程度，卖方才会通过解雇贫穷的员工来补偿遵守法律的成本？到什么程度，卖方才会把遵守法律的成本转嫁给贫穷的买方？卖方的附加成本被转嫁给贫穷买方的程度越大，转移给穷人的财产利益就越少；在价格提高之后，有些买方获得一份较小的净利益，而大量以前的买方则被逐出了市场（因为产量减少得更多）。一个卖方通过提高价格来转嫁成本增量的能力，将取决于其所在市场的竞争性质（独占、少数卖方垄断、垄断性竞争或者完全竞争）以及与成本和需求有关的某些曲线的相对弹性。

在短期内（即固定资产保持不变的期间内），卖方通过提高价格来转嫁成本增量的能力，将典型地依赖于其边际成本曲线和边际收益曲线的相对弹性：与卖方的边际收益曲线有关的边际成本曲线越有弹性，转嫁给买方的那部分成本增量就越大。在一个完全竞争的市场中，单个的卖方不可能成功地将其价格提高到现行市场价格之上，但是卖方一般可以通过提高市场价格来转嫁成本增量；与市场需求曲线有关的市场供给曲线（它表明卖方在任何特定的市场价格水平上将会供应的产品数量，并且是所有单个卖方的边际成本曲线的总和）越有弹性，转嫁给买方的那部分成本增量就越大。[53]

先来考察独占或者少数卖方垄断的问题。假设卖方面对的是一个线性（直线的）需求曲线，并通过将产量固定在边际成本等于边际收益的地方来达到利润的最大化，卖方才可以将0%~50%的成本增量转嫁出去。如果卖方的边际成本曲线是完全弹性的（水平的），则卖方就能将50%的成本增量转嫁出去。[54] 如果卖方的边际成本曲线向右上方倾斜，则其就可将小于50%这一最高限额的成本增量转嫁出去；转嫁比例取决于卖方的边际成本曲线与其边际收益曲线（源于卖方的需求曲线，其斜率是需求曲线的两倍）

---

[53] 在边际成本曲线（或供给曲线）上的任何一点，都可以通过伴随着一个已知的边际成本（或者在供给曲线情形中的价格）增长百分比的产品数量增长百分比来度量其弹性。如果在边际成本曲线上16%的数量增量产生了10%的边际成本增量，那么弹性就是1.6。如果在供给曲线上9%的数量增量伴有10%的价格增量，那么弹性就是0.9。我们可以通过如下方式来计算位于边际成本曲线上的A点的弹性：取一个A点位于中点的曲线段，把该线段的左端点作为点1，右端点作为点2，运用公式

$$E_A = \frac{\Delta Q}{(Q_1 + Q_2)/2} \div \frac{\Delta MC}{(MC_1 + MC_2)/2}$$

其中，E_A 是A点的弹性，ΔQ 是从点1到点2的数量增量，ΔMC 是从点1到点2的边际成本增量，Q_1 是在点1的数量，Q_2 是在点2的数量，MC_1 是点1的边际成本，MC_2 是点2的边际成本。可以将一个类似的公式用于供给曲线，只不过用P（价格）来代替MC。

在边际收益曲线（或需求曲线）上的任何一点，都可以通过伴随着一个已知的边际收益（或者在需求曲线情形中的价格）减少百分比的数量增长百分比来度量弹性。如果在边际收益曲线上8%的数量增量产生了10%的边际收益减量，那么弹性就是0.8。如果在需求曲线上14%的数量增量伴有10%的价格减量，那么弹性就是1.4。我们可以通过如下方式来计算位于边际收益曲线上的A点的弹性：取一个在前一段中所描述的曲线段，运用公式

$$E_A = \frac{\Delta Q}{(Q_1 + Q_2)/2} \div \frac{-\Delta MR}{(MR_1 + MR_2)/2}$$

其中，$-\Delta MR$ 是从点1到点2的边际收益减量。对于需求曲线来说，弹性公式为

$$E_A = \frac{\Delta Q}{(Q_1 + Q_2)/2} \div \frac{-\Delta P}{(P_1 + P_2)/2}$$

[54] 有关的解释，See HAL R. VARIAN, INTERMEDIATE MICROECONOMICS 403-05 (3d ed. 1993)（分析了从量税的影响）。

的相对弹性。如图 2 所示，如果位于与边际收益（曲线）的交叉点上的原始边际成本曲线具有四倍于边际收益曲线的弹性（在图 2 中的 E 点，边际成本曲线 MC 具有 2.0 的弹性，而边际收益曲线 MR 具有 0.5 的弹性），那么卖方就能将 50% 这一最高限额中的 4/5（在图 2 中，即 50 美分这一最高限额的 4/5）转嫁出去。图 2 可能恰好代表一个独占市场或者一个垄断者在寡头垄断市场中的份额。

我们一直假定独占者或垄断者面对的是线性需求曲线和线性边际收益曲线，每条曲线都显示出在不同点所具有的不同弹性。如果需求曲线不是线性的，那么就会出现各种各样的可能性；例如，倘若一个垄断者为拥有固定的弹性而使其需求曲线弯曲（在所有各点上都具有同样的弹性），那么价格增量就会超过卖方的成本增量！[55]

在一个以垄断性竞争为特征的市场中，存在着许多卖方，市场进入与市场退出都很容易；不过与完全竞争相比，每位卖方都销售一种多少有点不同的产品，并因此面对一个向下倾斜的需求曲线。[56] 从短期来看，一个将产量固定在边际成本等于边际收益之处的卖方，在理论上可以将遵守新法律规则（假设是一个线性需求曲线）所产生的附加成本中的 0% ~ 50% 转嫁给买方；该卖方的情况就像一个独占者或垄断者的情况那样。然而，从长远来看，考虑到市场进入和市场退出比较容易，我们可以预期许多卖方公司会进入或者退出市场，直到每个卖方都将产量固定在其长期平均成本

---

〔55〕 有关的解释，See id. at 404 – 05（分析了从量税的影响）。
〔56〕 See PAUL A. SAMUELSON & WILLIAM D. NORDHAUS, ECONOMICS 536 (12th ed. 1985); HAL R. VARIAN, INTERMEDIATE MICROECONOMICS 429 (3d ed. 1993).

曲线（每单位的平均总成本）与需求曲线相切的切点水平上；在该点，虽然销售价格弥补了全部成本，但却没有任何经济利润。[57] 这表明，通过长期回应因遵守新法律规则而产生的附加成本，卖方会在市场长期处于无经济利润的均衡状态时选择退出市场，由此导致剩下的每个卖方的需求曲线上移，直到价格能够弥补因遵守法律而产生的附加成本。换言之，仍然留在市场上的卖方会将全部成本增量转嫁给买方。

33 　　在一个完全竞争的市场中，所有的卖方都销售同样的产品，并且没有任何卖方能够影响市场价格。不管其产量有多少，每个卖方都以同样的市场价格进行销售。因此，每个卖方都面对着一个与市场价格完全相同的水平需求曲线，并且在全部产量水平上，边际收益都等于这一价格（因为销售更多的单位并不需要降低单位价格，多销售一个单位所增加的收益就等于一个单位的市场价格）。[58] 在我们的经济中，完全竞争是一个罕见的现象；[59] 实际上，它是经济理论家们摆弄的一个玩具模型。传统理论告诉我们，一个完全竞争者会通过将产量固定在其边际成本等于边际收益，也即等于市场价格之处，来实现利润的最大化。[60] 传统理论还告诉我们，当新法律规则将一个额外的单位成本强加给卖方时，从短期来看，依靠

---

[57] 有关的解释，See PAUL A. SAMUELSON & WILLIAM D. NORDHAUS, ECONOMICS 536–37 (12th ed. 1985); HAL R. VARIAN, INTERMEDIATE MICROECONOMICS 429–31 (3d ed. 1993). 与会计利润不同，经济利润考虑了全部成本，包括所有人的隐性回报和其他机会成本。有关经济利润与会计利润之间的差异的讨论，See SAMUELSON & NORDHAUS, supra, at 469–72.

[58] See PAUL A. SAMUELSON & WILLIAM D. NORDHAUS, ECONOMICS 476, 503, 514, 516–17 (12th ed. 1985).

[59] See id. at 503–04.

[60] See id. at 478, 514, 516–17.

市场供给（边际成本）曲线和市场需求曲线[61]（不同于单个公司的水平需求曲线，该市场需求曲线很可能向右下方倾斜）的相对弹性，它们可以将这一成本的 0%~100% 转嫁给买方。然而，从长远来看，市场进入和市场退出都十分容易，并且我们可以预期，朝着新的长期均衡会出现一个结构性的重调。假定在新法律及其附加成本出现之前，卖方仅仅是收支相抵，没有任何经济利润，并且假定所有其他情况都相当，那么有些公司将会退出市场，由此减少市场供给和提高市场价格，直到市场价格刚好弥补每个卖方的长期平均成本，而卖方则已将新法律规则所产生的全部成本增量都转嫁给了买方。[62]

我们一直假设，在每一种类型的市场中，单个卖方都试图通过将产量固定在边际成本等于边际收益（在一个完全竞争的市场中，边际收益等于价格）的水平上来实现利润的最大化。然而，一些经济学家认为，卖方常常将价格固定在成本加成期望利润的水平上，然后再按照买方要购买的数量去生产。[63] 当卖方利用加成定

---

[61] 有关的解释，see id. at 387–88（分析了在一个具有线性市场供给曲线和市场需求曲线的完全竞争市场中的从量税的影响）；HAL R. VARIAN, INTERMEDIATE MICROECONOMICS 291–93 (3d ed. 1993)（分析了在一个具有线性市场供给曲线和市场需求曲线的完全竞争市场中的从量税的影响）。

[62] 有关的解释，see CHARLES J. GOETZ, CASES AND MATERIALS ON LAW AND ECONOMICS 400–02 (1984)（分析了法律规则所带来的附加成本的影响）；A. MITCHELL POLINSKY, AN INTRODUCTION TO LAW AND ECONOMICS 108–09 (1983)（讨论了为买方增加法律救济方法的影响）；HAL R. VARIAN, INTERMEDIATE MICROECONOMICS 386–87 (3d ed. 1993)（分析了从量税的影响）。

[63] See JOAN ROBINSON & JOHN EATWELL, AN INTRODUCTION TO MODERN ECONOMICS 147–48, 153–56, 168–69, 180–81, 189–90 (1973)（工业制成品的价格是由超过预算成本的卖方的预期利润加成来确定的；市场需求而非价格决定产量）；PAUL A. SAMUELSON & WILLIAM D. NORDHAUS, ECONOMICS 538–40 (12th ed. 1985)（在完全竞争的市场中，提高定价通常被作为实现利润最大化的经验法则来使用）。

价法时,我们可以预期,其要价至少能弥补所有已知的现付成本。由此,卖方因遵守新法律规则而产生的全部成本,很可能会通过涨价的方式转嫁给买方。

前面的讨论表明,很难预料如下法律规则的分配结果,即管制价格之外的特定合同条款,以求将财富从卖方公司转移到相对贫穷的买方手中。只要卖方不能通过减少其他成本来完全冲销遵守法律的成本,那么显而易见,卖方的部分或者全部遵守法律的成本就会以提高合同价格的方式转嫁给买方,而有些边际买方就会被逐出市场(由于卖方的产量减少)并被剥夺有益的商品或服务。为冲销遵守法律的成本,卖方也可能会解雇贫穷的员工。考虑到这些经济趋势,很难断定上述法律规则会在财富分配中实现更大的平等。

3. 对合同价格的管制

为了将一些财富从富有的卖方那里转移给贫穷的买方,立法者可能会对某些价格实行法定最高限价。在劳工市场上,立法者可以建立最低工资制度,也即由相对富有的雇主为相对贫穷的雇员付出的劳动而支付的最低价格。

在有些情况下,对合同价格实施此类法律管制能够减少财富分配中的不平等。经济学家们常常指出,法定最高限价导致了供给的削减,而最低工资法则减少了工作机会。[64] 不过,持有这种见解的经济学家通常假定存在着完全竞争的市场。由于此类市场极为罕见,因此我们应当转而采用一个不完全竞争市场来作为我们的模型。

---

[64] See, e. g. , PAUL A. SAMUELSON & WILLIAM D. NORDHAUS, ECONOMICS 393–94 (12th ed. 1985). 我们假定法定最高限价低于自由市场均衡价格,而最低工资高于自由市场均衡价格;否则,对合同价格所实施的法律管制就不会有什么效果。

图三 法定最高限价的影响

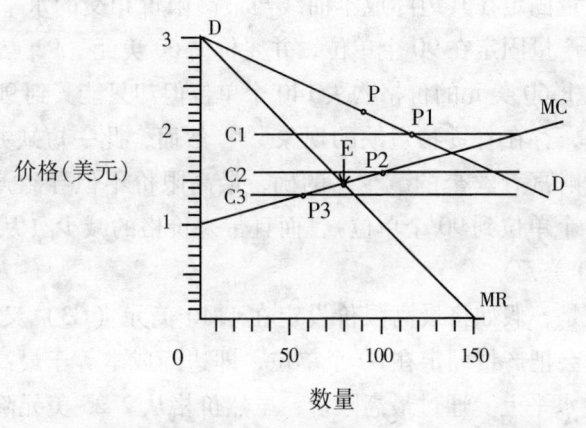

价格(美元)

[图：纵轴为价格(美元)，横轴为数量；显示需求曲线D、边际收益曲线MR、边际成本曲线MC；标注点P(2.25)、P1、P2、P3、E，水平线C1(2.00)、C2(1.60)、C3]

数量

在图 3 中，卖方是一个独占者或垄断者。在施加法定最高限价之前，卖方通过将产量固定在 75 个单位而实现利润的最大化，该产量水平位于边际成本与边际收益的交叉点（在 E 点）。价格是 2.25 美元（P 点）。假设法定最高限价现在设定为 2.00 美元（C1）。只要最高限价低于 2.25 美元但高于卖方的边际成本曲线与其需求曲线的交叉点，卖方就会将产量固定在最高限价与需求曲线相交的水平上。由此，卖方将产量调整到 100 个单位，[65] 并且将价格定为 2.00 美元（P1 点）。该最高限价会导致在较低的价格水平上生产出更大的产量，因而增加了买方的财产利益。

假定最高限价设定在 1.60 美元（C2），而非 2.00 美元。只要

---

[65] 在小于 100 的任何产量水平上，边际收益都等于最高限价（在此类产量水平上，图 3 中显示的需求曲线和边际收益曲线之间并无关联），并且边际收益超过边际成本，因此能够以有利的价格卖出更多的产品。在大于 100 的任何产量水平上，价格必须降到 2.00 美元以下，而边际收益此刻则处在恰好低于边际成本的原始边际收益曲线（MR）上。See C. E. FERGUSON & J. P. GOULD, MICROECONOMIC THEORY 304–05 (4th ed. 1975).

最高限价低于卖方的边际成本曲线与其需求曲线的交叉点，卖方就会将产量固定在其边际成本曲线与最高限价相交的水平上。因此，卖方将产量固定在 90 个单位，并要价 1.60 美元（P2 点）。在买方愿意以 1.60 美元的价格购买 140 个单位但却只能买到 90 个单位的意义上，存在着货物短缺的现象。[66] 然而，此一短缺并不意味着买方的财富有丝毫的减少。的确，最高限价不但导致产量的增加（从 75 个单位到 90 个单位），而且带来价格的减少（从 2.25 美元到 1.60 美元）。

可是，假如将最高限价设定在 1.40 美元（C3）又会如何呢？卖方将会把产量固定在 60 个单位，即边际成本等于最高限价（P3 点）的水平上。通过最高限价，虽然价格从 2.25 美元降低到 1.40 美元，但买方可以获得的产量则从 75 个单位减少到 60 个单位（任何低于 1.50 美元的最高限价都会导致卖方的产量减少）。价格的降低对许多买方来说是一笔财产利益，但有些以前的买方却再也无法得到卖方的商品或服务了（而这对他们很可能意味着财产损失）。

一个有助于使财富均等化的重要因素是减少卖方的毛利润，这种毛利润的减少是由图 3 中显示的任一最高限价所引起的。在没有最高限价的情况下，无论按图 3 中采用的哪一种会计期间计算，卖方都会有 75 美元的毛利润；如果最高限价是 2.00 美元，则毛利润为 66.67 美元；如果最高限价是 1.60 美元，则毛利润为 27 美元；如果最高限价是 1.40 美元，则毛利润为 12 美元。[67]

在断定最高限价有助于使财富均等化之前，我们必须考虑到卖

---

[66] See id. at 305－06.

[67] 将平均可变成本（平均边际成本）乘以产出单位的数量，再减去从总收益中得到的结果，即可算出毛利润。在短期条件与固定成本都不变的情况下，如果毛利润减少，则净利润也必然减少。

方通过降低其成本来努力阻止利润下降的可能性。为了补偿法律强加的削价，卖方可能会通过减少或取消其所售之物的某种有益成分来降低成本。举例言之，房东可能会减少维护服务，消费品的卖方可能转而采用成本低但质量差的原料，以至于买方付款少但得到的也少。这种结果也许对买方毫无财产价值，而且并未减少卖方的利润。卖方也有可能通过解雇员工，包括相对贫穷的员工，来减少成本。最后，存在着这样的危险，即过低的最高限价会导致卖方产量的减少，从而使有些贫穷的买方丧失必要的商品或服务（并且可能导致卖方解雇员工）。考虑到所有这些可能性，我们无法自信地得出结论说，对合同价格进行法律管制会产生更大的财富均等。

4. 对作为分配正义之工具的合同法的一般评价

我们已经知道，均等收益的法律要求在合同交易中是不可行的。看来对特定的合同条款进行法律管制并不是重新分配财富的一个有效途径。如果某一法律规则管制了某个合同条款，那么较为富有的当事人很可能会通过调整其他条款来部分或全部地抵消此一规则的再分配效果。[68] 为防止出现这种状况，法律将不得不管制所有的合同条款。但是如此一来，通过自愿的市场交易来分配资源的合同制度，就会被一套政府指令制度所破坏。[69]

合同法以缔约实践和一定的合同自由为前提。在这些条件下，对于实现财富的均等化来说，合同法能够做的事情并不多。如果对合同进行法律管制是为了有效地减少财富的不均等，那么在那些从

---

〔68〕 See A. MITCHELL POLINSKY, AN INTRODUCTION TO LAW AND ECONOMICS 108–09 (1983); RICHARD A. POSNER, THE ECONOMICS OF JUSTICE 104 (1981). 与供给和就业的减少相结合，甚至部分抵消也会导致更大的不平等。

〔69〕 See ROBERTO MANGABEIRA UNGER, THE CRITICAL LEGAL STUDIES MOVEMENT 67, 74 (1986).

法律规则中获益的人群与那些其财富将要增加的人群之间必定存在着密切的对应关系；在那些因法律规则而承受负担的人群与那些其财富将要减少的人群之间也必定存在着密切的对应关系。[70] 不过，在大多数市场中，对合同进行法律管制既有益于富人也有益于穷人。例如，消费者保护法有益于全体消费者，而最大的利益则归于最重要的消费者，即那些富裕的雅皮士及其被宠坏的子女们。

立法者可以通过有选择性地管制最合适的那些市场来努力获得密切的对应关系，在那些市场中，买方（或者卖方）可以被归入其财富将要增加的阶层，而卖方（或者买方）则可以被归入其财富将要减少的阶层中。然而，此类选择性的管制引起的不平等，可能和其所消灭的不平等一样多。它给某些穷人带来的利益会多于其他人（最大的利益将由那些在受管制的市场中能最广泛地进行交易的穷人所获得）。它将因此预示着在较穷的阶层中建立新的不平等，除非这种管制极具选择性，也即能够利用它的市场太少，以至于无法对财富的总分配产生实质性的影响。

作为对财富进行再分配的一个工具，合同法似乎不如一套综合性的税收和福利转移制度更为精确、有效。[71] 合同法只能间接地促进财富的再分配，而一套税收和福利制度却可以直接处理将要被重新分配的事物。合同法不能对影响个人财富的一切交易都进行调整，[72] 而一套税收和福利制度却可以综合考虑所有此类交易。

就像个人自治和经济效率一样，分配正义在合同法中也占有一

---

[70]　See A. MITCHELL POLINSKY, AN INTRODUCTION TO LAW AND ECONOMICS 111 (1983).

[71]　See id. at 112; PAUL A. SAMUELSON & WILLIAM D. NORDHAUS, ECONOMICS 395 (12th ed. 1985). 不论两个阶层之间的再分配目标采用的是均等标准还是其他固定比率标准，这个结论大概都是成立的。

[72]　合同法并不调整非合同性质的转让，例如没有任何在先允诺的赠与行为。

席之地，但它不应成为排他的甚至是首要的目标。即使合同法有时能够促进分配正义，大部分合同争议也会提出与分配正义的目标无关的或者不适当的问题。在这里，合同法并非要关注财富的再分配，而是要关注如何阻止人们不正当地利用优势财富，或者说仅仅关注通过实施公平竞争的观念并考虑每个当事人行为的道德性质来达到公正的结果。总之，合同法必须首先关注矫正正义。

第三章

研究合同法的自然法方法

现在,我将提出一个研究合同法的道德方法,它与前一章中所讨论的那些内容迥然不同。[1] 我的方法在很大程度上来自于亚里士多德、阿奎那以及自然法传统中的其他思想家的一些洞见,它采用了一个更为丰富也更为复杂的正义概念,并允许道德在合同法中发挥一种更具有普遍性的作用。

一、矫正正义

我们可以从亚里士多德的矫正(校正)正义概念开始。[2] 矫正正义的任务乃是矫正因私人交易中的不道德行为而导致的损害。私人的(与公共的相反)交易是指在两个(或一些)人之间实施的直接交易。在未经其同意就将交易强加给某人(例如甲盗窃了

---

〔1〕 我并非主张在第二章中遭到拒绝的那三种方法必然是不道德的或者非道德性的。在其获得某种道德理论支持的意义上来说,那三种方法中的每个方法都是一种道德方法。合同自由的方法得到一种道德自由主义理论的支持。财富最大化的方法是准功利主义的(财富被用作快乐、偏好的满足或者功利主义想使其在总体上最大化的任何东西的替代品)。分配正义的方法建立在道德社会中的一种平均主义的视角之上。

〔2〕 有关亚里士多德对矫正正义的讨论,see ARISTOTLE, NICOMACHEAN ETHICS 1130b 34 – 1131a 9, 1131b 25 – 1132b 20 (Martin Ostwald trans., 1962)。

乙的马）的意义上来说，一项私人交易可能是非自愿的。不过，私人交易也包括经双方当事人同意而成立的合同交易，例如贷款、买卖、租赁以及担保协议。

矫正正义并不关注全社会的利益与负担的综合分配，因此区别于分配正义。矫正正义也不去构想其他综合性的社会方案。它仅仅关注双方当事人以及将他们卷入其中的私人交易。由于法官只考虑如何校正双方当事人之间的私人交易，因此她甚至对怎样将原告与被告的总财富进行比较都毫无兴趣。法官感兴趣的是原告与被告之间的交易是否公正地进行，以及如果没有公正地进行，需要采取什么样的救济方法来恢复到交易之前的状态；法官并不在意该救济方法是否会使原告比被告更富有或者更贫穷，或者使原告与被告的财富相等。

矫正正义要求考虑特定的私人交易中双方当事人的过去行为的道德性质。因此，矫正正义在时间上是向后看的；它对于安排未来并不像对复制过去关注得那么多。当其回顾过去时，矫正正义期望能发现被告的行为在道德上是否为不法行为；若其并非不法行为，那么原告就不值得给予任何救济（至少不是从矫正正义的立场给予救济）。当然，我们所关注的惟一行为，乃是引起诉讼的特定交易中的行为。我们并不关注每一方当事人的全部德性或者他在以前的交易中做了些什么。这正如亚里士多德所言，"不论是好人欺骗坏人，还是坏人欺骗好人，其行为并无区别。"[3]

矫正正义也要求我们考虑因被告的不法行为而造成损害的程度。救济是根据损害程度来确定的。无损害即无救济。如果原告因被告的不法行为而遭受损害，那么救济即限定在补偿原告的损害所

---

[3] Id. at 1132a 1–3.

必需的范围内。[4] 为阻止被告人将来的不法行为而采取的超过补偿限度的任何惩罚性制裁,都会逾越矫正正义的范围。矫正正义的任务仅仅是恢复平衡状态,也即恢复被不法行为人的有害行为所扰乱的原状。通过剥夺不法行为人的收益并将其交付给受害人作为补偿,从而使双方当事人恢复到交易之前的状态,法官即可完成这一任务。[5]

例如,假设原告和被告签订一个合同,要求被告卖给原告一艘小船,以换取 1000 美元。原告支付了 1000 美元,但是被告拒绝(没有任何正当理由)将小船交付给原告。由于被告的违约行为无法证明是正当的,因此属于不法行为。此外,被告的违约行为给原告造成了损害,因为原告丧失了 1000 美元却没有得到任何回报。为了实现矫正正义,法官必须命令被告付给原告 1000 美元。这样就能消除被告的 1000 美元非法收益并补偿原告的 1000 美元损失,由此使双方当事人恢复到交易之前的状态,矫正被告的不法行为所造成的影响。

与要求遵守允诺,但在其他方面倾向于抑制道德判断的合同自由的方法相比,亚里士多德式的矫正正义以一种非常直接而普遍的方式与道德相结合。矫正正义的功能是矫正其他人不法地施加于某人的损害;这始终需要根据双方当事人的所作所为来对他们本应做什么以及现在应当做什么进行道德判断。实施不法侵害行为的人造成了一种不公正且不应当存在的状态。为了实现正义,法律制度应尽力矫正这种状态——如果它能够有效地这么做的话。虽然在实现财富的最大化或者分配正义方面,合同法并不是很合适,但它能够矫正不法损害;尽管合同法对不法损害的矫正并非总是十分精确,

---

[4] See id. at 1132a 1–10.
[5] See id. at 1132a 3–10, 1132a 25–1132b 10, 以及译者注 24。

但通常足以证明这种努力的价值。因此，我们有理由认为，合同法的一个主要目的应当是实现亚里士多德式的矫正正义。

然而，对合同法来说，亚里士多德的矫正正义概念并不是一种合适的正义理论。首先，亚里士多德似乎假定被告的不法侵害行为给原告造成的损失等于被告的收益，以便能确定一笔金钱（或一样东西）来消除被告的不当收益并补偿原告所遭受的损害；当被告根据法院的命令将这笔金钱（或东西）交付给原告时，就会使双方当事人同时恢复到交易之前的状态。然而，在现实世界中，原告的损失并不总是等于被告的收益。在前面假设的小船的场合，假定被告并没有保留小船，而是将其以 1500 美元的价格卖给了另一个买方。尽管原告仍然受有 1000 美元的损失（她支付给被告的金额），但是被告却从其违约行为中获得了 1500 美元的收益（他从原告那里得到 1000 美元，并从另一个买方那里得到 1500 美元；不过，根据被告与原告之间的合同，他应该只能得到 1000 美元）。法院应如何处理此事呢？如果法院命令被告向原告支付 1500 美元，原告就会得到超额赔偿。如果法院命令被告向原告支付 1000 美元，被告就会保有 500 美元的不法收益。亚里士多德的矫正正义概念没有解决这个问题。

其次，亚里士多德的矫正正义概念仅仅适用于一方当事人实施不道德行为的情况。然而，许多合同争议产生于双方当事人都没有实施不道德行为的场合。颇为常见的是，每个当事人都竭力遵守自己所理解的合同义务，双方当事人仅仅就应当如何解释合同而产生争论。在此类场合，亚里士多德的矫正正义概念没有任何帮助，而必须由其他正义概念加以补充。

亚里士多德的矫正正义概念在第三个方面也可能是不适当的。它仅仅关注矫正不法损害并恢复交易前的状态。但是，我们有理由认为，合同法应当展望未来，而非仅仅回顾过去。我们会希望自己的法律制度能有所作为，以便预防未来的不法侵害；而我们会发现，这需要采用超出亚里士多德的矫正正义限度之外的惩罚措施。

最后且最为重要的是，亚里士多德的矫正正义概念并没有确定哪些行为是不道德行为。在能够识别不法行为之前，我们甚至无法着手使矫正正义发挥作用。因此，亚里士多德的矫正正义概念必须用道德理论加以补充。分析到这一步，我们最迫切的需要就是找到一个可适用于合同的道德理论。在尽力满足这一需要的过程中，我们将从亚里士多德、西塞罗（Cicero）、阿奎那以及一些当代的思想家（其中的一些人甚至不愿意将自己纳入自然法传统之列）那里汲取营养。

二、道德的复杂性

在思考道德问题时，我们应当留意亚里士多德的忠告，不要期待能获得比这一主题所容许的确定性更为确切的结论。[6] 关于什么是善或者公正的问题引起了如此多的差异性和不确定性，以至于任何答案充其量都不过是一个一般的而非永久的规则；我们必须满足于一个粗略的、大概的轮廓。[7] 任何从事过法律实务或者广泛阅读过历史或文学作品的人，都懂得道德问题既不简单也无系统。道德问题既错综复杂又令人困惑，甚至最敏锐的道德思想也往往无法提供明确的答案。诚实地、深思熟虑地思考道德问题，是一项艰难而杂乱的工作。这方面存在着一些原因。

---

[6] See id. at 1094b 13–27.
[7] See id.

1. 价值具有多元性、冲突性、不可通约性(Incommensurable)

关于我们应当做什么的道德判断,在很大程度上必须依赖于我们的价值观,依赖于我们认为是善的、值得期待并追求的事物。有些事物本质上是善的,它们因其自身的理由("本质性"的善)而值得人们向往。有些事物之所以是善的,乃是因为它们会导致本质上为善的事物(因此它们是"工具性"的善)。我们需要认清本质性价值和工具性价值的多元性。"存在着许多不同的目标,人们可以充满理性地去追寻……"[8] 约翰·菲尼斯列举了七个不同的基本价值,即善的基本类型,其中的每个价值都是人类幸福的一个方面:生命健康、知识、戏剧、美的体验、友谊、实践理性以及宗教。[9] 亚里士多德列举了必然是善的二十样事物;他特别提到了幸福、正义、勇敢、大方、优美、友爱以及雄辩。[10] 我们中的每个人都能列出他自己的清单。

当我们分析这些清单时,我们不得不看到,人类之善是多么地丰富多彩。共同感是个好东西,但个人主义也是。[11] 合作是件好

---

[8] ISAIAH BERLIN, THE CROOKED TIMBER OF HUMANITY 11 (1991)(界定"多元主义")。See also CHARLES TAYLOR, PHILOSOPHY AND THE HUMAN SCIENCES 244 (1985)(伦理不是由单一种类的善组成的一个同质的领域;我们作为道德来接受的那些善是多种多样的);Thomas Nagel, The Fragmentation of Value, in MORAL DILEMMAS 174, 183 (Christopher W. Gowans ed., 1987)(伦理价值并不依赖于某个单一的基础,因为不同类型的价值来自于不同的观点)。

[9] See JOHN FINNIS, NATURAL LAW AND NATURAL RIGHTS 86–90 (1980)。

[10] See ARISTOTLE, THE "ART" OF RHETORIC 1. 6. 8–16 (John Henry Freese trans., 1926)。

[11] 缔约实践依赖于这一事实,即人是一种社会性的动物,既相互依存,又能在一个具有共同规范的共同体中生活。不过,缔约实践却被用来帮助人们追求个人利益。

事，而竞争也是。[12] 社会平等是一种价值，而个人自由也是。传统是有益的，革新也是如此。同情是好的，但惩戒也是好的。慷慨是一种善，而节俭也是。极左分子和极右分子就上述各对范畴中哪一个是真正的善（好像它们相互排斥似的）展开了激烈的争论。当然，答案是它们都是善的。对于一个人或者一个社会来说，其诀窍是找到一个最佳的混合状态。

我们应当怀疑高举一个排他性价值的任何道德方法或合同法，不论该价值是个人自由、总财富还是平均主义的分配正义。（这是拒绝前一章中讨论的三种方法的正当理由。）生活提供了价值的多元化，每当我们允许某个专横的价值将其他价值排挤出去时，就会削弱人类文明的品质。这正如以赛亚·伯林（Isaiah Berlin）所告诫我们的，"文明是一座花园，因其花儿的多姿多彩才变得富饶而美丽。"[13]

既然存在着丰富的价值类型，那么我们必须预计到可能发生的冲突。诸价值之间也许会相互抵触；如果发生冲突，其结果并不意味着有些价值必定是正确的而有些则是错误的。正义与同情有时无法相容，尽管两者都是真正的价值。自由与平等都属于政治和法律价值，然而强者的总体自由与弱者的平等或体面生活并不能和平共处。自发性是好的，但它却无法完全与社会福利所必需的有组织的规划和谐并存。希望所有美好的事物都能共存，这种理想社会的观念在概念上是不合逻辑的。我们注定要在诸善之中进行选择，每个

---

〔12〕 迭戈·甘贝特（Diego Gambetta）认为，我们既需要合作，也需要竞争。纯粹竞争性的生存斗争使生活变得令人厌恶。不过，一定量的竞争有益于提高技能、促进技术革新、分配资源以及防止滥用权力。同时，有益的竞争依赖于合作；为了以一种彼此不具有破坏性的方式进行竞争，一个人必须相信她的竞争对手会遵守某些规则。See Diego Gambetta, Can We Trust Trust ?, in TRUST 213, 214 - 15 (Diego Gambetta ed., 1988).

〔13〕 ISAIAH BERLIN, THE CROOKED TIMBER OF HUMANITY 223 (1991)（讨论赫尔德 [Herder]）.

选择都会带来无法挽回的损失。与电视广告中所传播的信息相反，我们不可能拥有一切。[14]

由于各种价值或目标之间存在着冲突，因此要求我们采取措施来促进这些目标的道德义务也会发生冲突。[15] 如果我们依据德性来思考道德问题，我们就会发现，诸如勇敢、温和以及诚实等德性之间经常相互冲突。这正是悲剧的素材。在索福克勒斯（Sophocles）所著的《安提戈涅》（Antigone）中，统治者克瑞翁（Creon）将城邦的利益看得极为重要。他与安提戈涅发生了悲剧性的冲突，后者坚持要求履行埋葬其亡兄的家族义务，而这是违反城邦法律的。正如玛莎·努斯鲍姆（Martha Nussbaum）所指出的，这一悲剧告诉人们，我们的价值系统越丰富，要取得和谐就会越困难。[16] 通过忽略我们的公民义务或者放弃我们的家族义务，我们就可以避免冲突。但是，一个没有相冲突的价值和义务的世界将会枯竭。[17] 我们要认识到，道德冲突不一定就是病态的。[18] 它是任何有价值的生活天然的、必不可少的组成部分。既然对道德冲突的任何应答都会导致无法挽回的损失，那么悲剧也就是人类文明所特有的现象了。《安提戈涅》中的合唱队唱出了一个深刻的悖论："任何浩瀚的事物皆伴随着诅咒而踏入凡人的生活。"[19]

尽管我们无法避免悲剧性的冲突，但若两个价值（或义务，

---

〔14〕 前面一段是改述伯林的话。See id. at 12 – 13，17.

〔15〕 亚里士多德承认各种义务可能相互冲突。See ARISTOTLE, NICOMACHEAN ETHICS 1164b 22 – 1165a 35（Martin Ostwald trans.，1962）.

〔16〕 See MARTHA C. NUSSBAUM, THE FRAGILITY OF GOODNESS 75 (1986).

〔17〕 Id. at 75，81，353. 努斯鲍姆指出，在亚里士多德的善良之城中，价值冲突的可能性被看作是市民生活本身丰富多彩和充满朝气的一个条件。See id. at 353.

〔18〕 See BERNARD WILLIAMS, MORAL LUCK 72 (1981).

〔19〕 SOPHOCLES, ANTIGONE lines 613 – 14 (translation by R. C. Jebb in THE COMPLETE GREEK DRAMA 419，440 (Whitney J. Oates & Eugene O'Neill, Jr. eds.，1938).

或德性）发生冲突时我们可以清楚地辨别何者应当优先的话，那么我们至少可以减少进行道德推理的困难。我们或可尝试通过某种量化的方式来权衡某一价值与其他价值的优劣。然而，相冲突的诸价值（义务、德性）之间是无法通约的；无论在一般的情形还是在特定的场合，都缺少用来度量它们以发现某个价值大于其他价值的共同尺度。在亚里士多德看来，并不存在一个可用以减少或度量其他诸善的终极价值；我们的各种目标具有不容削减的多样性和不可通约性。[20] 我们可以用什么样的共同度量标准来权衡个人的正直与仁慈（不是幸福或者愉快，这两者似乎与正直无关）之间的优劣？没有任何共同尺度能够使各种价值相互通约。[21]

---

[20] See NANCY SHERMAN, THE FABRIC OF CHARACTER 85 (1989). See also MARTHA C. NUSSBAUM, THE FRAGILITY OF GOODNESS 294, 296 (1986)（对亚里士多德来说，构成美好生活的各种价值乃是多元的、不可通约的；不可能将各种不同的善相互比较）; David Wiggins, weakness of will, commensurability, and the objects of deliberation and desire, in ESSAYS ON ARISTOTLE'S ETHICS 241, 255 (Amelie Oksenberg Rorty ed., 1980)（亚里士多德否认所有的价值可以根据某种共同的尺度进行通约）。努斯鲍姆指出，像勇敢、正义和财富之类的德性，只有在都能被分解为其他的单一价值时才是可以通约的，但这样做就会将它们作为价值予以废弃，由此把我们置于一个贫瘠的世界里，在这个世界里没有任何我们现在所理解的这些事物。See NUSSBAUM, supra, at 296.

[21] See ISAIAH BERLIN, THE CROOKED TIMBER OF HUMANITY 79-80 (1991)（有许多同样具有终极性的价值都无法用一个绝对的标准来评判）; JOHN FINNIS, FUNDAMENTALS OF ETHICS 94 (1983)（在所有与道德有关的重要场合中都利害攸关的各种基本的人类之善，乃是不可通约的）; JOHN FINNIS, NATURAL LAW AND NATURAL RIGHTS 112 (1980)（各种基本的善都是不可通约的，"最大净善"的概念不具有任何看似合理的意思）; WILLIAM A. GALSTON, JUSTICE AND THE HUMAN GOOD 94 (1980)（没有任何共同标准可以将各种基本的善进行量化并予以比较）; CHARLES TAYLOR, PHILOSOPHY AND THE HUMAN SCIENCES 236-37 (1985)（各种价值往往是不可通约的）; Thomas Nagel, The Fragmentation of Value, in MORAL DILEMMAS 174, 177 (Christopher W. Gowans ed., 1987)（我们无法找到一个单一的尺度来度量各种相互竞争的价值，因为价值具有不同种类的来源）。

在各种价值之间也没有任何固定的优先顺序。[22] 任何价值的重要性都会随着情况的不同而发生变化。有时候自由比安全更重要；在其他时候，安全比自由更关键。

缺乏可通约性和一个固定的优先顺序，对相互竞争的道德权利主张进行权衡就不会形成体系。在解决道德冲突的过程中，我们在很大程度上必须依靠我们的经验，依靠我们的直觉判断，以及依靠对我们所关注的特定背景中每个冲突的价值、原则或德性是如何被牵连进去的敏锐意识。

2. 情势的易变性（Circumstantial Variability）

正如圣托马斯·阿奎那所指出的，某一行为的道德性质部分地取决于该行为所处的环境。[23] 不过，每一种情况都涉及到道德上相关的各种环境的不同组合；很少出现有两个场合在其道德相关性方面正好相同的情况。实际上，任何道德或法律案件都会包含某些在其他案件中没有发现的重要成分。这种情势的易变性乃是妨碍道德的简单化甚至系统化的另一个因素。

举例言之，特定情形中的某一事实在道德上是否相关（以及

---

〔22〕 See ISAIAH BERLIN, THE CROOKED TIMBER OF HUMANITY 79 (1991)（讨论维柯［Vico］与赫尔德）；JOHN FINNIS, NATURAL LAW AND NATURAL RIGHTS 92, 93 (1980)（在各种基本价值中不存在任何客观的等级体系；我们每个人都有其主观的优先顺序）；WILLIAM A. GALSTON, JUSTICE AND THE HUMAN GOOD 94 (1980)（没有哪一个基本的善对其他基本的善具有绝对的优先性；在各种基本的善之中，并不存在任何词汇上的次序）；CHARLES E. LARMORE, PATTERNS OF MORAL COMPLEXITY 9 (1987)（各种道德原则之间没有绝对的等级，看上去是可能的）；NANCY SHERMAN, THE FABRIC OF CHARACTER 86 (1989)（在亚里士多德看来，各种目标无法被安排进任何严格的、固定不变的优先顺序中去）；Thomas Nagel, The Fragmentation of Value, in MORAL DILEMMAS 174, 177 (Christopher W. Gowans ed., 1987)（以为我们能够将不同类型的价值放进一个永远不变的优先顺序中去，乃是一种荒谬的想法）。

〔23〕 See THOMAS AQUINAS, SUMMA THEOLOGICA part 1 of the 2d part, question 18, articles 3, 10; id. at question 64, article 1.

如果相关的话，是否存在着赞成或反对采取行动的理由），可能取决于所出现的其他事实。[24] 在一种情况下，事实 A 可能与事实 B 相结合，由此消除了事实 A 可能会出现的任何不良影响。然而，在另一种情况下，事实 A 也许未与事实 B 相结合，而是与事实 C 相结合，由此加剧了事实 A 的不良影响。因此，由于情势的易变性，我们无法对事实 A 的道德关联性以及重要性作出任何普适性的判断。

此外，道德冲突可能会随着情况的变化而有所不同。某个已知的价值或道德原则并不总是与其他同样的价值或原则相冲突；即使在发生冲突的时候，其相关性和重要性也会随着情况的不同而发生变化。正如阿奎那所指出的，我们不得不看到，形形色色的道德原则在不同的场合具有什么样的关联性，没有任何普适性的规则可以提供答案。[25]

不但各种事实会以不同的方式相结合，各种价值或目标会以不同的方式发生冲突，而且我们还会发现，对于任何已知的目标，在不同的情况下都会有不同的方法可资利用。一种方法在有些场合可能比在其他场合更为有效，并且会产生一些附带的或无意的结果。因此，有一些这样的情况，其中情势的易变性导致任何使道德简单化或系统化的尝试都失败了。

3. 特定情形中的道德判断无法完全受制于规则

道德判断意味着在特定的、具体的情形中适用普遍的、抽象的（价值、义务或德性）戒律。各种道德规则规定了在某些特定的场

---

[24] See DAVID MCNAUGHTON, MORAL VISION 192–93 (1988).
[25] See ALASDAIR MACINTYRE, WHOSE JUSTICE？WHICH RATIONALITY？195 (1988)（总结阿奎那的观点）。

合（例如，"如果你已经作出一个允诺，那么就不要违反它"）什么是要去做的或者避免去做的。在帮助将我们拥有的各种普遍性戒律转换成能够为某一特定情形作出道德判断的事物方面，此类规则不但是有益的，而且往往是必要的。如果我们必须做的一切仅仅是信守一套规则的话，那么道德问题就会被简化。但是，特定情形中的道德判断无法完全由规则支配。没有任何规则能够充分地处理与环境有关的事实以及道德冲突的复杂性和易变性。[26]

亚里士多德认为，合理的道德判断并不受规则的支配；没有任何道德规则能够广泛到足以考虑尽它所适用的情形中的所有变数，因此判断必须超越于规则，并回答该情形中的具体细节，就像在医学或航海领域中那样。[27] 照例，阿奎那赞同亚里士多德的看法：我们需要规则，但规则具有局限性。因为特定情形中的道德因素是如此多变，以至于我们无法确定通过单纯地适用不变的规则将要做什么。每种情况都具有符合规则的方面和不符合规则的方面，而后者也许极为重要。[28]

的确，规则具有一些局限性和不足之处。首先，正确的道德判断要求我们能够识别特定情形中所有与道德相关的事实。但是，没有任何规则能够令人信服地告诉我们应当如何去做这件事。尽管任何规则都规定了一套相关的事实要素，但这套要素可能在有些情形

---

[26] 詹姆斯·华莱士（James Wallace）认为，就像驾车教练在驾驶课上所作的口头讲授中不包括开车的技术一样，我们所熟悉的各种道德规则也不包括道德。See JAMES D. WALLACE, MORAL RELEVANCE AND MORAL CONFLICT 65 (1988).

[27] See ARISTOTLE, NICOMACHEAN ETHICS 1104a 5 – 9 (Martin Ostwald trans., 1962); See also CHARLES E. LARMORE, PATTERNS OF MORAL COMPLEXITY 15 (1987)（总结亚里士多德的观点）; J. O. URMSON, ARISTOTLE'S ETHICS 36, 85 (1988)（总结亚里士多德的观点）.

[28] See ALASDAIR MACINTYRE, WHOSE JUSTICE？WHICH RATIONALITY？195 – 96 (1988)（总结阿奎那的观点）.

中涵盖过窄，而在其他情形中则又涵盖过宽。各种事实在不同的场合乃是以不同的方式结合在一起的，许多类型的事实有时候相关而有时候则无关。

其次，任何将道德规则作为一贯的、排他的决策方法来使用的行为，都假定在我们看到特定案件事实之前，我们能够预先解决道德争论（将事先制定的规则机械地适用于所有符合条件的情况）。在一个未来事件变化多端且经常无法预见的世界里，这是一个危险的假设。

再次，必须用一种语言将规则表达出来。但是，正确的道德判断要求具有这样一种能力，即超越能够以规则性言词来表达的任何事物，从而看到伦理的相似性以及差异性。[29]

最后，不能将道德规则看作是绝对的。实际上，所有的道德规则都有一些例外，甚至包括禁止杀害他人的规则（在这里，正当防卫是一个例外）。但是，我们无法列举出一个涵盖所有例外的固定的、详尽的清单，并将这一清单纳入规则之中。由于人类事务具有不确定和无法预见的性质，任何规则都会伴有无数的例外。[30] 因此，我们必须满足于将道德规则视为一般的禁令或要求，满足于将其理解为并非绝对的，而是带有未表达出来的例外的事物。由此，道德规则必须是纯粹的指导方针和经验法则，从而只具有有限的作用。道德规则的这种简单性，在使其便于传授和适用的同时，也令其变得不太完美。[31]

---

[29] See BERNARD WILLIAMS, ETHICS AND THE LIMITS OF PHILOSOPHY 97 – 98 (1985).

[30] See David Wiggins, Deliberation and practical reason, in ESSAYS ON ARISTOTLE'S ETHICS 221, 231 (Amelie Oksenberg Rorty ed. , 1980)（总结亚里士多德的观点）.

[31] See MARTHA C. NUSSBAUM, THE FRAGILITY OF GOODNESS 298 – 306 (1986)（总结亚里士多德的观点）.

4. 道德的不确定性

我们已经讨论了导致道德的复杂性的一些因素，如果有时候连最优秀的道德思想也无法用确定的办法来解决关于人们应该做什么的道德争议，我们不应当对此感到奇怪。有时候最佳答案是，两个或者更多的可选择行为各自在道德上都是可以接受的，以便使行为人有权自由选择。有时候最佳答案是，没有任何解决办法。[32] 有时候最佳答案是，尽管存在着一个解决办法，但我们无法确定其内容是什么。[33] 当立法者从道德中推导出法律规则时，他们应当牢记所有这些可能性。由于道德具有复杂性和偶尔的不确定性，它并不总是清楚明确的。建立在道德之上的法律必须不时地假定人们是无辜的。

三、公共道德（Common Decency）原则

在为合同法发展出一种道德理论的过程中，我们可以从一些基

---

[32] See DAVID MCNAUGHTON, MORAL VISION 199–200 (1988); Thomas Nagel, The Fragmentation of Value, in MORAL DILEMMAS 174, 180 (Christopher W. Gowans ed., 1987)（有些实践中的困境没有任何解决办法）。

[33] See JAMES D. WALLACE, MORAL RELEVANCE AND MORAL CONFLICT 5 (1988)（有些道德难题给我们提供的各种选择是如此地复杂或者令人沮丧，以至于我们缺乏解决它们的智慧和勇气）。

本的公共道德原则入手。[34] 这些原则确定了与缔约实践有关的一些道德德性。我所想到的原则类型乃是行动指引型的；它们会支配缔约当事人的行为。它们也适于为实现亚里士多德式的矫正正义的目的而确认不法行为。从以下两个意义上来说，它们属于"基本原则"。一方面，与处理特定法律争议的规则不同，每个公共道德

---

[34] 亚里士多德赞成采用道德原则，只要它们被作为指导方针而非严格的规则来加以使用。他认为各种道德原则是道德思考的恰当起点。See ARISTOTLE, NICOMACHEAN ETHICS 1151a 15 – 20（Martin Ostwald trans.，1962）. 实践智慧的根本原则是由道德德性决定的。See id. at 1178a 15 – 18. 亚里士多德对于道德原则的态度最为清楚地表现在他对冲突性义务的讨论中。我们应当偿还债务，这是一个基本原则。但是，在向一位挚友赠送礼物比向其他人偿还债务更为高尚或者更有必要的情况下，我们就应当作出赠与。See id. at 1164b 30 – 1165a 4. 换言之，各种道德原则应当作为基本的指导方针而非严格的规则来使用。

一些评论者认为亚里士多德赞成在实践推理中采用各种道德原则。See MARTHA C. NUSSBAUM, THE FRAGILITY OF GOODNESS 298 – 304（1986）（亚里士多德似乎将各种一般原则看作是有益的指导方针，而非看作固定不变的规则）；STEPHEN G. SALKEVER, FINDING THE MEAN 139 – 40（1990）（亚里士多德偏爱各种经验法则，但道德洞察力也是必要的）；J. O. URMSON, ARISTOTLE'S ETHICS 80（1988）（对亚里士多德来说，根据可靠的实践原则以及对情况的了解，实践理性决定了要选择什么样的行动）。

奉行亚里士多德学派传统的某些作者，比亚里士多德更为强调道德原则。阿奎那认为，各种道德原则在道德和法律推理中具有关键性的作用。对于应当做什么所作的可靠推理，需要能够从中产生推理的各种原则。See THOMAS AQUINAS, SUMMA THEOLOGICA part 1 of the 2d part, question 58, article 5; See also id. at question 100, article 1. 所有的道德德性都出自于某些自然原则。See id. at question 63, article 3. 不过，当我们从最基本的原则下降到较为特殊的原则时，我们发现各种原则在适用于具体情况时偶尔存在着缺陷。例如，托管给某人的货物应当归还给货物主人的原则，虽然在大多数案件中是正确的，但并非在所有的场合都是如此。See id. at question 94, article 4. 立法是正确地建立在道德原则之上的。从自然法的各种原则或戒律中，理性得出我们称之为人定法的各种较为具体的决定。See id. at question 91, article 3. 例如，禁止杀人的法律即源于一个人不应当伤害他人的原则。Id. at question 95, article 2.

在约翰·菲尼斯（John Finnis）的当代自然法理论中，立法应当接受道德原则的指导。See JOHN FINNIS, NATURAL LAW AND NATURAL RIGHTS 290（1980）. 各种具体的法律规则应当建立在诸如"无过错即无责任"、"合同应当履行"之类的一般法律原则之上。See id. at 288. 恰当的立法也受制于各种基本的自然法原则，这些原则确定了人类诸善、实践合理性的方法论原则以及从人类诸善和实践合理性原则中产生的一般道德标准。See id. at 23 – 24, 281 – 90.

原则通常都适用于许多法律争议。另一方面，尽管公共道德原则通常具有道德上的约束力，但并非绝对地必须遵守，从这个意义上来说，每个公共道德原则也是"基本原则"。

显而易见，我们所赞成的每个道德原则并非都适合于合同法。我们必须具备选择的能力。从理想的角度说，每个公共道德原则皆应符合四个标准。它能够：

（1）为大多数公民所接受；

（2）在我们的历史道德传统中找到；

（3）与允诺和缔约的目的相关；以及

（4）用来防止一方当事人对另一方当事人造成重大损害。

如果法律建立在被大多数遵守法律的人所接受的道德原则之上，那么一个法律制度的有效性就会得到提高。如果合同法的制定者注重实际并且深谋远虑，他们就不会强制推行那些为大部分公民所厌恶的道德观念，并且他们甚至会提防将有争议的观念强加给人们。因此，一个古老的格言认为，合同法应当建立在被共同接受的道德原则之上。[35] 根据19世纪美国合同法学者西奥菲勒斯·帕森斯（Theophilus Parsons）的观点，合同往往不是明确地表达出来的："对于合同的定义及其范围，我们必须留意所有那些应该了解

---

[35] 在这方面，必须将合同法与宪法相区别。合同法支持缔约的社会实践和相关的社会习俗。为了有效地做到这一点，合同法不能与流行的社会规范相距太远。另一方面，宪法肩负着保护某些个人权利不受多数人意志之侵害的任务，因此有时候必须强行实施那些不受欢迎的道德规范。

并承认的共同原则。在这个意义上，合同与义务可以等量齐观。"[36] 如果法定的合同义务与道德义务大体相当，就像为人们共同接受的道德原则所表明的那样，则必定存在着一些这样的原则。我相信可以找到不少。例如，我们大多数公民都承认，允诺应当得到遵守，一个人不应当说谎。[37] 这些得体且公道的观念实际上并无争议。虽然我们对这些观念应由法律予以强制实施的程度以及解决其间冲突的最佳途径还存在着争议，但对于遵守此类观念的基本道德义务并无分歧。（那些拒绝接受这类道德原则的人不敢进行公开的辩论；由于显而易见的原因，他们更喜欢保持沉默和守口如瓶。）我相信，下文提到的大多数——如果不是全部的话——原则都已被大街上（小城镇上的大街，而非华尔街）的寻常男女所接受，此类普通人的道德观念为我们阐述或评价合同法提供了一个牢固的基础。

我选择公共道德原则的第二个标准，是一个在我们的历史道德传统中找到的原则。在当前被大多数公民所接受的那些道德原则

---

〔36〕 THEOPHILUS PARSONS, THE LAW OF CONTRACTS 4 (6th ed. 1873). 将法律义务和法律论证建立在共同接受的道德原则之上的实践，与修辞学这门古典艺术一样古老，后者包括对在共同体中被广泛接受的"老生常谈"、各种原则或价值所展开的辩论。See Amy H. Kastely, Cicero's De Legibus: Law and Talking Justly Toward a Just Community, 3 YALE J. L. & HUMANITIES 1, 13 (1991). 我们现行的《统一商法典》第二编的主要缔造者卡尔·卢埃林（Karl Llewellyn）认为，支配商业交易的各种法律规则应当来自于普通人所持有的正派观念。See G. Richard Shell, Substituting Ethical Standards for Common Law Rules in Commercial Cases: An Emerging Statutory Trend, 82 NW. U. L. REV. 1198, 1203 (1988).

〔37〕 我的主张主要建立在直觉之上。为何不将其系统化并利用实证研究呢？因为舆论调查所涉及到的道德信念都是不可靠的。往往是问题被误解，回答也被误解，或者回答并不可信。

关于某些道德原则已为我们大多数公民所接受的主张，与我在本书的前言中提出的建议是一致的，即我们的社会正处于一种道德危机的状态。如果60%~70%的公民接受某些基本的道德原则，而30%~40%的公民反对或者不关注这些道德原则，那么我们就产生了道德危机。我以为这大致就是我们今天的状况。

中，我们应当特别关注从我们的祖先那里经由传统继承而来的"老派"原则。传统给予我们一种建立在经验和试错之上的生活方式。阿拉斯代尔·麦金太尔（Alasdair MacIntyre）指出了传统在道德生活中的决定性作用，他认为，除了作为传统的一部分之外，我们将无法拥有道德德性。[38] 有关正义的理性探讨只能发生在某个传统之中。[39] 的确，我们可以认为，道德传统为我们的文明提供了一个不容易替代的框架。要是我们的道德传统被摧毁了，再建立一个新的框架就会花费很长的时间。

我们怎样才能发现自己的道德传统呢？与其说我们是通过社会学的经验方法，还不如说是经由研究历史、文学、宗教以及其他人文学科的方式来确认并理解自己的道德传统。当我们查阅这些原始资料时，我们当然会发现，我们的道德传统并不是静止不变或者僵化死板的；它们不断地发展，创造性地回应新的社会形势。然而，基本的公共道德原则变化不大；发生改变的乃是某个原则所适用的情境范围。

如果采用我所提出的前两个选择标准，那么我们就是在利用一种亚里士多德式的方法。在寻找道德真理的过程中，亚里士多德从我们所拥有的普通的、共同的信念，从我们的传统风俗习惯入手。当这些信念或习俗发生冲突时，亚里士多德建议我们尽量达到这样的结果，即最大限度地维护每个信念或习俗。在决定彻底摆脱传统的、共同的道德信念之前，我们应当考虑到，在不遗余力地克服并

---

〔38〕 See ALASDAIR MACINTYRE, AFTER VIRTUE 126－27 (2d ed. 1984).
〔39〕 See ALASDAIR MACINTYRE, WHOSE JUSTICE？WHICH RATIONALITY？350，351，369，393，401－02 (1988)（不存在任何外来的、在传统上中立的标准）。

取代它们时,会牺牲掉什么东西。[40]

许多道德原则虽然符合我提出的前两个标准,但与合同法关系不大(例如,通常禁止杀人的原则)。因此就需要第三个标准:一个原则必须与允诺和缔约的目的有关。我在第一章中曾经指出,所有允诺的一个主要目的是促进有益信赖,所有经济交换型允诺或其他协作型允诺的一个主要目的则是促进能产生互惠结果的合作行为。当我们发现"信赖"意味着"信任"并且合作需要信任时,我们才开始认识到,信任乃是实现允诺的目的所必需的。

每当甲无视这一事实——即行为 X 具有一种危险,这种危险就是乙可能实施不利于甲的利益的行为——而从事行为 X(而非某个替代行为)时,甲就是在信任乙;甲之所以选择行为 X,是因为他相信,乙实施有害行为的可能性低得足以使行为 X 比它的替代方案更为可取。换言之,每当你无视因其他人的行为导致目的落空的可能性而优先选择某一行为时,你就是在信任他人。[41] 由于大部分合同交易都是经济交易,因此安东尼·派格登(Anthony Pagden)的如下观点或许是正确的,即经济交易比其他交易更多地依

---

[40] See MARTHA C. NUSSBAUM, THE FRAGILITY OF GOODNESS 240 – 58 (1986)(解释并分析亚里士多德的观点)。亚里士多德属于常识型的哲学家;他的意见通常是可感知的、适度的,并以对我们共同持有的信念的高度尊重为基础。

[41] See Niklas Luhmann, Familiarity, Confidence, Trust: Problems and Alternatives, in TRUST 94, 97 (Diego Gambetta ed., 1988).

赖于信任。[42] 信任乃是经济繁荣所必需的一种社会性资产。[43]

考虑到信任在缔约双方之间的重要性,我们的公共道德原则必须包括那些用来促进信任的原则,也即那些要求双方当事人以一种值得信赖的方式来行动,从而使信任不被破坏的原则。信任是一件易碎的社会性商品;一些经常出现的守信事例对于建立信任关系是必要的,但信任也可能被一个背信行为破坏掉。

为了充当合同法的基础,一个正派的行为原则还要符合第四个标准:该原则必须能防止一个人对另一人造成重大损害。在法律上,就像在道德上一样,最重要的乃是不做坏事或者勿害他人。[44] 给予其他人以积极利益固然应受鼓励,但这并不像克制自己不做坏事那样重要。[45] 某些行为很可能造成严重的损害(例如杀人、残害、撒谎);因此道德禁止实施此类行为,即使其目的旨在行善也

---

[42] See Anthony Pagden, The Destruction of Trust and Its Economic Consequences in the Case of Eighteenth–Century Naples, in id. at 127, 130. 派格登解释了西班牙的哈布斯堡王朝是如何通过破坏社会成员中的信任来迫使那不勒斯王国走向经济崩溃的。

[43] See Partha Dasgupta, Trust as a Commodity, in id. at 49, 64 (信任是一种使生产和交换成为可能的社会润滑剂); Diego Gambetta, Mafia: The Price of Distrust, in id. at 158, 171 (一种被欺骗的高度的预期可能性, 也许会导致市场交换的瓦解); Edward H. Lorenz, Neither Friends nor Strangers: Informal Networks of subcontracting in French Industry, in id. at 194, 198 (信任是一种润滑剂, 它以包括制定并执行合同协议在内的交易成本的形式减少了经济摩擦)。

在更为普遍的意义上, 西塞拉·博克(Sissela Bok)指出:"信任几乎就像我们呼吸的空气或者饮用的水一样, 是一种应予保护的社会利益。当信任被损害时, 整个共同体都会遭受损失; 当它被毁坏时, 社会就会摇晃并坍塌。" SISSELA BOK, LYING 28 (paper ed. 1979)。

[44] 阿奎那指出, 人定法(正确地)不禁止所有的恶行, 而仅仅禁止较为严重的恶行, 主要是那些(例如谋杀和盗窃)损害他人以及为维持人类社会而必须被禁止的行为。See THOMAS AQUINAS, SUMMA THEOLOGICA part 1 of the 2d part, question 96, article 2.

[45] See CICERO, DE OFFICIIS 1. 7. 20 (Walter Miller trans., 1913)(正义的首要职责是不让一个人伤害另一个人); BERNARD GERT, MORALITY 6 (1988)(道德的目标是将恶行最小化)。

是如此。[46] 这些禁令构成了道德的精髓,在任何信守礼仪的社会中都会由法律予以实施。

一部道德法典或者一套法律规则体系,主要是由禁止实施某些有害行为的禁令所构成的,而不是由要求提供某些利益的命令构成的。与利益相比,人性对重大损害的感受更为一致。当我们确定将要被禁止的有害行为时,我们具有相当可靠的理由;被谋杀、被残害或者被欺骗几乎对每个人都是一种重大损害。然而,立法者往往无法预先查明某事对某人是否有利或者其利益有多大(这取决于受领人的主观愿望和个人计划,此类因素会随着人的不同而发生很大变化)。甚至财富也并不总是一种利益。

所以,与亚里士多德的观念——惟有某人遭受损害时矫正正义才能发挥作用——相一致,我们建议合同法只执行那些能防止一个人对另一人造成重大损害的行为原则。我们的法律制度缺少实施所有道德抱负的资源,而任何试图这样做的行为都必然导致对个人自治的过度侵犯。[47] 因此,实用和正义都要求法律将焦点集中在避免作恶这一更为关键的问题上。

现在,我要提出自己所选定的公共道德原则("公共道德原则")。[48] 我们先从一个显而易见的原则开始。

---

[46] See ALAN DONAGAN, THE THEORY OF MORALITY 149, 155 (1977)(坚持圣保罗[Saint Paul]的戒律,即去做可能会带来善的恶行也是不允许的);BERNARD GERT, MORALITY 70, 74, 75, 110, 121-22 (1988)(道德规则禁止那些被认为会造成罪恶苦难的行为;为了避免更大的罪恶而违反这样一个规则可能是正当的,但为了行善而违反该规则却是不正当的)。

[47] 阿奎那指出,在法律上禁止一切恶行的任何尝试,都会破坏许多美好的事物,阻碍公共利益的发展。See THOMAS AQUINAS, SUMMA THEOLOGICA part 1 of the 2d part, question 91, article 4.

[48] 我并未宣称这些都是亚里士多德、阿奎那或者其他自然法理论家会选择的原则。

1. 遵守诺言

一个人不应该违反诺言。[49] 这是一个传统的、被共同接受的道德原则，得到了与缔约行为和防止重大损害有关的理由的支持。每一种违反允诺的情形，都倾向于损害使互惠的合同交易成为可能的合作所必需的社会信任。由于违反允诺的行为容易使信赖变得有害，因此它"增加了一个人遭受祸害的机会"。[50]

这第一个原则不但禁止故意违反明示允诺的行为，而且还要求一个人不要违反默示允诺。我们在第一章中已经指出，许多允诺是蕴涵在商业惯例或者对一个人的言行所作的解释之中的。如果一方当事人有理由知道另一方当事人正在合理地信赖这样一个默示承诺，他就必须立即履行那个承诺，即使他实际上并未打算作出该承诺。考虑到保护合理信赖和信任的需要，我们必须将第一个原则解释成需要这么做。

2. 切勿欺诈（Do Not Deceive）

但丁（Dante）将欺诈者归入第八层地狱，仅次于最低的那一层。那些更低一等的、处在第九层地狱中的人，乃是卖国贼和其他犯有背叛罪的人。甚至连杀人犯和其他类型的施暴者都在第七层地

---

[49] 艾伦·唐纳根（Alan Donagan）和伯纳德·格特（Bernard Gert）提出了两套经过深思熟虑后构建起来的行动指引性的道德原则或规则。在他们的论述中都包含有禁止违反允诺的内容。See ALAN DONAGAN, THE THEORY OF MORALITY 91–93 (1977); BERNARD GERT, MORALITY 127–29 (1988).

[50] BERNARD GERT, MORALITY 129 (1988).

狱，而没有欺诈者所处的地狱那么低下。[51] 西塞罗指出，实话实说和信守诺言系正义的基础；暴力或欺诈均可以作出不法行为，虽然两者都是人们所反对的，但欺诈更令人憎恶。[52] 为什么欺诈被看做是一种极坏的罪恶呢？

首先，欺诈是操控他人的一种形式。它影响了受害者认为能够

---

[51] 虚假的阿谀似乎是欺诈的一种温和形式。然而但丁看见那些阿谀者陷入粪便（象征着他们在人间的虚假阿谀）之中：
峭壁上铺满青苔，
因为有阵阵呼气从下面升上来，
粘在石壁上，熏得鼻子难受，眼睛睁不开。
谷底又暗又深，
我们站立的地方无法令我们看清，
除非登到那块岩石更加居高临下的所在、石桥的拱顶。
我们来到那里；我朝下面的沟壑一眼望去，
只见一些人沉浸在粪便里，
那粪便就像是从人们的厕所里流出来的。
我用目光在下面搜寻，
这时我看见有一个人污秽不堪，满头是粪，
看不出他是僧侣还是俗人。
此人向我喝道："为何你如此目不转睛，
专门看我，而不去看其他肮脏的人？"
我回答他："倘若我记得不错，
我曾见过你，你那时头发是干的，
你是阿列休·英特尔米内伊·达·卢卡。
正因如此，我才专门盯你，而不是盯视所有其他人。"
这时，他敲打着自己的脑袋瓜：
"送我下地狱的是吹牛拍马，
因为我的舌头在这方面从来不知疲乏。"
DANTE, THE INFERNO canto 18, lines 106–26 (John Ciardi trans., 1954).
（这段译文引自［意大利］但丁：《神曲·地狱篇》，黄文捷译，译林出版社2005年版，第165—166页。）

[52] CICERO, DE OFFICIIS 1. 7. 23, 1. 13. 41 (Walter Miller trans., 1913).
在唐纳根和格特提出的各种必要的道德原则或规则的清单中，就包括禁止欺诈。See ALAN DONAGAN, THE THEORY OF MORALITY 88–90 (1977); BERNARD GERT, MORALITY 126–27 (1988).

得到的可选择的行动方案,并扭曲了她对风险和利益的判断。[53] 欺诈者因此可以对受害者实施控制,也就是通过使受害者作出一个在正常情况下决不会作出的决定,从而获得他想要的东西。[54] 欺诈削弱了受害者对其个人事务的掌控。

合同交易中的欺诈由此产生了一种对受害者造成严重损害的危险,这种损害会妨碍交易的互惠性。卖方告诉买方说,他所出售的机器能够制作冷冻酸乳酪。买方为该机器支付了 500 美元。买到机器之后,买方发现卖方自始至终都知道如下事实:此机器完全不能用来制作冷冻酸乳酪(并且也不能用于任何其他目的)。卖方欺骗性地诱使买方对该机器可能带来的利益作出了错误的判断。因为买方付出了 500 美元却得到一个毫无价值的机器,所以这一交易使得买方的处境变得更糟而非更好,由此导致经济交易型合同的一个主要目的,也即提供互惠互利结果的目的落空了。

此外,欺诈的发现降低了受害者的信任感,并使得其他获悉欺诈事实的人不太愿意信任他人。当一个人的信任感遭到破坏时,她就有可能在将来减少对允诺的有益信赖,并降低从事互惠的合同交易的可能性。因此,每个欺诈行为都会导致缔约实践的目的落空。除了欺诈者有意选择的受害者之外,社会也是一个受害者。

一个人的欺诈行为不但破坏了信任,而且还导致其他人去进行欺诈。我们的社会对于竞争和物质成就的过分强调,激起了实施欺诈以获得成功的巨大压力。随着欺诈的广泛传播,许多本来会抵制此类压力的人也认定,要想在竞争中成功胜出,他们就必须进行欺诈。[55] 为了阻断这种恶性循环,必须采取强有力的措施。通过在

---

[53] See SISSELA BOK, LYING 21 (paper ed. 1979).
[54] See KIM LANE SCHEPPELE, LEGAL SECRETS 304 (1988).
[55] See SISSELA BOK, LYING 258 (paper ed. 1979).

合同关系中强制实行更为严格的诚实标准，我们的法律制度是能够完成其职责的。

看来至少存在着四种形式的欺诈。最明显的欺诈形式就是撒谎，也即为了欺诈而故意作出虚假陈述。还有过失性的不实陈述，也即由那些应知而不知其表述错误的人所作的虚假陈述。第三种和第四种形式的欺诈不涉及虚假陈述问题。当欺诈者采取积极的措施对另一方当事人隐瞒信息时，即构成隐瞒行为。最后，还有未披露行为，也即仅仅是未能将一个人所拥有的信息予以披露。

在道德和法律中，未披露都提出了最难以解决的争议。尽管对受害人和对社会所产生的结果可能都是有害的，但与其他三种形式的欺诈相比，这种欺诈往往较少受到谴责。人们可能会说，单纯地未披露信息的人实际上并没有试图控制另一方当事人，只不过未能帮助她而已。从道德上来说，这种争议比较微妙，因为在作为和不作为之间进行区分的道德意义并不总是清楚明了。有关未披露的法律争议也因如下危险而变得更为棘手：在合同法中规定严格的披露义务，会过分地阻碍互惠互利的合同的成立。

有关诚实和欺诈的适宜法律标准，很可能没有道德标准要求得更为严格，尤其是在涉及到未披露的场合。此处不打算对未披露何时在道德上是不正当的作出明确的判断，我们将把有关的分析推迟到第七章，那时再径直讨论合同法应如何处理未披露的问题。

3. 切勿胁迫

一个人不应当胁迫他人，换言之，一个人不应当威胁另一个人说，如果她不选择那个行动方案，就要使她遭受更大的损害，从而故意使其选择一个对自己有害的行动方案。[56] 禁止胁迫的道德原则往往与合同交易有关。假设农场主波普（Purple）提议将一匹马以 10000 美元的价格卖给农场主格林（Green）。这个草约将有利于波普而有害于格林（对格林而言，此马的价值远低于 10000 美元）。但是波普威胁说，如果格林不同意购买那匹马，他就毒死格林家得奖的公牛。格林接受了两害中他认为较轻的那一个。格林的协议就是在波普的胁迫下作出的。

与禁止欺诈原则相同，禁止胁迫原则也是以对个人自治和自由选择的尊重以及防止有害操控的需要为基础的。就像我对禁止欺诈原则所作的解释那样，胁迫总是会产生有害于受害者而非互惠互利的结果，由此导致经济交换型允诺和其他协作型允诺的一个主要目的归于落空。当然，也许存在着这样的情况，即胁迫方为防止给他自己或者给某个第三人造成更大损害的需要，可以在道德上证明胁迫是正当的。

4. 关注对方当事人的利益

在一个自愿的合作关系中，每个当事人在行动时都应适当关心对方当事人的利益。这一原则可以从亚里士多德的"友爱"概念中推导出来，其所谓友爱是指两个人之间的这样一种关系，即每个人都关心对方的幸福（因为对方自身之故），并且也从对方那里获

---

〔56〕 在格特提出的道德规则中，就包括禁止胁迫，"切勿剥夺自由"。See BERNARD GERT, MORALITY 102–03 (1988).

得利益。[57]友爱的目的是互惠互利。由于利益需要行动,因此友爱不仅仅意味着善意或祝福,还包括为了对方的利益而采取的行动。[58]

在亚里士多德看来,存在着三种类型的友爱,每种友爱都拥有一个不同的基础。[59]友爱关系可以建立在快乐之上,即每个人都从对方的友情中获得快乐。它也可以由有用性所引起,即每个人都发现对方对自己是有用的。在其最高形式中,友爱系建立在德性之上,即每个人都珍视对方的美德。

亚里士多德认为,有用性友爱之所以能够产生,是因为每个人都想获得他所缺乏的东西,并以别的东西来换取它。[60]然而,如果这种关系是一种友爱,那么每个人必定会为了对方的缘故而希望其称心如意,而不仅仅是为了获得他自己所缺乏的东西;每个人由此都会受到由利己和利他这两种因素组成的复合动机的激励。[61]亚里士多德指出,有用性友爱可以存在于合同的双方当事人之

---

[57] See ARISTOTLE, NICOMACHEAN ETHICS 1155b 27 – 1156b 14 (Martin Ostwald trans., 1962).

"友爱"通常被翻译成"友谊",但其范围更为广阔。在古希腊,友爱是将具有共同利益的人们团结在一起的纽带或联系。被团结在一起的人们可以是一个城邦的公民,一个家庭的成员,各种商业伙伴,以及合同交易中的买方和卖方等等。See id. at p. 214 译者注1, pp. 311 - 12 (译者的词汇表)。

[58] See id. at 1167a 6 – 12. See also John M. Cooper, Aristotle on friendship, in ESSAYS ON ARISTOTLE'S ETHICS 301, 302 (Amelie Oksenberg Rorty ed., 1980)(友爱的中心思想是为了某人自身的缘故而行善,也即出于对他人的关心,而不仅仅是出于对自己的关心)。

[59] See ARISTOTLE, NICOMACHEAN ETHICS 1156a 6 – 1156b 32 (Martin Ostwald trans., 1962).

[60] See id. at 1159b 12 – 15.

[61] See John M. Cooper, Aristotle on friendship, in ESSAYS ON ARISTOTLE'S ETHICS 301, 305 (Amelie Oksenberg Rorty ed., 1980).

间。[62] 他的有用性友爱的观念似乎为合同交易提供了一个有益的（虽然不精确）道德上的正义标准。[63]

如果我们把有用性友爱的特征视为对缔约双方的道德要求，那么这些要求在某些方面可能会显得过于苛刻。举例言之，某一当事人也许受到友爱的道德义务的支配而去做一些她并未明确答应要做的事情，对于做这些事情，即使按照现代的商业惯例也无法默示地得出任何允诺。然而，这过于苛刻吗？倘若为了使交易具有互惠性而必须做这些事情，那么从任何经济交换型合同或其他协作型合同的一个内在目的，即互惠互利的目的中，都可以默示地得出做这些事情的义务来。

我们也必须看到，友爱义务包括合理注意义务，因纯粹的过失、故意的作为或不作为都会违反这种义务。不过，此类义务未必十分苛刻。许多道德义务，包括由侵权法来强制实施的一些义务，都属于这种性质。

即使友爱规范不再是我们的道德传统的一部分，并且大多数公民不再将其视为合同交易中的行为准则，但要想使合同具有互惠互利的性质，法律仍应在一定程度上承认一个要求适当关注对方当事人的利益的道德原则。这样一个原则并不要求一个人对于对方的利益和他自己的利益给予完全相等的关注；它仅仅要求对于对方的利

---

[62] See ARISTOTLE, NICOMACHEAN ETHICS 1162b 16 – 31 (Martin Ostwald trans., 1962).

[63] 亚里士多德似乎将不同类型的友爱看成是不同类型的正义，每一种类型的友爱都提供了各种正义规范。See id. at 1162a 29 – 33.

就合同法的目的而言，亚里士多德的有用性友爱的概念，可能比他对矫正正义所作的讨论（id. at 1131b 25 – 1132b 20）更有帮助，后者主要是缺少实质性的道德内容；也可能比他对分配正义所作的讨论（id. at 1131a 10 – 1131b 24）更有帮助，后者并不适用于私人之间的合同交易；还可能比他对交易的互惠性所作的讨论（id. at 1132b 21 – 1133b 28）更有帮助，后者仅仅规定被交换的东西在市场价格上相等。

益给予适度的关注。一个人可能会正当地认定,那些与对方的利益相反的利益,包括该人自己的利益,比对方的利益更为重要。[64] 亚里士多德式的正义要求在对对方利益的无情漠视和对自己利益的愚蠢漠视之间找到一个折中点。道德和法律都无法准确地指出这个折中点,[65] 因此我们应给当事人留下充分的余地。法律不需要也不应当试图强制实施完美的德性;在合同交易中,对于给对方当事人造成重大损害的明显不合理的偏差,只需要加以制裁即可。如果让每个当事人都成为对方顺利实现其目标的保证人,那么合同法就会不当地阻碍缔约行为。

当然,要求关注对方当事人利益的原则必须具有灵活性,在不同类型的合同关系中需要不同的关注标准。在商业合伙关系中,当事人似乎负有(道德上的)信托义务来为另一个合伙人获取利益,而不仅仅是使其免遭重大损失。在其他的合同关系中,一方当事人负有避免给对方当事人造成重大损失的道德义务,但并无义务来增加对方的收益。在有些合同中(例如在证券交易所进行的证券买卖),一方当事人甚至不负有避免使对方遭受重大损失的一般义务。防止给对方当事人造成损失的合理注意义务,最容易出现在这些场合,即某人能够以对他本人而言相对低廉的成本来防止给对方造成重大损失;在那些具有依赖性的场合,即某人系避免使对方遭受损失的惟一人选的场合中,特别容易产生此一义务。

---

[64] See John M. Cooper, Aristotle on friendship, in ESSAYS ON ARISTOTLE'S ETHICS 301, 334-35 注释6(Amelie Oksenberg Rorty ed., 1980)(解释亚里士多德的友爱概念)。

[65] 亚里士多德式的折中点是一个适当的居中之点,而不是算术或几何学意义上的中点。See ARISTOTLE, NICOMACHEAN ETHICS 1106a 29 – 1107a 2 (Martin Ostwald trans., 1962). See also NANCY SHERMAN, THE FABRIC OF CHARACTER 35 (1989)(解释亚里士多德的观点);J. O. URMSON, ARISTOTLE'S ETHICS 35 (1988)(解释亚里士多德的观点)。

由于在适用时较为宽松且具有灵活性，因此要求关注对方当事人利益的道德原则并没有显得过于苛刻。它仅仅告诉每个缔约人："只要你行动时适度关注并尊重对方当事人的目的，你就可以利用他作为实现你自己的目的的手段。"

5. 切勿欺骗（Do Not Cheat）：不要违反支配你所从事的交易的任何社会实践规则，除非对方当事人已明确放弃该规则

商业犹如游戏，一个人违反他自愿参与的活动中的惯例，通常被认为是不道德的，除非其他参与人已同意背离这些规则。[66] 在合同活动中，欺骗是一种严重的不法行为。与可适用的法律规则相比较，那些签订合同的人往往更熟悉商业惯例，他们相信彼此都会遵守这些惯例。就像对一个允诺的信赖一样，如果被依赖的规范或者义务遭到违反，那么对商业惯例的信赖就很容易证明是有害的。

当然，正如在第一章中所指出的，商业惯例经常会引起默示允诺，由此使"遵守诺言"原则得以发挥作用。不过，一个人是否已默示地答应遵守特定的惯例，并不总是清楚明了，因此需要承认一个不依赖于任何允诺的、独立的"切勿欺骗"原则。举例言之，买方可能约定从卖方那里购买一些小物件，但没有意识到在此类贸易中存在着一种惯例，即除非双方当事人另有约定，否则就应在交货之后 10 天内付款。这是买方在小物件贸易中首次与他人进行交易，但卖方并不知道此一事实。在交付小物件之前，买方获悉了这种付款惯例。买方是否作出了在交货后 10 天内付款的默示允诺，这一事实并不清楚。买方在订立合同之际并未意识到该惯例的存在，而卖方也许没有正当理由认为买方知道该惯例。不过，我们完

---

〔66〕 在格特提出的 10 种基本的道德规则清单中，就包括禁止欺骗。See BERNARD GERT, MORALITY 129 – 32, 157 (1988).

全有理由断定,如果买方知道这一商业惯例而依然不在10天内付款,那么买方就欺骗了卖方。如果我参加一个游戏时并不知道所有的规则,尔后获悉了一个特定规则,那么其后每当我违反那个规则时,我就是在进行欺骗。

禁止欺骗的原则应当从广义上来理解,以使其所谓"社会习惯"既包括广泛的商业惯例,也包括由双方当事人在其以前的交易中单独确立的惯例。该原则的"除非"条款,是指那些明确地表达出来或者清楚地暗示出来的放弃行为。有时候,行为或环境使一方当事人在道德上有正当理由认定对方当事人已默示地放弃了一个惯例,即使对方并未打算这样做。(在这里,我们只关注第一个当事人的行为所具有的道德上的正当理由。)

就像其他公共道德原则一样,切勿欺骗原则也有一些例外。一个人违反某个以独占或垄断力量建立起来的不合理的商业惯例,可能在道德上是正当的,只要她需要这些独占或垄断力量所提供的商品或服务,但没有能力就交易条件讨价还价,并且也没有答应要遵守该商业惯例。

6. 在采取可能损害对方当事人利益的行动之前先进行沟通

在没有首先同对方当事人进行沟通并磋商有关问题之前,合同或者其他合作经营行为的一方当事人不应当采取可能不利于对方当事人利益的行动。在伦理学论文或法律书籍中往往没有提到这个原则,但其重要性对于广泛从事合作活动的任何人来说都是显而易见的。

假设某建筑商已约定为芝加哥艺术馆(Art Institute of Chicago)建造一幢新楼;此楼将用来存放新收集到的古希腊雕像。建筑商发现,在该楼的某一部分中,他能够通过采用一种特定类型的大理石来降低其成本,而合同条款既没有指定也没有排除这种大理石。然而,建筑商有足够的理由知道,艺术馆对于该楼所使用的材料有着明确的偏好。谨慎和道德都表明,在继续建造该楼的这一部分之前,建筑商应当与艺术馆就此一问题进行磋商。

谨慎要求应事先进行磋商,因为完全单方面的行动容易滋生怨恨与敌意,而沟通与磋商则倾向于建立信任及合作精神,这有助于使合同交易的其余部分能够顺利进行。道德和公德感也要求事先进行磋商。将一个人的意图进行沟通,表明了对对方当事人作为一个有能力就如何处理攸关双方当事人利益的问题进行理性选择和磋商之人的尊重。在完成行动之前所进行的争论,往往比后来发生的悬而未决的、激烈的争论更为可取。尽管磋商和争论无法改变一个人决定采取的特定行动方针,但却有可能使其变更自己的行动,以便减少给对方当事人造成的损害。

即使要求沟通先于行动的原则未被大部分公民接受,但为了实现缔约的目的,似乎也有必要承认这一原则。沟通和磋商有助于使双方当事人更多地了解交易的性质,而更好的信息对于实现一个互惠互利的结果则是有益的。[67] 通过磋商,每个当事人都更多地认识到对方当事人的利益和意图,从而也许会发现能以少于对方的成本来实现其目的的替代方式。

沟通也会增进对于有益信赖和互惠互利来说必不可少的信任。当你在行动之前进行沟通时,就是向对方当事人表明你关注他的利益,他对你的信任程度很可能由此得到提高。他的信任也可能仅仅因为他对你了解得更多而增强(假设他了解到的东西并不是有害

---

[67] 大卫·古德(David Good)指出,有一些研究表明,各种运动中运动员之间的交流量越大,产生互惠互利结果的可能性就越大。See David Good, Individuals, Interpersonal Relations, and Trust, in TRUST 31, 36 (Diego Gambetta ed., 1988)。

的）；在其他情况都相同的情况下，与我们了解的人相比，我们不太容易信任自己不了解的人，即便我们所了解的许多东西实际上并无意义。沟通也能够防止"先发制人式的不履行行为"：当一方当事人不再信任对方当事人，并因为担心对方即将违反协议而自己抢先违反协议时，就会发生这种情况。如果他的担心不合时宜，那么他就破坏了一个有可能是互惠互利的交易。将一个人的善意传达给对方，往往能够克服此类不合时宜的担心。[68]

7. 折中解决争议；承认对方当事人对合同的解释也许不同于你自己的解释，但却是合理的

在一方当事人因相信他正在遵守合同而做某事（或者不做某事），而对方当事人声称这侵犯了她的合同权利时，此一原则就会发挥作用。该原则要求双方当事人尽量通过一个公正的折中办法来解决他们的争议。

如果甲方实施了有害于乙方的行为并拒绝和解，以至于这种损害在任何程度上都没有得到减轻或者补偿，那么就会产生合同交易给乙带来净损失的实际危险。反之，如果乙成功地要求全部取消甲的行为或者使自己得到充分补偿，那么就会有导致甲产生净损失的危险。对于双方当事人来说，同意接受某种使合同交易对彼此都有益的折中解决办法，由此实现任何经济交换型合同或者其他协作型合同的一个主要目的——互惠互利，显然更为可取。考虑到根据所花费的金钱、时间以及遭受的精神痛苦，诉讼对于双方当事人来说

---

〔68〕 在解释为何沟通对于合作来说是不可或缺的过程中，迭戈·甘贝特揭示了先发制人式的不履行现象在心理上是多么地复杂。甲可能不履行其义务，因为她担心乙会不履行。为什么甲担心这种情况呢？或许是由于她以为乙担心她（甲）会不履行。虽然双方当事人在其他方面本来已倾向于进行合作，但是交流的缺乏以及甲的不履行行为却造成一个次优的结果。See Diego Gambetta, Can We Trust Trust？, in id. at 213, 216.

往往代价很大（社会所承担的实施法律制度的费用也十分昂贵），因而通过折中的方式来解决争议尤其有助于达到互惠互利的结果。

大部分合同争议都涉及到对合同的不同解释。一方当事人做了他以为是合同所允许的某种事情，但对方当事人却认为这是一种违约行为。大多数有争议的合同条款，甚至连那些由双方当事人尽量以书面形式明确表达出来的合同条款，都是模棱两可的，具有多个合理的解释。以一种诚实谦卑的精神来处理争议的双方当事人都会承认这一点。然而不幸的是，许多当事人都被一种膨胀的"荣誉"感蒙蔽了双眼。[69] 原则 7 要求每个当事人都除去其障眼物，努力理解对方当事人的观点。

上述应当指导缔约双方之行为的各种公共道德原则，在整个合同法领域中具有普遍的关联性。它们适用于所有类型的合同：既适用于那些长期的、不限定时间或数量关系的合同，又适用于那些短期的、高度分立的交易；既适用于不动产合同、雇佣合同和服务合同，又适用于货物的销售或者租赁关系；既适用于商人与消费者或者消费者与消费者之间的合同，又适用于商人之间的合同。

这些公共道德原则对于缔约实践的健康发展至关重要，我们要想拥有一个体面的经济社会生活，就必须广泛地坚持这些原则。在当代社会中，人们常常发现自己在与陌生人缔约，而既有的非法律性制裁不足以保障陌生人之间的交易得体地进行。因此，各种公共

---

〔69〕 采用"荣誉"一词，我是用来表示比诚实更近似于顽固的自豪感的某种东西。我从事律师业务差不多 9 年，屡屡对我的当事人不能看清一个解释性争议的另一面价值而感到吃惊。

道德原则必须由法律予以实施。[70] 合同法应当告诉市场中的那些粗野之人以及告诉我们所有的人：这些道德原则十分重要，必须受到尊重。

这并不意味着每个公共道德原则都要被看作是绝对的原则。这些原则有时候会彼此发生冲突，而解决此类冲突的最好办法也许是允许在有些案件中违反某些原则。也可能出现这样的情况，即某个公共道德原则应当向我所选择的这套原则中没有提到的一些道德因素让步。

四、司法回应（Responsive Adjudication）原则

各种公共道德原则是用来指导行动的。但道德并不仅仅指导行动；它也必须处理这一问题，即其他人应如何回应行为人的行为。回应的道德刚好和选择行动的道德同样重要，尤其是在涉及到法律并且法官正回应双方当事人的行为之时。

回应的道德甚至比选择的道德更为复杂。除了同意和不同意之外，可能出现的回应还包括诸如赞扬、奖赏、同情、迷惑、厌恶、警告以及惩罚，等等。我们所作的任何回应都是一种程度问题，我们必须决定达到多大程度才是合适的。各种回应可以结合在一起，而不必是全部肯定或全部否定。例如，我们也许认定行为人的行为

---

[70] 甚至在比我们的社会更少具有流动性和匿名性的"旧式的"社会中，非法律性的制裁措施也往往是不充分的，而法律制度不实施各种正派原则可能会产生灾难性的结果。安东尼·派格登指出，在西班牙的哈布斯堡王朝统治下的那不勒斯王国，有关缔约和商业的法律十分松弛；诚实和公正得不到实施，其结果是贸易和缔约既不稳定又不安全。See Anthony Pagden, The Destruction of Trust and Its Economic Consequences in the Case of Eighteenth - Century Naples, in TRUST 127, 137 - 38 (Diego Gambetta ed. , 1988). 迭戈·甘贝特认为，西西里的黑手党是由缺乏一个可信的、有效的法律制度以及广泛猜疑的社会态度所引起的；黑手党成员通过成为受到尊敬的、能够私下里强制执行政府所没有实施的正义的人而获得权力。See Diego Gambetta, Mafia: The Price of Distrust, in id. at 158, 162 - 63, 163 - 64.

在道德上是正当的，但却认为她仍应感到后悔，并应向因其行为而受损害的人给予补偿。反之，我们也可能认定行为人的行为属于不法行为，但却大方地对她表示我们的理解和宽恕。

当我们对回应任何行为所需要的三种不同的判断进行区分，并且注意到在作出这些判断的过程中所考虑的各种因素时，回应的道德所具有的复杂性就变得十分明显。首先，我们必须评价行为自身的道德品质。它是在这些情况下所允许的一种行为呢，还是被指导行动的各种道德原则禁止的行为？其次，如果该行为在某种意义上被视为不法行为，我们必须判定行为人应受惩罚或应受谴责的程度。就像亚里士多德所说的，一个人必须偏离道德标准多远才应当受到谴责，很难加以判断。[71] 甚至当行为人明显地越过界限时，除非其行为系出于故意及自愿（或者他对其行为的不知情或非自愿在道德上负有责任），否则我们也不会谴责他。第三，根据前两个判断和其他因素，我们必须确定我们的指导性回应是什么，我们要将什么样的情感或者态度传达给行为人，以及我们会对他采取什么样的行动（如果有的话）。

在作出这三个判断的过程中，我们必须考虑到一些因素：行为本身的性质；实施行为时的情况，包括减轻处罚的情节；该行为的实施是否出于故意及自愿；行为人的意图（如果可以立刻确定的话）；行为人的动机（如果能够查明的话）；行为的后果；我们自己所拥有的与行为人相似的经历；以及适用于该行为的所有道德原则的社会意义。显而易见，某个行为在一种意义上可能是错误的，但在另一种意义上则否。当行为人遇到相互冲突的数个义务时，特别容易出现这种情况。

---

[71] See ARISTOTLE, NICOMACHEAN ETHICS 1109b 18–23 (Martin Ostwald trans., 1962).

同样显而易见的是，对于法官、陪审员或者缺少第一手观察资料而回应行为人的诉讼的其他人来说，需要考虑的许多因素并非全部是可知的。由此，我们不可能期望此类回应绝对地精确无误。正如亚里士多德所言，只有在现场的人才能准确地判断面包是不是被恰当地烘烤出来的。[72] 所以，我们应当怀疑自己了解行为人的情况、意图以及动机的能力，并对我们正确地回应她的诉讼的能力持谦卑的态度。我们必须给人们留有余地并假定他们是无辜的；倘若我们是法官或者陪审员，在时间和地点上都远离我们所审理的诉讼，则尤其应当如此。

甚至当法律上的或者道德上的法官自信地认为他们了解所有的相关事实，并认为所做之事应当受到谴责时，同情通常也是回应的一个适当组成部分。坏运气往往在行为人所选择的不法行为中具有一定的作用。德性是脆弱的，总是容易受到坏运气的袭击。[73] 如果有个像高更（Gauguin）一样的人放弃了他的家庭，以便当一名艺术家，对社会作出重大的贡献，那么能证明其选择正确的惟一事情就是成功地成为一名艺术家。如果他失败了，就证明他作出了错误的选择。然而，成功或失败在一定程度上是运气问题。[74] 道德选择往往需要冒险，尤其是在合同交易中。冒险究竟是否值得，可能取决于事情的结果怎么样，这在一定程度上是运气问题。因此，一个人的行为所具有的道德性质，部分地在其控制范围之内，部分

---

[72] See id. at 1113a 1–2.
[73] See MARTHA C. NUSSBAUM, THE FRAGILITY OF GOODNESS 336–40 (1986)（总结亚里士多德的观点）.
[74] See BERNARD WILLIAMS, MORAL LUCK 22–26 (1981).

地在其控制范围之外。[75] 对这种运气因素的承认，会使我们富有同情心。我们不应当认为，所有违反合同的人都是不值得同情的坏人。在某种程度上，他们通常是坏运气的牺牲品。有些违约行为是非自愿的（违约的当事人无力履行）。有些违约行为在道德上是可以原谅的（例如由于对一个人的家庭负有较高的义务）。有些违约行为则是因为对合同的不同解释所致（被告以为她在遵守合同，但法院并不这样认为）。

虽然法官应当带着谦卑和同情的态度作出回应，但他们也得承认惩戒及处罚的必要性。亚里士多德认为，依靠说理或者羞耻感，并不能使大多数人对不道德行为感到厌恶；只有对惩罚的畏惧才能使他们发生动摇。[76] 这种情况在现今甚至比在亚里士多德所处的时代更为真实。我们生活在一个以流动性和匿名性为特征的社会中。许多人不在乎他们的邻居怎样看待他们；他们甚至不认识自己的邻居。[77] 诉诸羞耻感往往不起作用；当我们丧失罪恶感时，我们也失去了羞耻感。对丧失名誉的畏惧并未阻止许多人实施欺骗行

---

[75] See MICHAEL STOCKER, PLURAL AND CONFLICTING VALUES 23 (1990).

在有关伦理和法律的现代观念中，有一种潮流认为，一切事物都处于或能够使其处于人类的控制之下。在古希腊和中世纪的欧洲，有一个更古老也更为合理的观点，强调人类控制的限度以及我们栖息于其中并且应当以敬畏的、谦卑的态度来看待这个世界所具有的神秘的、不可控制的性质。

[76] See ARISTOTLE, NICOMACHEAN ETHICS 1179b 4 – 18 (Martin Ostwald trans., 1962). See also id. at 1180a 4 – 5.

[77] 1964 年的一项对法国的高层公寓大楼中的居民所做的研究表明，50% 的居民与居住在同一幢大楼中其他房间的任何居民都没有持续性的社会交往关系，21% 的居民与任何地方的任何人都没有此类关系。Antoine Prost, Public and Private Spheres in France, in 5 A HISTORY OF PRIVATE LIFE 1, 111 (Antoine Prost & Gerard Vincent eds., 1991). 在当代城市化的美国，我们无法期望会发现更多的社会联系。

为，因为欺骗行为通常难以察觉，[78] 在有些地方甚至被看作是可以接受的。我们的孩子所受的教育，往往不是怎样做到善良正直，而是如何在职业和物质成就的竞争中获胜。求助于团体规范的道德说理是徒劳无益的，因为那些团体规范要么软弱无力，要么并不存在。

考虑到非法律性制裁起不了什么作用，我们的法律制度必须频繁地借助于惩罚来阻止不法侵害行为。我们没有任何科学的方案能确定惩罚必须严厉到什么程度才能令人满意地实现这一目标，不过，立法者们可以从亚里士多德的如下意见中获得指导："当人们以为他们的行为……不会被发现，或者即便被发现也不会受惩罚；或者即便其行为受到惩罚，该惩罚也会小于他们所获得的收益时……他们就会干坏事。"[79] 在合同法中，为实现足够的威慑作用所需要的惩罚，往往会包括超过补偿受害人的损失所必需的责任。惩罚性责任由此越出了矫正正义的范围。在第五章中，我们将探讨超额赔偿的惩罚性责任何时才算适当的问题。在尝试回答这一问题的过程中，我们不但要考虑什么是实现威慑作用所必需的，而且还要认识到，惩罚的适当性也取决于不法行为人在道德上应受谴责的程度。

然而，在合同案件中，对双方当事人的诉讼所作的司法回应不完全是惩罚问题，它也不专门关注矫正正义。合同案件中的司法判决通常终极性地处理损失分配问题。法院在施加法律责任和分配损

---

[78] 爱德华·洛伦兹（Edward Lorenz）指出，维护一个人的名誉的渴望并不能制止违反合同协议的行为，除非第三人有可能确定谁是真正实施侵害行为的当事人，而这往往是不可能的。See Edward H. Lorenz, Neither Friends nor Strangers: Informal Networks of Subcontracting in French Industry, in TRUST 194, 207 (Diego Gambetta ed., 1988).

[79] ARISTOTLE, THE "ART" OF RHETORIC 1. 12. 1 (John Henry Freese trans., 1926).

失时，可以做三种迥然不同的事情。首先，法院可以让不法行为人承担这种责任，即补偿对方当事人因不法行为而遭受的任何损失，由此将损失从受害人处转移给不法行为人。在不甚精确的意义上来说（所谓不甚精确，是因为此一补偿责任不会恰好消除不法行为人的收益；受害人的损失也许不等于不法行为人的收益），这是亚里士多德式的矫正正义。其次，为了惩罚不法行为人，法院可对其施以超额赔偿的责任。由于不法行为人承担了一项新的损失，而非仅仅承受对方当事人先前所遭受的损失，因此这种责任越出了矫正正义的范围。最后，为了对并非产生于任何不法行为的损失进行重新分配，法院可以让一方当事人承担责任。这也越出了矫正正义的范围（矫正正义仅限于矫正不法行为的后果）。在这里，法院之所以将损失予以转嫁，仅仅是因为正义似乎需要这么做，即便双方当事人都没有违反某个公共道德原则或其他道德原则。合同责任并不总是依赖于道德过错。

在回应双方当事人的行为并决定是否要施加上面提到的三种责任中的某一种责任的过程中，法院需要一些基本原则作为指导。现在，我将推荐11个司法回应原则来充当指导方针。这些原则确定了裁决合同纠纷中的司法德性。[80] 毋庸讳言，我提出的这些原则仅仅是些基本的原则，它们有时会彼此发生冲突，而且没有哪个原则能被看成是绝对的原则。

1. 不要猜想双方当事人的合同意图

前三个原则主要与解释合同并确定每个当事人的合同义务有

---

[80] 我并不认为这些都是亚里士多德、阿奎那或者其他自然法理论家推荐的原则。各种司法回应原则也应当指导那些制定成文合同法的立法者们。

关。第一个原则建议,在解释合同的过程中,法院应当避免猜测双方当事人所要表达的意思。每项交易都有其自身特有的复杂性,在努力寻找一个便捷的解决办法时,不应当忽视它们的存在。确定双方当事人的合同意图,应当以可靠的证据为基础,而不应建立在这样的假设之上,即这两个当事人想表达的意图乃是大多数人在类似的场合都会表达出来的意图。这两个当事人不是大多数人。

对证据进行详细检查可能会发现,对于发生争议的问题,双方当事人确实将同样的意思附加在了他们的协议中。但是,我们不应当认为实际情况就是如此。在许多案件中,并不存在诸如双方当事人的意图之类的东西,因为在合同成立之际双方当事人并未共享任何意图(任何解释)。假设克里斯·可伦布(Chris Columbo)同意以 50000 美元的合同价格为伊沙贝尔·卡斯蒂利亚(Isabel DeCastile)修建一条私人道路。在即将开工的时候,附近山上发生的一场雪崩将道路选址掩埋在 20 英尺深的岩石下面。由于地形的原因,除非可伦布首先搬开岩石,否则就无法修建道路。可伦布仍须修这条路吗?如果仍应修建的话,那么合同价格依然是 50000 美元吗?假定书面合同并未明确地对因为发生雪崩而引发的这些问题作出安排。很可能双方当事人都没有考虑到可能出现的雪崩。也可能一方或者双方当事人想到了这种可能性,但在合同谈判期间并未讨论这一问题。还有可能双方当事人讨论了这一问题,但无法就应当如何处理达成一致意见,因此决定在书面合同中不予提及。在缺少可靠证据的情况下,认为可伦布和卡斯蒂利亚就发生雪崩时双方当事人需要做什么的问题打算达成任何特定的协议,都是纯粹的推测。

当然,有时双方当事人都熟悉的某个既有的商业惯例,为发现双方当事人想要表达的合同意图提供了可靠的理由。然而,缺少一个清楚地表达出来的意思或者明确地蕴涵在可靠证据中的意思,法院就不应当认为双方当事人想要表达任何特定的意图；法院必须通过其他方式来解决这种解释性争议。

2. 不要做那些排除考虑相关证据的决定性推定

在确定双方当事人是否签订了一份协议以及接受了什么条款时，应当允许法官或陪审团考虑可能与系争问题有关的所有证据。原则 2 告诫人们，不要作出排除使用此类证据的任何决定性推定。当某一法律规则设立一个决定性推定时，无论相反的证据多么坚强有力，都不能推翻这种推定，由此导致这类证据在法庭上变得与法律无关且不可接受。

尽管对于法官或陪审团来说，通过排除一些棘手的事实争议，决定性推定能够使事情变得更容易处理，但因这些推定都建立在对一般情况进行归纳概括的基础上，所以它们很可能在特殊案件中妨碍正义的实现。例如，大多数商业销售协议都是用书面合同表达出来的，然而一个认为所有这样的协议都是采用书面形式作出的决定性推定，将会妨碍对那些实际上是口头达成的协议依法予以强制执行，而也许有可靠的证据能证明这些口头协议的存在。应当允许每个当事人都能说出真相并提交所有相关的证据。

就像各种公共道德原则和其他司法回应原则一样，原则 2 在两个方面表现出"基本"原则的性质。尽管在针对某个协议的存在或其条款发生争议时，这一原则最为贴切，但它对任何合同争议都能够发挥作用。当然，该原则并不是绝对的；可能对有些合同争议来说，决定性推定正好合适。

3. 任何放弃法律权利的行为，必须明确地表达出来才能生效

法院不应当判定缔约人放弃了一项法律权利，除非这种弃权行

为已明确地表达出来。我是在十分宽泛的意义上来使用"弃权行为"一词的，它是指（1）所有自愿地拒绝接受一项法律权利的行为，若非因为拒绝接受，一个人就会得到该权利，以及（2）所有自愿地放弃一项某人知道已为其拥有的法律权利的行为。第一种弃权行为往往出现在合同成立之时；一方当事人同意放弃一项法律正常授予的权利或者暗含在商业惯例中的权利。例如，货物的买方也许会放弃（由此再也无法获得）制定法所赋予的默示担保的权利。第二种弃权行为常常出现在合同成立之后；一方当事人放弃了一项她已经拥有的权利，尤其是合同所创设的权利。例如，在收到前四批船运货物之后，货物的买方可能宣称她将以其他类型的集装箱来接收第五批货物，从而放弃其享有的以特定类型的集装箱来接收五批船运货物的合同权利。

原则 3 的目的乃在于防止弃权行为在毫无知觉或者疏忽大意的情况下发生法律效力。如果某个当事人不知道一项重要权利的存在或者实际上并不打算放弃它，那么判定他放弃了该权利就是不公平的。防止出现此类不公平现象的最佳方式是，要求任何弃权行为都必须明确地表达出来，通过语言文字来表明放弃权利的当事人知道他正在放弃一项法律权利且清楚地了解该权利的内容。默示的弃权行为不应当发生效力。[81] 如果某个明示的弃权条款并未确定是否

---

[81] 在讨论公共道德原则 5 的过程中，我指出，一方当事人因相信对方当事人已默示地放弃了一项社会实践规则而进行交易时，该当事人在道德上可能是正当的。（See supra text at pp. 58 – 59.）在建议根据司法回应原则 3，一项默示地放弃法律权利的行为在法律上应当是无效的时候，我是在提出一个不同的问题。重要的区别并非存在于社会实践规则与法律权利之间，而是存在于如下两者之间：即何者对缔约方来说在道德上是正当的，以及法院应当判定什么是法律和正义问题。我认为，为了阻止非故意的"弃权行为"发生法律效力，法院不应当承认默示地放弃法律权利的行为（虽然对方当事人因相信存在着一个默示的弃权行为而进行交易的事实，也许会证明该当事人在道德上是正当的）。

放弃一项特定的权利,那么法院就应当判定当事人没有放弃该权利。[82]

尽管当所谓的弃权行为涉及到一项重要权利时,防止毫无知觉的或疏忽大意的弃权行为的根本目的才能最强有力地发挥作用,但是原则3仍然适用于放弃任何法律权利的行为。[83] 较好的做法是,只要存在着所谓的放弃任何法律权利的行为,就让原则3开始发挥作用,然后再决定该法律权利是否重要到足以使此一原则的价值超过相冲突的正义因素,而非仅仅在权利是"重要的"情况下(由此使某种棘手的在开始之际就划定界限的行为成为必要)才适用该原则。

4. 只有当违反义务的行为造成损害时,才运用法律制裁来强制执行道德义务

原则4到原则11大部分与法律救济有关。原则4和原则5大体上适用于各种救济方法。原则4对于违反公共道德原则的司法回应施加了一个限制:它规定除非不法行为人违反义务的行为给对方当事人或者社会上的其他成员造成了损害,否则就不应对其实施强

---

[82] 反对的意见可能认为,对方当事人也许已经对虽然没有明确表达出来、但看起来却像是放弃权利的行为产生了合理的依赖。我会回答说,如果弃权行为没有明确地表达出来,那么信赖很可能是不合理的。

还应当指出,原则3不需要排除考虑相关证据的任何决定性推定。有关一项弃权行为是否被明确地表达出来的判断,只有在考虑了所有相关证据——包括可能对弃权行为中使用的词句赋予明确含义的周围环境——之后才能作出。(尽管必定会存在着一项明示的弃权行为,但各种外在因素也有助于对其进行解释。)

[83] 此处是在一个宽泛的意义上来使用"权利"一词的,以便能涵盖例如附属于一个人的合同义务的各种条件。一方当事人可能已答应支付给对方当事人10000美元,条件是事件A、B和C首先出现。如果此立约人现在放弃了条件C(宣布即便C不出现他也会付款),那么严格说来,他所放弃的只是一个条件,而非一项权利(尽管我们可以说他放弃了一项除非C出现否则就拒绝付款的权利)。

制性的法律制裁。

　　我们在第一章中提到，一个人享有的法律救济无需与她的道德权利共同扩张；[84] 我们在本章的开始部分也看到，只有当不法行为造成损害时，矫正正义才开始发挥作用。[85] 惟有在违反义务的行为造成损害的情况下（使某人的处境比以前更糟），才有充分的理由运用法律制裁来强制执行道德义务。首先，法律制裁都是强制性的；它们迫使一方当事人支付损害赔偿金或者履行其他非自愿的行为。当不法行为人没有损害任何人时，强制性制裁给他造成的损害很可能会超过该制裁所带来的所有合理利益；既然没有任何损害可供补偿，那么惟一的利益（除了给原告带来不正当的意外之财以外）也许是威慑将来的类似不法行为，而惩罚有害的不法行为大概能起到足够的威慑作用。其次，法制资源是有限的，应当运用到最需要它们的地方去，即预防或补偿损害。在道德上，最重要的事情乃是不做坏事或者不损害他人。第三，如果合同法试图强制实施完美的德性，而非仅仅在产生损害时才进行干涉，那么不仅有可能过分侵害个人自治，而且还会出现这样的危险，也即对未造成损害的道德缺陷施加法律责任的威胁将阻碍人们签订合同（这些合同通常使双方当事人互惠互利）。

　　虽然只有在违反允诺或其他道德义务的行为造成了严重的或者显著的损害的情况下，强制性法律干预通常才是正当的，但我仍然拟定了原则4，以便在违反义务的行为造成哪怕是微不足道的任何损害时都可以实施法律制裁。由此，每当存在有损害时，无需费力划定棘手的界限，也无需精确地判定哪些损害是"严重的"或者

---

〔84〕 See supra text at p. 10.
〔85〕 See supra text at pp. 45－46. 我曾试图把各种公共道德原则限定为用来防止损害的原则，但违反这些原则并非总是造成损害。

"显著的",我们就能使这一原则发挥作用。当然,允许实施法律制裁这一原则的重要性,将会随着损害的程度和严重性而变化;在损害微不足道时,该原则就难以克服相冲突的各种因素和证明法律干预的正当性。

5. 不要认为各种救济必定是要么全有或者要么全无

在考虑合同案件中可能采取的救济的过程中,法官不应当认为她只有两个选择:要么完全补偿原告所遭受的损失,要么没有任何救济。立法者们也不宜将此一选择强加给法院。

在亚里士多德的矫正正义概念和本章阐述的通往合同法的道德方法中,司法裁决应当是对双方当事人的行为的道德品质所作的一种回应。要想使各种法律救济成为适当的回应,它们就不能总是处于要么全有或者要么全无的状况。正如我们已经看到的,道德问题错综复杂,而回应的道德甚至比指引行动的道德更为复杂。有时候,一个行为在某些方面是不道德的,但在其他方面则否。因此,对一个行为所作的最好的回应往往是各种积极因素和消极因素的混合物,而任何因素受到利用的程度都只是一个适宜度问题。此外,我们不能总是将道德责任仅仅分配给一方当事人。在许多合同案件中,双方当事人都会有点过错。偶尔我们推测只有一方当事人有过错,但无法确定具体是哪一方当事人。有时双方当事人在道德上都没有过错。正如上文所指出的,违反合同的人并不必然是一个"坏人";违约行为往往是非自愿的,或者是在道德上可以原谅的,或者是"错误地"解释合同的结果。[86] 不过,即使在双方当事人在道德上都没有过错的情况下,为了按照正义的要求部分地重新分

---

[86] See supra text at p. 62.

配损失，可能仍然需要采用某种救济方法；合同案件中的责任问题不可能永远视道德过错而定。

我们由此可以发现一些原因来解释，为什么法院常常要作出一个分级的或混合的司法回应。法院不应当认为每个原告要么应得到全部赔偿，要么就一无所获。

6. 区分故意的与非故意的违约行为

原则 6 到原则 8 主要涉及对违约行为的救济问题。司法裁决应是对双方当事人的行为所作的道德回应；回应的道德区分无辜行为和不法行为，还区分故意的和非故意的不法行为。尽管所有的违约行为都是违反允诺的行为，并由此构成对公共道德原则 1 的侵害，但正如我们所提到的，许多违约行为都是非故意的。有些违约行为是由违约方无法控制的因素造成的；例如，卖方可能无法获得他已答应交付给买方的货物。有些违约行为是违约方以某种后来被法院认定为错误的方法来解释其合同义务的结果。要想使法律救济反映出违约方的行为的道德品质，那么在其他条件都相同的情况下，实施非故意违约行为的人就应当比明知且故意违约的人受到较轻的制裁。

的确，其他因素似乎也证明了对故意违约行为实行更严厉的制裁的正当性。有时法律救济必须用于惩罚不法行为人的目的，以便进行道德训诫并威慑将来的各种不法行为（通过不法行为人或者其他人）。不过，对非故意违约方来说，如果违约行为是由于他无法控制的因素造成的，那么就没有必要对其进行道德训诫。只有故意违约方才需要接受道德训诫。在大多数情况下，惟有故意违约行为才可能受到威慑，非故意违约行为则否。根据其性质，威慑是用来修正明知和故意行为的一种威胁。[87] 因此，只有对故意违约行为而言，法院才应当考虑诸如超额赔偿的惩罚性损害赔偿之类的威慑措施。

当然，对故意的和非故意的违约行为进行区分提出了一些证据的和认识论上的问题。我们往往缺乏足够的证据来了解某一违约行为究竟是故意的还是非故意的；可利用的证据仅仅向我们显示当事人做了什么或者说了什么，就像在莫泊桑（Guy de Maupassant）的短篇小说中一样，但并没有亨利·詹姆斯（Henry James）来告诉我们那些人物真正在想些什么或者打算做什么。由此，对于我们现在在法庭上查明当事人过去的意图的能力，我们应抱有少许怀疑的态度，并应乐于假定该当事人是无辜的。所以，只有当违约行为确系出于故意时，法院才应对故意违约行为施加更为严厉的制裁。

虽然原则 6 仅仅区分了故意的和非故意的违约行为，但是法院也应当区分不同类型的故意违约行为。一个故意违约行为也许在道德上是正当的。我们将在随后几章中探讨这种可能性。

7. 保护对允诺的合理信赖；要求违约方对受约人的有害信赖予以补偿

所有允诺的一个主要目的就是促进有益信赖，我们可以期待各种允诺会引起信赖；然而，对一个后来被违反的允诺予以信赖往往是有害的，而不是有益。为了维护缔约实践，法律制度必须就人们

---

[87] 对疏忽行为进行制裁的威胁，有时候可以使一个人自觉地、有意地养成更为谨慎的习惯或做法，因此能够在某种意义上威慑疏忽的、非故意的行为。然而，这并不意味着对非故意违约行为的制裁应当与对故意违约行为的制裁同样严厉。无论如何，我们在这里所关注的许多非故意违约行为甚至并非出于疏忽，因此不应当受到任何种类的威慑。回应的道德要求法院在疏忽性的非故意违约行为与甚至并非出于疏忽的非故意违约行为之间作出区分；前者可能比后者需要更为严厉的制裁，但并不像对故意违约行为所施加的制裁那样严厉。

对一个未被遵守的允诺所作的合理的有害信赖提供补偿。如果有害信赖未能得到补偿，则人们签订合同并依赖它们的积极性就会受到打击，而一个极为有益的社会实践也将逐渐萎缩。

应当怎样度量这种补偿呢？矫正正义似乎要求受约人因立约人的违约行为而遭受的所有净损害都得到补偿。因此，这种补偿应当等于受约人的信赖成本减去她从信赖中获得的利益，再减去从立约人的任何部分履行中获得的其他利益。换言之，违反允诺的立约人应当补偿受约人的有害信赖，[88]一直补偿到他没有通过部分履行来这样做的程度。[89]通过这种方式，违反允诺的行为就会得到矫正，信赖也会得到充分地保护。

需要注意的是，原则7只要求保护合理的信赖。愚蠢的或者不合理的信赖不属于法律提倡的信赖类型，因此不应当受到法律保护。举例言之，在立约人实质上已经违约或者明确表示他将不履行允诺后，受约人所作的信赖就是不合理的，不应当予以保护。

还需要注意的是，原则7要求保护合理的信赖，不管违反允诺的行为是故意的还是非故意的。这意味着无辜的违约方和故意的违约方都要承担补偿责任。既然亚里士多德式的矫正正义只矫正不法行为，而非自愿的违约行为在一定意义上来说并不是道德上的不法行为，那么一个人就可能会问，为什么非自愿的或者除此之外的其他无辜的违约行为竟然会引起补偿责任？我们有充分的理由认为，在无辜的违约方和无辜的受约人之间，受约人的信赖损失应当由违约方来承担。

---

[88] See supra text at pp. 4－5. 当信赖成本超过从信赖中获得的利益时，信赖就是有害的。

[89] 当然，在许多案件中，受约人从其信赖中没有获得任何利益，而立约人则丝毫没有履行合同。在这里，应当让立约人补偿受约人的全部信赖成本。

首先，为了保护缔约实践，信赖损失必须得到补偿，而由违约方承担补偿成本，比将这些成本强加给社会上的其他成员（他们甚至并未卷入到交易中来，没有像违约方那样给受约人造成损失），看起来似乎更为公正。（违约方在两个方面给受约人造成了信赖损失：他作出了引起信赖的允诺；他违反允诺的行为导致信赖变成有害的。）

其次，我们可以认为，允诺是一种受约人可以安全地依赖它的许诺、保证或者担保，因此允诺本身就带有一个默示的、从属性的允诺，即如果主要的允诺没有得到履行，就补偿受约人的损失。因此，在让立约人补偿受约人的信赖损失的过程中，法律仅仅是迫使立约人履行一个自愿接受的、从属性的允诺，而不管他是否意识到自己或许无力履行主要允诺的可能性。如果立约人拒绝履行这个默示的、从属性的补偿允诺，那么他就故意违反了要求一个人遵守其诺言的公共道德原则，因而不能再被看作是一个完全无辜的违约方。

当然，原则7仅仅是一个基本原则，并不是绝对的，或许存在着无辜的违约方不应当承担补偿责任的情形。也可能存在着完全不应由法律来强制执行的某些类型的允诺；要是这样的话，那么对此一允诺所作的有害信赖就不需要给予法律保护和补偿，即便违反允诺的行为系故意为之也是如此。

8. 不要让违约方承担的责任超过补偿其造成的信赖损失所必要的限度，除非（1）这是威慑类似的违约行为所必需的，或者（2）他先前已对此表示同意。

与原则4一样，原则8承认法律强制本身是不受欢迎的，只有当存在着由受到强制的人所造成的损害（或者造成损害的威胁）

时，通常才能证明法律强制的正当性。与原则7一样，原则8认为违约救济的正常目的系补偿受约人的有害信赖，以便矫正违约行为，使受约人免遭损害。[90] 在坚持使法律强制最小化的策略方面，原则8表明违约责任一般应限制在实现这种补偿及矫正目标所必需的限度内。因此，如果有两个可供选择的违约救济方法都能给受约人提供足够的补偿，那么法院就应当对作为被告的立约人采用代价较低（因此强制性较小）的救济方法。

不过，原则8承认有两个例外可以证明超额赔偿责任的正当性。第一，需要采取惩罚措施来威慑某些极为恶劣的违约行为。如果被告实施了这样的违约行为，那么教训此人并警告其他人的需要可以证明超额赔偿责任的正当性。

第二个例外适用于作为被告的违约方先前曾同意超额赔偿责任的情形。例如，被告可能已经同意接受这样一个合同条款，即如果他违约就支付给对方当事人50000美元，而这一数额也许远远多于补偿原告的信赖损失所需要的金额。虽然这种事前同意并不能自动证明某一超额赔偿的救济方法的正当性，但是如果让被告履行其先前答应的救济措施，他似乎没有什么理由可以抱怨。任何在判决之前拒绝履行此一允诺的行为，都违反了要求一个人遵守其诺言的公共道德原则，而命令当事人遵守该原则的法律判决往往被证明是正当的。

9. 非意外损失应当根据比较过错进行分配

在某一合同没有得到履行的情况下，原则9到原则11最有可能发挥作用；但如果合同因公共政策、欺诈、意外事件或者其他理

---

[90] 研习合同法的学人可能想知道我为何忽略受约人的期待利益。请耐心一点，我们将在第五章中讨论这一问题。

由而不得予以强制执行,以至于被告并未构成违约,则不能适用这些原则。所谓"非意外损失",是指因一方或者双方当事人的过错而造成的损失。我是在极为广泛的意义上来使用"过错"一词的,它包括违反道德义务的行为,给对方当事人造成损失的疏忽大意,以及给自己造成损失的不谨慎或疏忽大意。所谓"损失",是指任何一方当事人因合同没有得到完全履行而在交易中遭受的全部净损失(由此排除了仅仅减少收益的情况)。原则9要求将非意外损失按照双方当事人的比较过错在他们之间进行分摊。

矫正正义要求法院以一种能反映出双方当事人行为的道德品质的方式来分配损失。无论我们将应有的注意及谨慎看作是必需的道德德性,还是拓展我们的矫正正义观念以便能矫正疏忽行为和道德上的不法行为,我们都会以原则9收尾。因此,如果原告的损失是由于被告的过错造成的,而原告并无过错,那么被告就应当承担原告的全部损失。如果仅原告有过错,那么她就不能将自己的任何损失转嫁给被告。如果双方当事人都有过错,但一方的过错大于对方,则该当事人即应承担较多的损失。

如果某一当事人的过错行为是导致损失发生的必要原因,我们就可以说他"有过错"。在双方当事人都有过错的情况下,确定哪一方当事人的过错更大以及具体有多大,主要取决于各方当事人的行为的过错程度。一般而言,我们可以将遭受损失的当事人(称她为"原告")的行为看成要么是合理的,要么就是出于疏忽(因此具有过错)。如果是因为疏忽大意,我们就必须对疏忽的程度作出粗略的估计。至于对方当事人(被告),我们需要确定其行为的过错程度(假定它是造成原告的损失的一个必要原因)。被告的行为通常应属于以下类型中的一种(按照严重程度降序排列):

(1) 故意违反某一道德义务(例如,故意欺诈即违反公共道

德原则2);

(2) 疏忽大意,即可能疏忽地违反了某一道德原则(例如,因疏忽而未能合理关注对方当事人的利益,违反了公共道德原则4),或者仅仅因粗心而没有考虑到一些相关事实或可以预料的结果;

(3) 无辜地违反某一道德义务;该类型包括超出被告的控制范围之外的非自愿的违反行为,在道德上可以用某种更高的相冲突的义务来进行辩解的违反行为,或者由于合理的误解而导致的违反行为;尽管此一违反行为在一定意义上是无辜的,不过它仍然因违反了某一道德义务而构成过错行为(某种行为可能在一种意义上属于道德上的"不法行为",但在另外的意义上则非如此);

(4) 在任何意义上都没有过错的行为。

在上述三种类型的过错行为中,每一种都会存在着不同的过错程度。我们需要将被告的行为予以类型化,并对被告的过错程度做一个粗略的估计(如果有的话),然后再将其与原告的过错的严重程度(如果有的话)进行比较。当然,由于没有任何精确的方法可以将比较过错加以量化,因此作出的判断必定有点粗略、直观。如果确定被告的过错是原告的过错的三倍,那么被告就应当承担原告的损失的75%。如果确定只有一方当事人有过错,那么该当事人就应当承担全部损失。

需要注意的是,在双方当事人都有过错的情况下,原则9要求被告承担原告的部分损失,即便原告本来能够合理地而非草率地采取行动来完全避免其损失。原则9因此类似于侵权行为中的比较过失原则,而不同于如果原告有过失就拒绝其全部补偿请求的原则。如果一方当事人的过错略小于对方,那么一个40%:60%的损失分摊比例就会比胜者通吃的做法具有更少的人为色彩和任意性。

（这里与司法回应原则5有关）一个40%：60%的分担方式不可能准确无误，但是正如约翰·孔斯（John Coons）所言，"难以实现精确性本身，并不能证明放弃任何可能的精确性是合理的。"[91] 当然，原则9并不是绝对的，也许会出现该原则应当向某个要求原告承受她本可以合理避免的全部损失的原则让步的情况；这可能会导致原告不得不承担其全部损失。

10. 意外损失应在双方当事人之间平均分配，除非一方当事人已经承担了风险

原则10与上一个原则相关联。如果双方当事人在任何意义上都没有过错，一方当事人所遭受的损失系出于意外（纯粹是运气不佳），那么原则10就要求将该损失予以平均分配，因为双方的过错是相等的（无过错等于无过错）。

然而，原则10也规定，如果一方当事人已在合同中约定承担发生意外损失的风险，则其必须承受该损失。双方当事人签订的合同中可能包含着由一方当事人（假设是甲）来承担此一风险的明示或默示的协议。这或许是一个由甲承担她可能遭受的某种损失的协议，或者是一个由甲承担乙可能遭受的某种损失的协议。不管怎样，总算是设立了一个承担损失的允诺，乙可能对该允诺已经产生依赖。公共道德原则1与司法回应原则7通常会证明法院让甲遵守其允诺是正当的。

原则10不适用于合同已得到完全履行的情况；就像在原则9中一样，"损失"是指因合同没有得到完全履行而产生的净损失。原则10也不适用于因违约行为而造成的损失（该损失不是"意外

---

[91] John E. Coons, Compromise as Precise Justice, 68 CALIF. L. REV. 250, 261 (1980).

的")。即便在可以适用的情况下，原则 10 也不是绝对的。有时候该原则会被一些对抗性的正义因素所超越。

11. 矫正非自愿的转让行为

一个非自愿地转让财产或者服务的人，即实施了他并未真正同意的转让行为的人，有权要求恢复原状。这一原则建立在对个人自治的尊崇以及维护自由选择的需要之上。恢复原状的目的乃是向让与人返还其非自愿放弃的任何东西。[92] 这一目的可以通过归还已经交付的财产而实现，对于无法归还的服务，则可由受让人支付等额的金钱。在有些案件中，非自愿的转让行为给受让人带来的收益等于让与人的损失；于此情形，恢复原状会同时夺去受让人的收益和消除让与人的损失，从而以完全符合亚里士多德的矫正正义模式的方式使双方当事人恢复到原来的状态。在其他案件中，由于受让人的收益并不等于让与人的损失，因此恢复原状会给让与人带来某种收益或损失。

非自愿的转让行为发生在种种情形中。甲可能错误地向乙转让了某块土地，而以为他所签署的契据中规定的是另外一块土地。丁可能通过暴力或者偷偷地从丙那里拿走了某种东西，而没有取得丙的同意。非自愿的转让行为往往出现在半途而废的合同交易中，此时有必要通过恢复原状来防止一方当事人因其非互换性的履行行为而遭受损失。举例言之，买卖双方可能签订了一份以 2000 美元的价格买卖某种货物的合同。买方支付了 400 美元的首付款。卖方后

---

[92] 尽管人们经常说，恢复原状的目的是为了消除不当得利，但受益只有在它是以另一人遭受损害为代价的限度内才是不正当的（在矫正正义而非分配正义的领域内）。因此我主张，恢复原状的本来目的是为了消除让与人的损失，而非消除受让人的收益。See THOMAS AQUINAS, SUMMA THEOLOGICA part 2 of the 2d part, question 62, article 6（回答第一个异议）。

来未能交付货物,并使法院相信该合同因错误而应予撤销或者因情势变更而不可强制执行;买方因此从未收到答应给他的货物。他的首付款现在可以视为一种非自愿的转让;支付400美元而一无所获并不是买方所同意的交易。为了矫正这种情况,卖方必须归还买方的首付款。[93]

恢复原状原则在半途而废的合同交易中的适用性,深深地植根于我们的社会习俗之中,甚至得到孩子们的认可。汤米(Tommy)和贝蒂(Betty)同意用汤米的诺兰·雷恩棒球卡(Nolan Ryan baseball card)来换取贝蒂的迈克尔·乔丹T恤衫(Michael Jordan T-shirt)。汤米将棒球卡交给了贝蒂,但是贝蒂的父母却不让他交出T恤衫。如果我们问附近的其他孩子们,汤米是否有权取回他的棒球卡,他们将会怎样回答不是显而易见吗?

五、道德教育

合同法应当具有道德教育功能,它应当弘扬德性。如果遵守各种公共道德原则是维护合作信任及防止发生损害的必要手段,以求使缔约实践能够繁荣兴旺,那么有些社会制度就应当教育人们去遵守这些原则。法律既是公务人员能够运用强制措施来弘扬道德并实施道德的少数制度之一,也是惟一对全体公民都具有管辖权的制度。因此,由法律制度来承担道德教育的任务,既自然又合适。

法律制度应当履行道德教育职责的观念已有很长的历史了,尽管这种观念现在并不十分流行。古希腊人把立法者看作是教师;通

---

[93] See George K. Gardner, An Inquiry into the Principles of the Law of Contracts, 46 HARV. L. REV. 1, 34 (1932)(如果受约人没有得到允诺给他的东西,那么显而易见,他有权要求返还他所付出的任何对价)。

过法律来确立行为标准系一种教育行为。[94] 根据亚里士多德的观点，法律在道德教育中具有重要的作用；良好的法律对于培养青少年乃至成年公民的德性都是必要的。[95] 法律乃道德教师的观念，在中世纪阿奎那的法律理论中也十分明显，他认为法律的真正功能是使人们具有德性。[96]

这种观念与第二章中讨论的研究合同法的三种方法形成了对照。除了强制执行必须遵守允诺的原则之外，合同自由方法很少能通过合同法来弘扬德性。财富最大化方法会利用合同法来培养效率而非道德德性。在第二章中讨论的分配正义方法，所关注的并不是使人们具有德性，而是无视德性差异的收入或财富的均等化。如果合同法仅仅被用于实现这三种方法所追求的目标，则法律后果就不会取决于双方当事人行为的道德品质，而利用法律来进行道德教育也很难取得成效。

在承认合同法应当履行道德教育职责之前，我们需要考虑两个反对意见。首先，人们可能会反驳说，与亚里士多德或圣托马斯所处的社会不同，我们的社会具有极端的文化和道德多元化的特征；对于许多道德争议，不存在任何社会舆论。因此在弘扬和强制实施道德的过程中，法律制度不得不通过暴力来推行一种道德观。这正好与我们自由主义的、多元化的政治传统相反，而如果（看起来

---

[94] See WERNER JAEGER, PAIDEIA 109 - 10 (Gilbert Highet trans., 2d ed. 1945). 法律的目标是教育人们养成德性。法律被看作是最高级的德性教师，是各种道德标准最普遍的、最终的表达方式。See id. at 308 - 11 (总结普罗泰戈拉 [Protagoras] 的教育理论)。

[95] See ARISTOTLE, NICOMACHEAN ETHICS 1179b 31 - 1180a 5 (Martin Ostwald trans., 1962). 对于亚里士多德来说，政治和法律主要关注在公民中间养成良好的品格。See id. at 1099b 30 - 32.

[96] See THOMAS AQUINAS, SUMMA THEOLOGICA part 1 of the 2d part, question 92, article 1.

很可能）强制推行的观点仅仅是诸多少数派观点中的一个，那么这种做法或许注定要失败。

不过，在合同法领域中，这一问题并不像在其他法律领域中那样严重。前文提到的各种公共道德原则在我们的社会中已经广为接受，并且可以在不违反自由主义政治传统的情况下由法律制度予以弘扬并强制实施。[97] 即使我提出的某个公共道德原则没有被普遍地接受，但由于它是保护缔约实践——几乎每个人都承认值得受到法律保护的社会实践——所必需的，故依然会正当地由法律制度予以弘扬并强制实施。

对于利用合同法来进行道德教育的第二个反对意见是，只有人们了解法律时，法律才能教育公民，而大多数公民对于合同法并不熟悉。不过，这一问题在相当大的程度上是可以克服的。那些法律的门外汉在进行谈判或起草合同时，经常会咨询律师。在产生合同纠纷时，他们也会咨询律师。每当律师接受咨询时，她就有机会向自己的当事人解释有关的合同法规则以及作为其基础的道德原则。法官们在发布判决和撰写意见时，也可以弘扬法律和德性。法官是我们公民的牧师，传播着正义、公正和公平观念。尽管他们的教诲通常只能传到律师界的成员以及向律师咨询的法律的门外汉那里，但却具有重要的教育作用。要是我们的本科教育没有被"职

---

[97] 尽管自由主义理论明确地谴责政府努力强加一个单一的、广泛的美好生活观念的行为，但它允许依法强制实施人类相互关系中的某些公正原则，尤其是在违反此类原则会造成损害的情况下。（想一下例如约翰·洛克［John Locke］、约翰·斯图亚特·密尔［John Stuart Mill］或者约翰·罗尔斯［John Rawls］的自由主义理论。）我提出的各种公共道德原则看起来似乎就是那些适于依法强制执行的公正原则，甚至在一个自由主义制度中也是如此。

业训练"[98] 吸引住，那么它们可以更多地向公民们弘扬我们的法律制度以及作为其基础的道德传统。

沿着这些路线并未完成多少工作，还有大量的事情需要去做。毫无疑问，在运用合同法来进行道德教育的程度方面，存在着明显的局限性。但是，考虑到在我们这个玩世不恭的、物质至上的社会中需要恢复一种德性意识，因此任何部分的成功都将证明这种努力是正当的。[99]

如果我们承认道德教育是合同法的一个适当职责，那么在法官对双方当事人的所作所为作出司法回应时，就应当牢记这种职责。法官应该作出回应，以便进行教育，加强诉讼当事人对德性所要求的内容的认识。此外，合同法的形式和内容都必须有助于道德教育。我们将在下一节探讨形式问题，并在以下几章中探讨内容问题。不过首先，我们需要考虑一个人为了拥有德性所必须具备的品质，以及怎样才能获得这些品质。

1. 德性所必需的五种品质

一个人必须拥有什么样的品质才能具备德性？如果不求详尽无遗的话，我们可以确定一些比较重要的品质。

首先，德性要求具有道德洞察力，也即在特定情形中感知所有

---

〔98〕 用"职业训练"一词，我是指为使学生们获得工作并在职场上有效地行动而做好准备。实际上，职业训练所提供的许多东西在职场上甚至是无用的。See STEVEN E. TOZER, PAUL C. VIOLAS, & GUY B. SENESE, SCHOOL AND SOCIETY 171–73, 331–44 (3d ed. 1998).

〔99〕 在这方面，弘扬德性的部分成功不同于实现分配正义的部分成功。就像在第二章中（p. 36）所阐述的，任何试图将合同法用作实现平均主义的分配正义的行为都只能获得部分成功；这种尝试很可能会造成新的不平等，由此使实现它自己的目标的愿望归于落空。从平均主义的合同法中受惠的穷人，会比那些没有参与到受该合同法支配的交易中去的穷人获得更多的财富。另一方面，在运用合同法来弘扬德性的过程中，在教育有限数量的公民方面所取得的部分成功，并没有削弱其他人受到的道德教育。

道德上的相关因素的能力。在此类因素中，有些是物质或精神方面的事实，有些因素则是价值观方面的。德性要求意识到值得去追求的各种不同目的，不论这些目的是我自己的还是别人的。为了全面地观察这种情形，一个人必须具备广泛的外部洞察力。这也许是一个无法实现的理想，但我们至少能够意识到那些与我们签订合同的人的明显的利益和目的。

其次，德性要求具有某些情感。正当的行为需要正确的感觉和判断。[100] 我们需要某些情感倾向，包括渴望去做正确的事情。[101] 我们也必须对他人的需要和利益具有情感上的敏感性，以便我们能更多地感知道德上的相关因素。对于完全记下已经察知的各种因素并赋予它们以应有的意义而言，情感也是必要的。在运用道德洞察力的过程中，我们是在用心来观察。[102]

第三，德性要求具有进行实践推理和深入思考的能力。要想使道德选择令人满意，不仅情感欲望须正确无误，推理还必须真实可靠。[103] 亚里士多德认为，通过推理，具有实践智慧的人能够确定并获得行动所带来的最佳事物。[104] 这说明一个人必须对目的和手段进行可靠的推理。它也说明正确的推理不单单是一个逻辑问题，因为个人选择的最终目的并不是由纯粹的逻辑来决定的。

第四，德性要求了解一些道德原则。道德推理或深入思考必须

---

[100] See NANCY SHERMAN, THE FABRIC OF CHARACTER 166 (1989)（总结亚里士多德的观点）。

[101] See THOMAS AQUINAS, SUMMA THEOLOGICA part 1 of the 2d part, question 57, article 4. （对于就应当做什么所作的正确推理来说，有必要妥善处理一个人的各种目的，而这取决于适当的兴趣）；id. at question 58, article 2（为了使一个人的行为具备善德，必须根据道德德性方面的习惯来妥善处理他的兴趣）。

[102] See NANCY SHERMAN, THE FABRIC OF CHARACTER 47-48 (1989).

[103] See ARISTOTLE, NICOMACHEAN ETHICS 1139a 24-25 (Martin Ostwald trans., 1962).

[104] See id. at 1141b 8-13.

从某个地方开始,而道德原则往往提供了最可靠的始点或者最初的前提。[105] 道德原则帮助我们将焦点集中在某一特殊情形所具有的更显著的特征上(也即在各种道德原则中所提到的那些特征)。在那些需要立即决定而不允许广泛考虑的情形中,道德原则也提供了唾手可得的指导。当然,有些道德原则要优于其他原则,而我早已经指出,前文提到的各种公共道德原则适合于合同交易。

第五,德性要求具有将一般原则运用于特殊案件事实的能力。理性之人并不盲目地或消极地遵守道德原则,而是积极地运用它们,使其适应于新的情况。在各个不同的场合,他都考虑到具体情况的要求,就如一个人在医疗或航海领域中所做的那样。[106] 一个像公共道德原则2(切勿欺诈)一样的道德原则并没有告诉我们何时或怎样来履行义务。为了应用此一原则,我们必须考虑它的根本目的,反问自己人们为什么形成该原则以及要努力避免何种祸害。我们也需要一种意识来判断在具体情况中什么是合适的。各种道德原则往往会发生冲突,而正如我们已经看到的,并无任何可靠的规则来解决此类冲突;这些相冲突的原则在不同的情形中具有不同的相对价值。道德原则的适用因此部分地属于推理问题,部分地属于直觉判断问题。

2. 五种道德教育方式

我们现在必然要问,怎样才能获得这五种品质或者能力呢?换言之,一个人怎样才能习得德性呢?对于我们所确定的各种学习方法,我们也应当问一下法律制度是否能够予以实施。

---

[105] See id. at 1106b 36 – 1107a 2(各种原则确定了不足与过度之间的折中点),1151a 17 – 19(各种原则是道德推理的起点)。

[106] Id. at 1104a 8 – 9。

首先，我们可以从那些"年长且明智"之人的明确的教诲中学习。亚里士多德认为，我们应当关注明智且有经验的老年男人（假定是"人"）的意见，因为经验已赋予他们一双慧眼，使他们能看得正确。[107] 我们的第一位道德老师乃是我们的父母。[108] 随着我们逐渐长大，我们也开始从其他成年人那里学习。我们的前辈，不论是父母还是其他人，留传给我们各种一般的道德原则；他们还指出在特定的情形中什么是对错，帮助我们提高道德洞察力，拓展我们运用这些原则的能力。那些"年长且明智"之人不仅包括个人，也包括宗教、学术及法律制度，它们坚持并传递道德及知识传统，这些传统已经发展了许多年，乃是各种经验的结晶。经由要求正当行为的法律原则或规则，立法者们能够提供明确的道德教育，而忙于作出司法回应的法官们可以就特定情形中的对错问题发布判决。

在习得德性的过程中，我们不仅需要从我们的"前辈"那里获得明确的指导，而且也需要第二种道德教育方式，即一种包括实践和习惯在内的锻炼方法。亚里士多德认为，道德德性乃是通过习惯而养成的。[109] 正如他所解释的，德性就像技艺一样，系通过运用它们之后才获得的。我们从实干中学习。一个人通过建房子学会做建筑师，通过弹奏竖琴学会做竖琴师。与此类似，我们通过从事

---

[107] See id. at 1143b 11 – 14.

[108] 不幸的是，许多年幼的孩子与父母缺乏充分的接触。在出生于1980年代的美国儿童中，有将近一半人在单亲家庭中度过了他们的部分幼年生活。Elaine Tyler May, Myths and Realities of the American Family, in 5 A HISTORY OF PRIVATE LIFE 539, 587 (Antoine Prost & Gerard Vincent eds., 1991). 在1980年，45%的学龄前儿童的母亲（和可能更大比例的父亲）都要工作，而到了1980年代末期，超过2/3的三岁和四岁儿童都放在日间托儿所或幼儿园。Id.

[109] See ARISTOTLE, NICOMACHEAN ETHICS 1103a 17 – 25 (Martin Ostwald trans., 1962).

公正的活动而成为公正的人。[110] 阿奎那告诉我们,德性就是习惯,[111] 因此必须通过锻炼才能获得。[112]

德性所要求的大部分技能或品质系经由养成良好的习惯而获得的。我们通过形成习惯而发展出道德洞察力。对于获得适当的情感、形成实践推理方面的技能以及学会在特定情形中运用道德原则而言,同样可以这么说。通过形成习惯,这些道德技能渗入我们的生活。我们以与学习弹钢琴、学习打网球或学习阅读法律相同的方式来学习德性。我们从实干中学习,从帮助我们改正恶习并形成良好习惯的老师或教练所作的评论或批评中学习,以便使适当的技能变成我们的第二本性。这种习惯的形成并非一个无须费心的过程,也不涉及准确地、反复地做同样的事情。我们通过试错来校正错误并改进技术,以便接近我们的目标。这需要对我们的技术和目标有一个批判性的认识。[113]

法律对于道德习惯的形成具有重要的作用。亚里士多德认为,优秀的立法者系通过在公民中灌输良好的习惯而使他们具有德性。[114] 自我控制并不是愉快的或容易的事情。为养成并保持有德性的习惯,我们大部分人都需要法律的强制以及对法律惩罚的畏

---

〔110〕 See id. at 1103a 30 – 1103b 2.
〔111〕 See THOMAS AQUINAS, SUMMA THEOLOGICA part 1 of the 2d part, question 55, articles 1 – 4.
〔112〕 See id. at question 95, article 1.
〔113〕 See NANCY SHERMAN, THE FABRIC OF CHARACTER 178 – 79 (1989)(解释亚里士多德的观点)。
〔114〕 See ARISTOTLE, NICOMACHEAN ETHICS 1103b 3 – 6 (Martin Ostwald trans., 1962).

惧。[115] 我们需要法律的道德训诫。"训诫"在当代并不是一个流行的概念，但是圣托马斯认为有必要通过法律来养成遵纪守法的习惯：

> 由于一些人颓废堕落，易于作恶，且难以听从劝告，因此有必要通过暴力和畏惧来制止他们干坏事，以便至少能使他们停止作恶，让其他人过上和平生活，而他们自己经由这种方式来养成习惯，可能会自愿地去做他们以前因为畏惧才做的事情，由此习得德性。这种通过对惩罚的畏惧来强制人们服从的锻炼，就是法律的训诫。因此，为了使人们拥有和平及德性，有必要制定法律……[116]

尽管我们把刑法看作是迫使人们养成有德性的习惯的主要法律工具，但对于那些意识到合同法及其制裁的人来说，合同法也能够履行这种职责。

第三种道德教育方式是依照范例进行学习。就像有时我们可以通过观察较优秀的球员来提高自己的网球运动水平一样，我们也能通过模仿有德性之人的行为来增进德性。我们可以观察他们理解事实的方式，观察他们进行推理的方式，或者观察他们运用有助于形成德性的其他技能的方式。我们也可以通过这样的途径来学习，即观察缺乏德性的行为，注意行为人给其他人造成的损害以及在许多

---

[115] See id. at 1179b 31 – 1180a 5. See also Donald F. Brosnan, Virtue Ethics in a Perfectionist Theory of Law and Justice, 11 CARDOZO L. REV. 335, 349 (1989)（法律通过命令和制裁促进了德性，这些命令和制裁迫使人们在履行合法行为和避免非法行为方面形成习惯，并且还导致法律命令的内在化）。

[116] See THOMAS AQUINAS, SUMMA THEOLOGICA part 1 of the 2d part, question 95, article 1.

场合行为人因她自己的不道德行为而遭受的损害。法律制度可以运用合同法来进行范例教育，奖励或者保护那些在其合同交易中公正行事的人，制裁那些违反各种公共道德原则的人，并宣传这些交易和司法回应，以便使其他人能够从中吸取经验教训。

第四种学习德性的方式虽然已经提到过，但其作为一个独特的道德教育方式仍应予以特别注意：即我们通过惩罚来学习。惩罚可以改变我们的情感倾向，帮助我们消除恶习。它能使我们更多地注意到那些重要的道德原则，甚至能提高我们的道德洞察力。

当一个人犯了极不谨慎的错误而选择了一个与自己的利益相反的做法时，我们的回答倾向于完全听之任之。此人因自己的错误而遭受的损失通常足以给他一个教训。然而，当个人犯了严重的道德错误时，他可能依然会实现自己的目标和满足自己的利益；在这种情况下，就需要通过某种社会或法律制裁的形式来惩罚他，给他一个教训。（各种神灵并不总是惩罚不公正行为，至少不会立即并以一种可察知的方式来惩罚。）在前现代社会中，公开的羞辱作为一种社会制裁起到了重要作用。个人是否遵守共同体规范乃是一件公共事务，那些违反此类规范的人要受到公众的嘲骂，使他们感到羞愧和耻辱。然而，在我们当代社会中，个人主要通过隐私和匿名的屏障而避开了公众的嘲骂；她可能没有任何共同感，也很少有羞耻感。在这样的社会中，非强制性的社会制裁往往不起作用，故而法律惩罚就变得尤其必要。惩罚由此在合同法中拥有了合法地位，因为有许多不知羞耻的缔约人只有受到法律惩罚才能学会遵守各种公共道德原则。

第五种道德教育方式虽然经常被忽略，但却极其重要：即我们可以通过进行道德对话来学习德性。公开的、强有力的对话使我们认识到那些自己没有看到的东西。聆听其他观点拓展了我们在智力和情感方面的道德洞察力。如果缺少对话，我们就无法发现并理解自己所做的不公正之事。虽然惩罚能够使我们领悟到自己做错了，但若没有公开的讨论，我们就不会理解它为什么是错的。道德对话有助于我们逐渐养成德性所需要的各种能力或品质。它提高了我们的道德洞察力，增进了我们的情感灵敏度，强迫我们承认自己的推理中存在的谬误，使我们认识到各种重要的道德原则，并拓展了我们将各种原则运用于具体情形的能力。

通过采用修辞性对话作为制定法律和裁决特定纠纷的一种方法，以便使法律成为进行道德辩论的场所，法律制度就能够促进道德对话。道德教育不仅仅是为普通公民准备的。要想制定公正的法律，立法者们必须习得德性和正义，而对话则是这种学习过程的必要组成部分。立法者们对于道德问题所作的回答，并非简单地从那些基本原则中演绎而来，而是通过修辞性讨论逐步形成的。修辞学是一门进行推理和说服的艺术，适合于诸如道德或正义等等无法用实物证据来解决的问题。[117] 就法律对某个特定的争议应如何规定所展开的修辞性讨论，乃是一种每个参与方都试图借助于从共有的道德传统中汲取到的正义观念来说服对方的辩论。

对于那些需要法院作出正确的司法回应的案件来说，修辞性辩论也是必要的。各种司法回应原则容易产生不同的解释，并且经常相互发生冲突。由此，司法回应并不是一个决策技术问题；一个妥适的司法回应需要聆听、理解并调和在修辞性对话中提出的各种相反的观点。因而，自愿聆听不同的观点和叙述不仅是一种司法德性，也是一种道德德性。正如詹姆斯·博伊德·怀特（James Boyd White）所言，法律的实质在于公开地听取意见，其中的每个观点

---

〔117〕 See ARISTOTLE, THE "ART" OF RHETORIC 1. 2. 1, 1. 2. 12 (John Henry Freese trans., 1926).

都要受到另一个观点的检验。[118]

在进行立法和裁判的过程中,法律应当被看成是一种怀特称之为"构成性修辞"的形式,是辩论并习得正义的艺术,是我们用来建立并改善自己的文化和共同体的艺术。[119] 要想让合同法履行其作为道德教师的职责,我们就必须这样来看待它。

3. 小结

我们已经看到,为了成为有德性的人,一个人必须具备道德洞察力、适当的情感、进行实践推理的技能、对各种重要的道德原则的了解以及将这些原则运用于特定案件事实的能力。我们还看到,通过明确的教诲、养成习惯、范例、惩罚以及修辞性对话,法律制度能够帮助人们获得这些能力或品质。在应用这些道德教育方式的过程中,法律制度无须(也不应当)努力将人们锻炼成具有完美德性的人。[120] 考虑到道德的复杂性、维护一个免受法律强制的自治领域的需要以及对于任何将法律用作道德教师的尝试所存在的实际限制,如果法律能够教育我们的公民不去做那些以重大损害来威胁他人的不法行为,就已足矣。

六、法律指令的形式

各种公共道德原则和司法回应原则,就像在第一章中所讨论的允诺的目的一样,广泛适用于全部合同法领域,而不是针对特定的法律争议。在处理特定争议(例如被告能否以胁迫为由撤销其合同)的过程中,初审法官会寻找一个规定该争议应如何裁决的法

---

[118] See JAMES BOYD WHITE, HERACLES' BOW 104 (1985).
[119] See id. at 28, 32–35.
[120] 阿奎那认为,人定法的目的乃是使人们逐渐地而非在突然之间养成德性。See THOMAS AQUINAS, SUMMA THEOLOGICA part 1 of the 2d part, question 96, article 2.

律指令。我们现在必须考虑此类法律指令可能采取的不同形式。我将讨论四种不同类型的法律指令,但并不认为每个指令都恰好符合四种类型中的某一种。

1. 特定事实规则(Fact – Specific Rules)

对于任何法律争议,立法者们(不论是国会议员还是上诉法院的法官)都应当首先考虑建立一个特定事实规则("FS规则")。此一规则采用的形式是:"如果——,那么——。"前提从句用规定的一个或数个事实要素来填补,结果从句则用规定的应当产生的法律后果来填充。FS规则的范例是:"如果一个土地买卖合同没有采用书面形式,那么它在法律上就是不可强制执行的。"理想的FS规则会尽可能清楚明确地规定各种事实要素,以便使运用这一规则的法官只拥有很少的(如果有的话)自由裁量权。我们所举的例子接近于这种理想;如果具备两个事实要素(如果合同是关于土地买卖的,并且未采用书面形式),那么该规则就会要求初审法官判决合同不可强制执行,而不管其他事实如何。[121]

合同法中的许多法律指令都应当采用FS规则的形式。首先,FS规则适用于极其需要可预见性的场合,而在缔约行为中往往就是如此。要想使合同交易具有互惠互利的性质,双方当事人必须能规划他们的事务。如果一个人无法准确地预见其交易的法律后果,那么就难以制定规划。就其清楚明确的程度而言,FS规则提高了可预见性。其次,在必须通过统一的惯例或常规来协调某种共同活动的情况下,FS规则也是合适的。就像要求人们靠右行驶的道路交通规则一样,究竟哪一个规则最好,可能并无严重的道德问题,

---

[121] 虽然"买卖"、"土地"和"书面形式"等词语并非完全准确无误,但采用补充性的定义规则可使它们具有更高的精确性。

仅仅是出于大家都根据同一明确的规则来进行活动的实践需要而已。第三，在某一类行为几乎总可以归入不道德行为，并且能够用一些事实要素相当准确地加以描述的情况下，FS 规则依然是合适的。在这里，如果我们无法依赖个人的判断，也不想让缔约人猜测需要做什么，那么 FS 规则尤其合适。一个道德要求对于那些曾仔细地考虑过某一争议的立法者来说也许清楚明了，但是对许多缔约方而言却并非显而易见。第四，为了就某种行为会导致法律责任向公民们提出合理的警告，也往往需要 FS 规则。（这属于宪法上的正当程序条款所要求的公正类型。）只要 FS 规则清楚明确，即为提供了合理的警告。第五，FS 规则适合于法官们容易武断地或带着个人偏见来裁决的那些争议。（这也是一个公正问题。）FS 规则倾向于使司法裁量权最小化，因此有助于阻止此类不公正的判决。

立法者应当如何着手设计 FS 规则呢？立法是一门艺术而非科学，不适于采用按图索骥的方法。然而，如果我们思考一下若自己是立法者时该如何设计 FS 规则的话，我们就能提出一些有益的建议。我认为，我们首先要考虑产生法律争议的具体情形，努力确定与此有关的公共道德原则、司法回应原则或者缔约的目的。例如，当针对违约责任发生争议时，公共道德原则 1（遵守诺言）就与此有关。

较为常见的是，一些相关的原则或目的会发生冲突。例如，公共道德原则 2 支持这样一个规则，即免除因受到欺诈而订立合同的立约人的责任，因此与公共道德原则 1 相冲突。我们无法用某种机械的决策程序来解决此类冲突；正如在本章第二部分第一个问题中所指出的，没有这样的程序可资利用。相冲突的各种原则或目的并不能以任何精确的量化方式来衡量彼此之间的优劣，因为没有单一价值来换算这些相冲突的义务或目的，也不存在能用作共同尺度的单一价值。对于全部法律争议来说，并无任何固定不变的优先顺序能够将各种相冲突的原则或目的划分等级。任何原则或目的的关联性和重要性都会随着争议的不同而改变。因此，在甲问题上，原则 X 可能比原则 Y 更重要，而在乙问题上，原则 Y 则比原则 X 更重要。假如我们是立法者，我们会先进行修辞性辩论，然后再运用我们的最佳判断（在某种程度上是基于直觉）来解决这些冲突。当然，探询哪个相冲突的原则或目的在系争问题中更为紧要，也是有益的；此时我们会考虑所有原则的理由以及所有目的的相对重要性。

一旦我们认定在我们的法律争议中哪一个相关但冲突的原则或目的比其他原则或目的更为重要，那么我们就有可能尝试确定哪一个 FS 规则可以最有效地实施这些主要的原则或目的。有一些替代性的公式化规则可供利用，我们会选择一个不但能最恰当地反映那些主要的原则或目的，而且具有最佳的清晰度和精确度的规则。

如果我们确信我们已制定了一个能在大部分时间内带来公正结果的 FS 规则，[122] 我认为我们会让初审法院采用那个规则。如果我们缺乏此类自信，我们就不会在自己的法律指令中建立这一 FS 规则。

制定规则是一项令人望而生畏的任务。尽管某个 FS 规则可以

---

〔122〕 用"公正结果"一词，我是指那些能最有效地贯彻并反映相关的基本原则或目的（以及其他在道德上相关的因素）的结果。显而易见，在确定将某一规则适用于一个真实的或假设的案件中所产生的结果是否公正时，没有任何明确的规则或判断方法可资利用；解决相互竞争的各种道德因素之间的冲突是一个评价问题。"大部分时间"并不是指"在至少 85% 的案件中"或者"在至少 95% 的案件中"之类的事情。只有傻瓜才会预测所有已知规则的准确成功率；而且，没有一个最低的成功率能够满足全部 FS 规则的要求，或者哪怕是满足一个此类规则的要求。一个 FS 规则的成功不仅取决于它会产生多少不公正的结果，而且取决于在每一个这样的案件中的（不可量化的）不公正程度。如果这一切听起来很不科学、全凭直觉，那么确实如此！考虑到道德的复杂性，不可能会有其他的结果。

适用于许多争议,但立法者们无力制定一个在所有案件中都能产生公正结果的规则。甚至连最好的 FS 规则都具有一些偶尔会产生不公正结果的缺陷。为了具有实用性,每个 FS 规则都必须涵盖许多案件。不然的话,我们最后就会拥有太多的规则(在其极端,我们会为每个可以想像得到的案件都设置一个不同的规则);法律制度将变得难以控制且无法传授。但是,如果某个 FS 规则因足够概括而具有实用性,它就有可能产生一些不公正的结果。[123] 此一规则将被适用于寻常案件;在前提从句中规定的那些事实要素就是通常具有相关性的事实要素。该规则将会确立一种案件类型(即所有案件都具备规定的各种事实要素),并认为所有此类案件都应当具有在结果从句中规定的法律后果;这是一个 FS 规则的形式性质所固有的。不过,没有任何 FS 规则能够考虑到在组成规定的案件类型的许多案件中可能相关的所有变量。由于本章第二部分第二个问题中所提到的情势的易变性,我们无法期待在规定的案件类型中的所有案件竟然都具有同样的道德上的相关特征;因此我们必须预料到,在未能涵盖其应当包括的所有例外的意义上,每个 FS 规则都是不完善的。各种规则往往会忽略一些相关的特征。[124]

有时 FS 规则所忽略的某个因素并不是在通常情况下出现和相关的,而是在提交给法院的案件中才出现和相关。有时 FS 规则使后果取决于一个在通常情况下相关,但在法庭所处理的案件中却不相关的规定因素。也会有这样一些案件,即构成 FS 规则之基础的相冲突的各种原则或目的仍然具有关联性,但却不具备它们通常所

---

[123] See RICHARD A. WASSERSTORM, THE JUDICIAL DECISION 111–12 (1961). 从瓦瑟施特伦(Wasserstorm)的讨论中得出的结论是,为了具有实用性,各种规则必须广泛到足以产生一些不公正的结果!

[124] See MARK KELMAN, A GUIDE TO CRITICAL LEGAL STUDIES 33 (1987).

具有的相对价值，因此看起来好像需要一个相反的规则。认识到某一案件中所有在道德上相关的特征以及它们的相对价值，有时会将FS规则的一些缺陷暴露在外。

为了纠正这些缺陷，一个法律制度必须允许初审法官偶尔违反某个权威的FS规则，转而采用公平的裁决方法。在运用公平方法的过程中，法官并不遵循某个FS规则，而是尽量考虑所有道德上的相关因素，作出对特定情形中的双方当事人来说是公正的裁决。有关公平的经典讨论来自于亚里士多德，他认为有必要用公平来校正法律规则的缺陷。各种规则必须使用通用的语言，处理寻常案件。在异常案件中，当适用某个规则会带来不公正的结果时，公平就会作出立法者在特定情形中认为是合适的事情。[125]

要想为公平留下适用的空间，合同法上的FS规则必须被看作是基本的指导方针，而不是当作具有严格约束力的、不容变通的、绝对的规则。从判例法中获得的每个FS规则，都应当按照它好像有一个前缀一样来看待，此前缀即"除了在正义明确地另作要求的异常案件中之外。"[126] 不过，如果FS规则是一个法定规则，那么法院除了遵守之外别无选择，而不能将同样的前缀随心所欲地塞

---

[125] See ARISTOTLE, NICOMACHEAN ETHICS 1137b 11 – 27 (Martin Ostwald trans., 1962). See also THOMAS AQUINAS, SUMMA THEOLOGICA part 2 of the 2d part, question 60, article 5（回答第二个异议）, question 120, article 1.

[126] 也许有人认为，如果一个FS规则在99%的时间里都产生公正的结果，而将其用作纯粹的指导方针的法官会在10%的时间里违反这一规则，那么法官把该规则看作是具有严格约束力的、绝对的规则，就会更为合适。这种观点并无说服力。我们不可能知道各种比例是多少。即便我们知道，这些比例也很可能不时地改变，而立法者将不得不频繁地把指导性规则转换成绝对规则以及把绝对规则转换成指导性规则，由此导致法律过于复杂易变。更为可取的做法是，让初审法官将各种FS规则作为指导方针来使用，只有在某一规则显然会带来不公正结果时才能违反它们。这赋予法官以有时会被滥用的自由裁量权，但是具有偏见的自由裁量权的滥用乃是在立法阶段和审判阶段都可能出现的、无法避免的恶行。审理案件的法官至少能发现立法者所没有预见到的异常情况。

进该规则中。此乃政治原则和司法传统问题，我并未建议抛弃这种原则和传统。然而，许多制定法明确地为公平方法的适用留下了空间，以便法官能够在不违反制定法的情况下背离制定法中的某个 FS 规则。[127]

2. 对公平指令的需要（The Need for Equitable Directives）

对于合同法领域中的一些争议，各种法律指令甚至不应该容纳 FS 规则。正如亚里士多德所言，有些问题是不可能为其制定一个合适的规则的，此时就需要一个适合于特定情形的公平指令。[128] 对有些争议来说，我们根本无法制定出一个在大部分时间内都产生公正结果的 FS 规则。

有时我们能够制定的最好的 FS 规则，对于提高可预见性或减少司法偏见的范围并没有什么帮助，实际上甚至会妨碍实现这些目标。最好的 FS 规则所规定的各种事实要素可能十分模糊，以至于该规则总是容易产生广泛的变化和无法预见的解释。另一方面，最好的 FS 规则所指定的各种事实要素可能非常精确和严格，以至于法院经常发现有必要确定新的例外或者用其他方式来修正这一规则，由此再次导致法律变得不稳定和无法预见。（这是判例法规则所具有的一个危险；对于那些严格的法定 FS 规则所进行的修正，必须等待着立法行为，故而不会十分频繁地出现。）

对于有些争议，我们可以制定出能提高可预见性的 FS 规则，但我们认识到高度的可预见性是不值得追求的。在一个精确的 FS 规则中，由界限鲜明的检验标准所提供的可预见性，可能使双方当

---

[127] 《统一商法典》，当代合同法最重要的惟一来源，就是这样一部制定法。See U. C. C. §§ 1-102, 1-106, 1-203, 2-302, 2-714 (2), 2-719 (3) (1995).

[128] See ARISTOTLE, NICOMACHEAN ETHICS 1137b 27-33 (Martin Ostwald trans., 1962).

事人规避该规则的字面意义并导致其目的落空。[129] 对于这些争议来说，如下做法或许更为可取，也即由立法者制定出有点模糊的、能避开 FS 规则的各种公平指令，赋予初审法院充分的自由裁量权来制裁所有在具体情形中显得不公正的行为。[130] 此类指令虽然造成法律的不确定性，但正是这种不确定性促使那些意识到指令的当事人谨慎行事并妥善避开边界行为，由此倾向于导致一个比双方当事人充分利用界限鲜明的规则所产生的行为具有更高道德水准的行为。公平指令所拥有的教育方面的优势也超过了具有较强可预见性的规则。它们激励一方当事人在行动之前深思某一情形中所有道德上的相关因素，从而有助于训练她去考虑具有利害关系的所有利益和价值，包括对方当事人的利益和价值。

我已经讨论了几种类型的合同争议，就这些争议而言，我们无法期待各种 FS 规则能在大部分时间里产生公正的结果；肯定还存在着其他类型的合同争议。对于所有的此类争议，立法者们都不应当使用 FS 规则；他们应当制定公平指令，这些指令要求初审法院考虑所有在道德上相关的案件事实，并得出一个对特定情形中的双方当事人来说是公正的判决。我们现在就探讨公平指令可能采取的三种不同形式。

3. 标准（Standards）

我将用"标准"一词来指称这样一些法律指令，它们采用了

---

[129] See MARK KELMAN, A GUIDE TO CRITICAL LEGAL STUDIES 41 (1987); G. Richard Shell, Substituting Ethical Standards for Common Law Rules in Commercial Cases: An Emerging Statutory Trend, 82 NW. U. L. REV. 1198, 1245 (1988).

[130] See, for example, U. C. C. § 2-306 (1) (1995), 它适用于产量或需求合同，要求产量或需求的变化必须基于善意，并且不得与以前的正常水平形成"不合理的"失衡。

"如果——，那么——"形式，但用来填充前提从句的并非各种事实要素，而是需要作出道德判断的某种评价标准。[131] 该标准通常是一种伦理上的行为标准（例如诚实、善意、公正、合理或其他道德德性），但也可能是应当追求的某种价值或目标（例如个人自治或社会平等）。如下指令就是一个标准："如果一方当事人没有善意地履行其合同，那么他必然违反了某个合同义务。"

标准往往相当模糊，因此在判断标准是否得到满足的过程中，法官（或陪审员）拥有相当大的自由裁量权。一个标准也许会由一些定义性的指导方针相伴随。例如，立法者们在使用善意标准时，可能还规定"善意"是指诚实并遵守公平合理的商业标准。[132] 不过，这仅仅是用其他不明确的标准来解释一个含糊的标准。在规定必然使某一行为成为善意（或恶意）行为的各种事实要素方面，它并没有作出任何尝试。

就像亚里士多德式的德性一样，诸如善意之类的标准在不同的场合需要作出不同的解释，法官必须考虑案件中所有在道德上相关的事项，并对该案中标准所要求的内容作出道德判断。一个标准因此在本质上主要是公平性的。

当某一德性对于待决争议极为重要时，各种标准往往就适于充当法律指令，而我们并不能准确地指出，哪些违反法律义务的行为到目前为止不符合这一德性。之所以缺乏这种能力，也许是因为那些在法律上应受非难的无限多样的行为，或者是因为难以准确地判断从道德完美主义偏离多少在道德上才是可以允许的，或者是因为

---

[131] See Duncan Kennedy, Form and Substance in Private Law Adjudication, 89 HARV. L. REV. 1685, 1688 (1976); Pierre Schlag, Rules and Standards, 33 UCLA L. REV. 379, 381-83 (1985).

[132] See, e. g., U. C. C. § 2-103 (1) (b) (1995)（对涉及到商人时的"善意"作了界定）。

难以准确地判断从道德上所允许的限度偏离多少才是法律应当容忍的。所有这三个问题都是典型地存在的，任何企图用一个口头指令来划定精确的、固定的界线的做法都将无济于事。然而，我们没有能力划定精确的界线这一事实，并不能阻止某一标准发挥作用。尽管我们无法准确地找出那条界线的位置，但我们往往能判定一个行为是落在界线的这一边还是另一边（就像我虽然不能确定"暖和"与"热"之间的界线，但可以自信地宣称100°F的大气温度是"热"的一样）。

立法者应当怎样着手设计各种标准呢？他们应当从考虑与待决争议有关的各种公共道德原则或缔约的目的开始。假定没有任何FS规则可供适用且某一原则或目的又显得极为重要，则立法者就应当注意察看该主要的原则或目的中蕴涵了何种德性或价值。最终，立法者应尽力找到这样一些词语，即它们能抓住当那种德性或价值被作为一个标准表达出来时所具有的精神。例如，若已认定公共道德原则2（切勿欺诈）在某个特定的争议中极为重要，那么立法者完全可以设计一个标准，要求一方当事人是"诚实的"；诚实就是蕴涵在该主要原则之中的道德德性，而"诚实的"一词就像所有词语都能做到的一样，抓住了那种德性的精神。

4. 权衡因素表（List of Factors to Balance）

一个公平指令可能会采取因素表的形式，以便使初审法官考虑并权衡这些因素。从这一意义上——即一个因素表明应当以有利于原告的方式来解决争议，而另一因素却表明争议应以有利于被告的方式来解决——来说，该列表起码要包括两个因素，且其中至少有两个因素经常相互发生冲突。这样一个指令可能以"如果——，那么——"的形式出现；其前提从句可以采取"如果因素a、b和

c 比因素 d、e 和 f 更重要"的形式,而结果从句则告诉法官当前提条件得到满足时该如何解决争议。不过,该指令并非必须使用"如果——,那么——"的形式,它可能仅仅提出一个需要考虑的因素表。举例言之,一个使用权衡因素表的指令可以这样规定:

> 在判断一方当事人的违约行为是否免除了对方当事人进一步履行的义务时,要考虑以下因素:
> (1) 对方当事人从违约方的任何部分履行中受益的程度;
> (2) 如果对方当事人终止履行,违约方遭受的不能得到补偿的履行成本的范围;以及
> (3) 违约方不能或不愿纠正其违约行为的可能性。[133]

与 FS 规则不同,此类指令很少规定一个特定的结果。只要至少有一个因素支持一项有利于原告的判决,并且至少有一个因素支持一项有利于被告的判决,那么初审法官在评价各种因素的相对价值或重要性方面就享有裁量权,可以自由地以有利于原告或有利于被告的方式来裁决争议。这种指令形式因此在本质上主要是公平性的。不过,就其并非集中于某一德性或价值,而是需要考虑多种因素(其中有些因素很可能会发生冲突)来说,该指令与各种标准(它们也是公平性的)形成了对比。(在我们假设的权衡因素表中,当因素(1)或(2)出现,并且当因素(3)也出现时,前者就会与后者发生冲突。)

权衡因素表的一个主要优点,就是承认有多种相冲突的道德因

---

[133] 一个类似的因素表,see RESTATEMENT(SECOND)OF CONTRACTS § 241 (1981),它在被某个上诉法院采纳时就转变成法律指令。

素的存在。我们在本章第二部分第一个问题中看到，各种价值、义务以及德性都是多元的、冲突的、不可通约的。对于某些争议来说，我们需要那些考虑到这种道德复杂性的指令。因此，在立法者能够确认并规定一些相冲突的原则或目的——它们往往与待决争议有关，但没有一个原则或目的能经常性地支配其他的原则或目的，因为每个原则或目的的相对价值随着案件的不同而变化——的情况下，一个权衡因素表就会适于充当一个指令。

当然，在制定一个权衡因素表的过程中，立法者应该从努力确定与待决争议有关的各种公共道德原则、司法回应原则或者缔约的目的入手。假设立法者认定某个因素表是法律指令的最适当的形式，那么他们就应当通过如下方式来提出一个因素表：即重申每个相关的原则或目的，或者采用与引起争议的情况有关的词语，确定一个源于相关的原则或目的的更为具体的适用标准。例如，上文假设的因素表中的因素（2），可能来自于公共道德原则4（要求关注对方当事人的利益，在此处是指关注违约方的利益）。最终的因素表不宜具有排他性；指令应当明确这一问题，也即在特定的案件中，法院可以自由地考虑看似有关的各种附加因素。

5. 抽象的公平（Pure Equity）

一个指令可能仅仅让初审法官去做对双方当事人来说是公正的事情，而没有提供任何FS规则、标准或因素表作为指导。我将把此类指令称为"抽象的公平"指令。例如，某一指令命令法官，对于违反一个只有根据允诺后不得反悔原则才可以强制执行的允诺所提供的救济，应当是"为公平地对待双方当事人所需要的任何救济"。[134]

在裁决一个受抽象的公平指令支配的争议的过程中，初审法官应当考虑到所有相关的公共道德原则、司法回应原则或缔约的目的，以及在特定案件中看似具有道德上的相关性的其他因素。因此，根据抽象的公平指令所进行的裁决并非完全不受约束；必须考虑到某些原则或目的。抽象的公平方法也不是完全依靠直觉。初审法官仍然要为其判决提出理由（败诉的一方、法律界以及社会公众有权得到一个解释），我们则期待这些理由能揭示出法官对那些为合同法提供道德基础的各种原则和目的所作的某种深刻的反省和思考。

抽象的公平指令适合于没有其他形式的法律指令可资利用的情况。对于合同法中的某些争议来说，立法者可能无法制定出一个在大部分时间里都产生公正结果的 FS 规则，无法确定一个可以充当标准的主要的德性或价值，也无法提出一个非常广泛的因素表来权衡各因素之间的优劣。不过，初审法院在裁决时采用的抽象的公平方法，不应当局限于受抽象的公平指令支配的那些争议。当上诉法院已经规定了某个 FS 规则作为法律指令，而该规则在一个异常案件中会带来明显不公正的结果时，抽象的公平方法也可以被证明是正当的。

6. 小结

就各种法律指令形式而言，合同法需要 FS 规则。它也需要各种公平指令：标准、权衡因素表以及抽象的公平指令。在处理具体法律争议的过程中，立法者应当首先努力建立一个 FS 规则。上诉

---

[134] 一个类似的指令，see id. § 90 (1).

法院规定的所有 FS 规则，都应被看作是一个并非绝对的指导方针。如果立法者无法制定出一个看上去能够在大部分时间里都产生公正结果的 FS 规则，那么他们就应当采用某种公平指令的形式。

尽管在选择一个法律指令的形式或内容方面没有任何简单明了的决策程序可供利用，但是立法者应当始终从考虑本章中提到的公共道德原则、司法回应原则等等原则以及第一章中所讨论的缔约的目的入手。此类原则和目的为合同法提供了最佳基础，有助于确定各种法律指令的适当内容及形式。在以下几章中，我们将分析一些合同法争议，并尝试为每个争议找出最为合适的法律指令。我们试图去想像，如果沿着本章所提出的道德方法来构建合同法，它将会呈现出什么模样。

第四章

可强制执行的允诺

在接下来的四章,我们将研究几个特定的合同法问题。大部分篇幅将被用来集中讨论那些在传统上由颇具技术性的规则调整的、似乎不可能按照前一章提出的自然法方法进行检验的问题。我希望人们会发现,运用我所提出的道德方法,甚至连这些问题也能被最妥善地加以解决。

对于每个特定的问题,我会先总结现行法,即一个普通的美国法院可能会适用的各种法律指令。这些总结会非常简洁。人们会有这样一种印象:在每个问题上,大多数法院都在遵循着一种通行的规则或者法律指令;实际上,许多这类问题是通过不同的指令来解决的,没有哪一种指令在美国法院中占据主导地位。然而,由于篇幅所限,我们不能对所有这些指令都加以讨论和评价。

总结完关于某一问题的现行法后,我将试着指出,如果根据前一章提出的自然法方法来建构合同法,应该适用什么样的法律指令。当然,我也会运用在第一章中讨论的各种允诺的目的和在第三章中提出的各种公共道德原则以及司法回应原则。然而,合同法并非单纯的道德或者正义之事,我会经常求助于一般人的理解和实践。

我们首先探讨一个基础性的问题：哪些允诺或者协议在法律上具有强制执行力？法院没有精力执行所有的允诺，因而需要一些指令来确定应该执行的各种允诺类型。在本章中，我们将关注与允诺的性质有关的标准以及由允诺所预设或引发的交易类型，而非达成允诺的谈判过程。

主流观点认为，一个允诺在法律上没有执行力，除非(1)为换取允诺而做出了立约人所要求的某种回报性允诺、作为或不作为,[1]或者(2)受约人已对允诺产生了可预见的、合理的、有害的信赖。[2]为换取允诺而做出的事情被称为"谈判的对价"。[3]根据"允诺禁反言"的原则，信赖也可以使一个允诺具有执行力。即使具备这两个执行根据之一，如果出现如下情形，允诺仍得不到执行：(a)允诺(或由允诺作为组成部分的协议)要求的行为是非法的或者违背公共政策，[4]或者(b)允诺无法以书面形式加以证明，且该允诺又属于《防止欺诈法》要求采用书面形式的那类允诺。[5]

一、强制执行的根据

立法者在确定什么因素导致允诺产生执行力时，应当考虑很多原则。公共道德原则1要求立约人遵守其允诺。该原则赞成对所有的允诺都予以强制执行；法律制度应当执行公共道德原则并提供道

---

〔1〕 See E. ALLAN FARNSWORTH, CONTRACTS §§2.2, 2.3(3d ed. 1998).

〔2〕 See JOHN D. CALAMARI & JOSEPH M. PERILLO, THE LAW OF CONTRACTS §§6-1, 6-3(4th ed. 1998)."可预见"是指立约人可合理预见。See id. §6.1.

〔3〕 如果立约人想以她的允诺来换取某种东西，并且受约人为获得该允诺而付出了某种东西，那么这种东西就是经过了交易磋商。See RESTATEMENT (SECOND) OF CONTRACTS §71(2),(4)(1981).

〔4〕 See E. ALLAN FARNSWORTH, CONTRACTS §5.1(3d ed. 1998).

〔5〕 See JOHN D. CALAMARI & JOSEPH M. PERILLO, THE LAW OF CONTRACTS §19-1(4th ed. 1998).

德教育。即使违反允诺的行为是不可避免的或者在道德上是正当的,违约方可能仍然负有道德义务来赔偿对方因违约而遭受的损失。允诺的社会实践或许包含了应当赔偿的规则(这样才能保护此一实践并维护社会信用)。如果是这样的话,一个拒绝赔偿的行为就会违反社会实践规则,由此构成公共道德原则5项下的"欺骗"。此外,依照社会实践规则进行赔偿引发了一项默示的从属允诺,即对违背主允诺进行赔偿,而拒绝赔偿则又构成对公共道德原则1的第二次违反。

然而,司法回应原则4表明,只有当违反义务的行为造成损害时,法院才应当强制执行道德义务。这看起来好像很合理,即只有在受约人对允诺产生了有害信赖,并且立约人对其允诺的不履行使受约人处于信赖无法得到足够赔偿,以至于遭受净损失的境地时,才认定受约人因违反义务遭受了显著的损害。这项重要的原则就是司法回应原则7,该原则要求法院保护对某一允诺产生的合理的有害信赖。只有当受约人产生了合理的有害信赖时,合同法才应当赋予受约人强制执行允诺的权利。

也许有人会反驳说,即使在缺乏有害信赖的情况下,违背允诺的行为也会导致损害;受约人可能因自己的期待落空而感到失望(一种精神损害)。毫无疑问这种损害会产生,然而,每执行一项允诺,法律制度和当事人都会负担成本,而这种损害却很少严重到足以使负担成本正当化。在极少数情形下,受约人会遭受严重的精神损害,此时她应该能证明自己是因信赖允诺而重新安排了生活,因而对该允诺产生了信赖,而违反允诺的行为则导致这种信赖变得有害无益。

也许还有人会反驳说,即使不存在有害的信赖,任何违背允诺的行为都会危害社会,因为该行为有损害社会信任的趋向,而社会信任是维护有关允诺的实践所必需的。损害可能会很严重，以致需要法律的干预，然而，只有在对允诺的信任已被证明是不利时才有此必要（比如，当信赖被证明有害无益时）。

就一个遭到违反的经济交换型允诺而言，人们通常会假定，受约人因为放弃了其他可供选择的机会而遭受了有害信赖。在典型的经济交换型合同中，每一方当事人都向对方承诺要交付某种在市场上正常交易的东西。[6] 只要市场上有很多买方和不止一个卖方，我们至少可以假定，没有违约的一方——原告——因放弃寻找其他交易伙伴、专心致志与被告交易，而信赖了被告的允诺。原告由此负担了一种机会成本，在缺乏因信赖产生的可抵充利益时，信赖成本就会导致信赖变得有害。[7]

---

[6] See supra text at p. 3. 典型的经济交换型合同包含了双方的允诺。在非典型的情形（所谓的"单务合同"），被告承诺，如果原告先交付 y，其就交付 x，而原告没有做任何承诺。在这里，我们同样可以假定当原告放弃寻找其他市场机会时，就产生了信赖。根据这些条款，直到原告交付了 y，被告的允诺才具有强制执行力，而一旦原告交付 y，她就放弃了与被告之外的人交换 y 的机会。

[7] See supra text at p. 8 关于机会成本的讨论。如果信赖成本超过因信赖而产生的利益，则信赖就是有害的。See supra text at pp. 4 – 5. 如果原告负担了机会成本，那么她的信赖成本将等于她本可从放弃的机会中获得的净收益；而她从信赖中获得的利益，将等于她从与被告的交易中获得的净收益（机会成本不计入）。原告的信赖因此是有害的，除非被告的违约十分轻微，以致其部分履行行为即可使原告至少处于其他可供选择的机会可能带来的同样好的境地。虽然原告很难证明其他可供选择的机会是什么，但是我们通常会假定，如果原告没有与被告订立合同，那么她可以从事其他的替代交易，而该交易将会使她比现在因被告的违约行为而处的境况要好。

有人可能会反驳说，机会成本并不是有害的，因此也并非司法回应原则 4 和 7 所规定的值得法律保护的那种有害信赖。虽然机会成本仅仅是放弃一个得到收益的机会，然而在其导致一个人比她仍然拥有这种机会时的境况更差的意义上来说，机会成本是有害的。尽管这种无形的潜在可能性的损失看起来也许并不十分严重，可是当一个人为了与某个向其允诺会带来 11000 美元收益的人订立合同而放弃了一个获利 10000 美元的机会之后，立约人却只交付了 2000 美元的利润时，这种损失就成了一件关系重大的事情。为了鼓励缔约实践，某些利益必须由法律加以保护；前述的假定利益，与受损害方没有因信赖允诺而放弃任何东西，却只获得了承诺的 11000 美元利润中的 2000 美元的情形中所述的利益，这两者之间具有重大的差别。

然而，司法回应原则2告诫人们不要作出决定性推定。如果某个垄断者违反了一个经济交换型合同，我们不应当假定作为原告的买方产生了有害信赖；买方并没有放弃获得同类货物或者服务的其他可供选择的机会（因为不存在这样的机会），并且，买方可能曾、也可能不曾负担其他类型的信赖成本。在这种情形，原告必须证明他因信赖而遭受了损害。因此，对于违反经济交换型合同的行为，我们应当假定作为原告的受约人因信赖而遭受了损害，除非假定她放弃其他的选择机会是不合理的——此时，她必须证明自己因信赖而遭受了损害。如果有害信赖可以被推定或者证明，那么该允诺就应当是可强制执行的。

对其他协作型允诺来说，由于我们面对的是一个非市场化的交易，[8]因此通常无法假定受约人放弃了其他可供选择的机会。然而，他可能承受了其他形式的有害信赖，但很多类型的交易都可能造成这种情形的发生，没有哪种普遍假设能以这样或者那样的方式被证明是可行的。受约人因此必须证明有害信赖。

至于非交易型允诺，[9]受约人可能已经改变了她的消费计划，但是不应当普遍地假定这种情况带来并包含了有害信赖；也不应当普遍地假定受约人承受了其他形式的有害信赖。因此，受约人应当

---

[8] See supra text at p. 5.
[9] See supra text at pp. 6-7.

证明有害信赖的存在。[10]

对于强制执行的根据，我建议采用如下规则：除非受约人遭受了合理的有害信赖，否则允诺在法律上就不得强制执行。（这可以被看成是包含了一个"合理性"标准的 FS 规则。）下列指导方针，是设计来协助该原则的适用的：（1）当受约人的信赖成本（不必是金钱上的）超过她从信赖中获得的利益时，就会产生"有害信赖"；（2）在经济交换型允诺的情形，如果假设受约人放弃了其他选择机会是合理的，则推定存在有害信赖；（3）在所有其他情形，受约人必须证明有害信赖的存在；（4）一旦受约人因信赖允诺而遭受损害，那么无须受约人作出进一步信赖，立约人随后对允诺作出的修改就是可强制执行的——如果双方当事人明确表示同意这一修改。

我省略了所有关于受约人的信赖应当被立约人合理预见的要求。因为立约人作出允诺的目的乃在于引起信赖，所以信赖对立约人来说总是可以预见的。至于立约人无法预见受约人所产生的特定

---

［10］ 我已经将"非交易型允诺"界定为，不仅包括赠与允诺，而且包括那些因报答以前从受约人处获得的利益而做出的允诺。我提出的这一要求，也即由受约人证明基于任何非交易型允诺而产生的有害信赖，会排除一些法院所适用的"实质性利益"规则。此类规则允许强制执行因报答以前获得的利益而做出的各种允诺，并且不要求有害信赖。See, e. g., Webb v. McGowin, 168 So. 196 (Ala. Ct. App. 1935), cert. denied, 168 So. 199 (Ala. 1936); RESTATEMENT (SECOND) OF CONTRACTS § 86 (1981). 尽管立约人的确是为了回报以前获得的利益，但做出一个允诺而非仅仅陈述其回报的愿望的惟一目的，就是促成受约人的信赖。See supra text at p. 7. 受约人只有产生了信赖才会受到损害。因此受约人应当证明有害信赖的存在。

要证明因信赖任何一种允诺而遭受了损害，受约人所能做的只有通过证据优势加以证明。在某些案件中，由具体案情推出的不可反驳的推定即可成为足够的证据。例如，如果立约人承诺付给受约人退休金或养老金，那么假定受约人已经放弃获得财政保障的选择机会就是合理的。因为对受约人而言，依据具体确定的证据证明机会成本将会很困难，所以，不可反驳的推定的方式可能是恰当的。由具体案情推出的假设只是使举证变得便利，却没有免除举证的必要。只有对经济交换型允诺来说，有害信赖的证据才应当被看作是不必要的。

形式的信赖,则无关紧要。司法回应原则 7 提供了决定性的限制,该项规则表明法院仅应保护合理的信赖。如果信赖是合理的,那么它就是可预见的。如果信赖是不合理的,那么即使它可以预见,也不值得保护。

　　指导方针(4)的规定适用于合同的修改、弃权行为以及对一个早期允诺所建立的关系作出的其他变更。[11] 假设卖方和买方约定以 10000 美元的合同价格出售一艘小船。卖方现在提议将合同价格提高到 12000 美元,买方对此表示同意。买方修改了他最初的付款允诺。只要双方当事人明确表示同意该修改(正如司法回应原则 3 所要求的那样),并且该修改所赖以产生的谈判过程没有缺陷,那么该修改就只是双方对原合同的自愿修正。根据指导方针(4),强制执行买方修改后的允诺仍然取决于卖方的有害信赖,但该信赖不必是新生的、合同修改后的信赖。如果卖方因为信赖买方先前的允诺而遭受损害,之后又自愿同意这种修改,那么卖方想必是认为修改后的合同交易仍可以赔偿她先前的信赖。(这是可能的,即使修改导致合同价格降低。)如果卖方是在合同修改后才遭受了有害信赖,那么很显然,她信赖了买方修改后的允诺。不管哪种情形,都没有理由不强制执行买方修改后的支付 12000 美元的允诺。指导方针(4)针对的是受约人的信赖产生于修改之前的情形,对有害信赖产生于修改之后的情形则并不适用。在立约人未经受约人的同意而修改了非交易型允诺的场合(例如,甲答应付给乙 1000 美元,之后却单方面将允诺的数额减少为 500 美元),指导

---

〔11〕 指导方针(4)是 U. C. C. §2-209(1)规定的信赖理论的翻版,该规定使合同的修改无需新的对价就可具有约束力。See U. C. C. §2-209(1)(1995). 就像 U. C. C. 对于合同的修改可能因恶意、胁迫或谈判过程中的其他缺陷(see id. §1-103, §2-209 cmt. 2)而丧失执行力未作规定一样,我提出的指导方针(4)也不打算排除这种可能性;它仅仅被用来处理有关信赖要件的问题。

方针（4）也不起作用，因为受约人并未同意该修改。如果乙因为信赖先前的允诺而遭受不利益，那么她就可以执行最初的允诺。如果她所信赖的只是修改后的允诺，那么她可以执行的就只是修改后的允诺。

虽然我提出的规则以及四项指导方针排除了对价作为执行的根据，但通常产生的结果与现行法的要求相同。这要归因于经济交换型允诺（这些允诺通常被认为会产生有害信赖）和有对价的允诺之间的高度重叠关系，以及非交易型允诺和无对价的允诺（根据现行法，这些允诺因为缺乏有害信赖而不具有执行力）之间的高度重叠关系。然而，在有些场合，我提出的规则与现行法也会产生不同的结果。

首先，当事人没有信赖经济交换型允诺或者其他协作型允诺，却为此磋商而发生了对价，如果根据我提出的规则就不能强制执行，但根据现行法却可以。依我看来，对价只是表明一次双方获利的交易或者机会的拟定，除非受约人因有害信赖遭受了损害，否则不应当向违约的立约人施加责任。

其次，如果受约人因非交易型允诺遭受了合理的有害信赖，而信赖具有特殊形式，是立约人所无法合理预见时，那么根据我提出的规则，该允诺可以强制执行，而根据现行法，它可能恰恰不能执行。[12] 鉴于上述原因，可预见性的要求在当前的允诺禁反言规则中纯属多余。

---

〔12〕 现行的允诺禁反言规则是 RESTATEMENT（SECOND）OF CONTRACTS §90（1）(1981) 规定的："立约人应当合理预见的，会导致受约人或者第三人作为或者不作为，并且的确导致了该项作为或者不作为的某项允诺，在只有被强制执行才能避免不公平时，方具有约束力。"立约人只对其预见或者应当预见的信赖负责。Id. at cmt. b. See also E. ALLAN FARNSWORTH, CONTRACTS §2. 19, at 96（3d ed. 1998）（将§90解释为如果立约人有理由预见信赖"不是所发生的那种信赖"，则准许其不必负责）。

第三，根据我提出的规则和指导方针（4），合同修改和其他对正在进行的合同关系所作的自愿调整，无须新的对价、后续信赖或者其他特别的执行根据。很难确定在这一问题上当前的主流观点是什么，不过，那些信守《合同法重述（第二版）》之规定的法院会作出这样的要求，即修改某一合同的允诺，应当得到新的对价、后续信赖或者双方当事人在签订合同时所没有预见到的情况的支持。[13]

二、公共政策例外

公共政策例外适用于很多场合。如果合同所要求的行为违反了某项制定法，并且该法规定此类合同是无效的或者没有执行力，那么法院面对的就是一件简单的案子。然而，更为常见的是，合同所要求的行为违反了某项制定法，但该法对这种违法合同的执行力保持沉默。对于这种案件，法院应当平衡某些相互矛盾的关系。公共道德原则1（遵守诺言）和司法回应原则7（保护合理的信赖）似乎表明，应当允许因为合理地信赖一个随后被违背的允诺而遭受损害的当事人通过要求赔偿损失的方式来执行合同，即使合同所要求的是非法行为。另一方面，要符合构成制定法基础的任何道德原则或公共政策，要通过教育合同当事人（以及其他公民）不应当成立该类合同来加强道德教育，或者要达到反映原告行为的不道德性的结果，不予执行均是必要的。当前的司法倾向是，通过法律指令提出一些类似的要素以供权衡。[14]

有时候，非法合同所针对的正是制定法所阻止的事情，这样的

---

[13] See RESTATEMENT (SECOND) OF CONTRACTS §73, §89 and cmt. a and b thereto (1981).

[14] See E. ALLAN FARNSWORTH, CONTRACTS §5. 1, at 324 (3d ed. 1998). 例如，see RESTATEMENT (SECOND) OF CONTRACTS §178 (1981).

合同显然不应强制执行；对各种因素进行权衡的结果明显偏向于非强制执行，因而不必再对每个因素进行详细的分析。一个恰当的例子就是关于婴儿 M 一案。[15] 斯特恩（Stern）夫妇不能生小孩。斯特恩先生就和怀特黑德（Whitehead）夫人签订了一个代孕合同，怀特黑德夫人将利用斯特恩先生的精子进行人工授精，生育小孩，然后将孩子交给斯特恩夫妇（由斯特恩夫人收养），放弃她自己做母亲的权利。斯特恩先生同意在收到孩子后立即付给怀特黑德夫人 10000 美元。孩子出生后，在怀特黑德夫人和斯特恩夫妇之间随即发生了监护权之争。新泽西州最高法院拒绝代表斯特恩夫妇来强制执行此一合同，宣称该合同违反了新泽西州的制定法，这些法律禁止与收养孩子有关的支付或收取金钱的行为，并且基于孩子的利益而制定了一套有关收养的规范性方案。[16] 该合同所针对的正是制定法试图阻止的事情：对婴儿的自由买卖。在一个承认代孕合同的自由市场上，出价最高的竞买人成为养父母，而全然不顾是否适合。[17] "在文明社会中，有些东西是金钱所买不到的。"[18] 对于这些东西而言，自由市场和合同自由完全无法适用。

在涉及到合同违反了制定法的其他案件中，恰当的判决并非显而易见，因而法院应当谨慎地考虑并权衡因素表中的每一个因素。例如，为保护公众免遭那些不讲道德的或缺少资格的服务供应商的损害，各州往往会制定一些许可经营法，禁止一个人在没有事先从州政府取得许可证的情况下从事某种特别的服务。如果一个无照经

---

[15] 537 A. 2d 1227 (N. J. 1988).
[16] Id. at 1240-46.
[17] See id. at 1248.
[18] Id. at 1249. 首席大法官威兰茨（Wilentz）的意见对双方当事人都表示了极大的理解和同情。See id. at 1235, 1259. 该意见体现了合同法中的道德方法，也是司法回应的一个范例。

营者订立了约定提供这种服务的合同，那么他可以要求执行此合同吗?[19] 他可能是不道德的或不合格的经营者，也可能不是。他可能已经知道许可经营的要求，也可能不知道。他的合同可能对对方有益，也可能无益。他可能已经履行了自己一方的义务，也可能没有履行。尽管存在着这些和其他相关的变数，一些法院仍判决这类合同当然不能执行。[20] 相反的观点则认为，这类合同是可以执行的，除非许可经营法明确规定它不具有执行力。[21] 避免这两种僵化的极端的较好做法是，在个案的基础上，仔细地权衡赞成强制执行和反对强制执行的各种因素。[22]

至此，我们已经探讨了合同的成立或履行违反制定法的情形。然而，有时某一合同并没有违反制定法，但却好像与不道德行为有关或者好像破坏了某个既定的公共政策。此时，法院也必须裁决该合同是否不具有执行力。

在有些这类案件中，要不是存在着一种涉及到多少有点暧昧的道德关系，当事人就不会签订合同。例如，两个没有结婚但却因性关系居住在一起的人，可能会就他们的收入、花费或者财产签订一项协议。从传统上来讲，法院会将此类"同居"合同看作是对婚姻制度的威胁，因而拒绝予以执行。[23] 一个更近的、也更为开明的方法是，只要此类合同实际上没有要求性服务，那么就予以强制

---

[19] 如果该未获许可证的订约者违约，合同相对方大概可以以自己不知道合同违法、没有同样的过错并且正是法律试图保护的那一方为理由，强制执行该合同。See E. ALLAN FARNSWORTH, CONTRACTS §5. 6, at 351 (3d ed. 1998).

[20] See, e. g., Derico v. Duncan, 410 So. 2d 27 (Ala. 1982) （消费贷款合同）。

[21] See Hiram Ricker & Sons v. Students Int'l Meditation Soc'y, 342 A. 2d 262 (Me. 1975), appeal dismissed, 423 U. S. 1042 (1976) （提供膳宿的合同）。

[22] 这种解决方法由 RESTATEMENT (SECOND) OF CONTRACTS §181 (1981) 提出。

[23] See E. ALLAN FARNSWORTH, CONTRACTS §5. 4, at 342 (3d ed. 1998).

执行。这就是在著名的马文诉马文（Marvin v. Marvin）一案中所采用的方法，该案涉及到电影演员李·马文（Lee Marvin）和他的女朋友米歇尔（Michelle）。[24] 正如加利福尼亚州最高法院所指出的：

> "自愿住在一起且保持性关系的成年人，仍然与其他人一样，有资格就他们的收入和财产权签订合同。当然，他们不可能合法地约定为提供性服务而支付报酬，因为这种合同在本质上是一种卖淫协议，因此不合法。"[25]

在一个像马文这样的案子中，所要求的主要不是权衡各种赞成或反对强制执行的因素，而是在某一关系所具有的不同方面之间进行区分。大多数人际关系或人际规划在道德上都是复杂的，有好的方面，有坏的方面，也有在道德上中立的方面；这种关系或规划并非全部都好或全部都坏。如果一个合同所处理的是某项人际规划中好的或者在道德上中立的方面，那么就不应该仅仅因为该规划中也包含了另外的、更丑恶的一面，就否认其具有法律上的执行力。

有一种类型的允诺因为公共政策的原因，往往被认为不具有执行力，那就是竞业禁止协议。举例言之，很多雇佣合同中都包含着这样一项由雇员作出的允诺：如果该雇员离职，那么直到某一规定的时期过完之前，他都不能在某些指定地域的市场上从事相同的工作。即使这一限制没有违反任何制定法，它看起来也似乎与鼓励市场中的自由竞争的公共政策相矛盾。另一方面，雇主也许需要保护其合法的商业利益，并且有可能依赖雇员的允诺（例如，通过赋

---

[24] 557 P. 2d 106, 110 (Cal. 1976). Accord In re Estate of Steftes, 290 N. W. 2d 697 (Wis. 1980).

[25] Marvin, 557 P. 2d at 116.

予雇员了解商业秘密的机会)。在决定是否执行该协议时,法院应当权衡赞成强制执行与反对强制执行的各种因素。虽然我们能够确定各种相关的因素,但是每种因素的价值却因为案件的不同而大相径庭,因此一个权衡因素表似乎就是恰当的法律指令形式。[26]

当法院因为一个合同违反了某项法律或者公共政策而拒绝执行时,经常会出现这样的问题,即起码已部分履行其在交易中所负义务的一方当事人,是否有权请求返还她转让给对方的东西?假设买方约定以 5000 美元的价格向卖方购买一个小物件,并且支付了一笔 2000 美元的首付款。后来卖方因拒绝交付小物件而违约。当买方起诉卖方违约时,法院判决合同不具有执行力,并指出某项法律禁止小物件的买卖或者禁止所有此类买卖合同。买方实施了一项非自愿的财产转让;她从未同意支付给卖方 2000 美元而不求任何回报。司法回应原则 11 (矫正非自愿的转让行为) 指出,买方应当取回她支付的首付款。允许卖方保留 2000 美元好像也不公平;他已经违反了法律,破坏了允诺,并且什么都没做就赚了钱。另一方面,给予买方恢复原状的救济,可能会导致买方违反法律的行为得不到充分地惩罚;因为收回首付款可能会补偿她由于卖方的违约行为而遭受的许多(如果不是全部的话)损失。

在此类案件中,法院通常会拒绝恢复原状,而对双方当事人听

---

[26] 这种指令是 RESTATEMENT (SECOND) OF CONTRACTS § 188 (1) (1981) 所提出的:"如果(1)合同带来的限制大于保护受约人合法利益所需要的限度,或者(2)合同给立约人带来的困难以及可能给公众造成的损害超出了受约人对合同的需要,"那么该合同就是不可强制执行的。

有些法院并未采用权衡测试法,而是坚持认为,要想使合同具有执行力,必须满足每一项要求。See, e. g., Karlin y. Weinberg, 390 A. 2d 1161 (N. J. 1978). 这种方法的问题是,即使某一要求存在的一个轻微缺陷已被其他因素所抵消,它仍会使协议不具有执行力。

之任之。[27] 然而，如果买方有理由不知道法律的规定或者不具有与卖方同样的过错，那么她完全可以得到一个全部返还的判决。[28] 不过，假设买方在订立合同时知道法律的规定，并且与卖方具有同样的过错，于此情形，如果法院认为买方丧失 2000 美元的事实与其不当行为的严重性相比极不相称，那么就有可能判决全部返还，否则就什么东西都不判给买方。[29]

这种要么全有、要么全无的解决方法应当被一种更灵活的方法所取代。司法回应原则 5 告诉法官，不要假设各种救济方法必定是要么全有或者要么全无式的。而司法回应原则 9 则规定，非意外损失应当根据比较过错进行分配。假定我们所设想的买方付出的全部信赖成本就是那笔首付款，那么现在她就有 2000 美元的净损失可以被看作是非意外损失；买方之所以不能强制执行合同，并获得小物件或者违约的损害赔偿，乃是因为双方当事人在签订一个非法合同时都具有过错。[30] 在这种场合所需要的就是一项抽象的公平指令，它允许法院在牢记双方当事人的比较过错以及其他在道德上相关的因素的情况下，判决部分返还或者给予在系争案件中看似公平的任何救济。如果对双方当事人听之任之会造成这样的结果，即为了惩罚另一个不法行为人而允许一个不法行为人保留意外之财，那

---

[27] See E. ALLAN FARNSWORTH, CONTRACTS §5. 9, at 357–58 (3d ed. 1998).

[28] See id. at 358–60.

[29] See id. at 358. See also RESTATEMENT (SECOND) OF CONTRACTS §197 and cmt. b, §§370–77 (1981)（没有任何关于部分返还的规定）。

[30] See supra text at pp. 70–72 关于非意外损失的讨论。

么就没有任何正当理由可以对双方当事人听之任之。[31] 想当然地认为如果让一个不法行为人得到返还，就必须是全部返还，也没有任何正当的理由。

三、《防止欺诈法》例外

《防止欺诈法》规定，某些合同除非通过被告的书面签名来证明，否则就不具有执行力。现行法将书面要求强制推广到很多种合同上，例如，任何为他人的债务充当保证人的合同，[32] 任何不动产买卖合同，[33] 任何自成立之日起一年内不能履行完毕的合同，[34] 任何合同价格达到或者超过500美元的货物买卖合同。[35]

这些法条的主要目的是防止那些谎称达成了口头协议的原告实施欺诈。但是，当被告否认达成了口头协议时，也会存在着被告撒谎的危险。《防止欺诈法》并没有对这两种危险都加以规范，而是将注意力放在原告欺诈的危险上，忽略了被告欺诈的危险。正如司法回应原则2要求的那样（该原则告诫法院不要作那些排除考虑相关证据的决定性推定），防范这两种危险的最好方法是着眼于证

---

[31] 威慑并不是对双方当事人听之任之的正当理由。一条既不允许恢复原状、又拒绝强制执行的规则，在一个人可能成为先履行义务的一方当事人时，也许会阻止她订立非法的或者不道德的合同。但是，当一方当事人负有后履行义务时，该规则可能会诱使她订立此类合同（她知道自己可以违约而不用赔偿损失或者恢复原状）。因此，在只有一方当事人了解法律的情况下，当其负有先履行义务时，该规则就会阻止一些不良合同的产生，但若其负有后履行义务，则该规则又会导致一些不良合同的产生。只有在双方当事人都了解法律而且负有先履行义务的一方不相信对方会履行时（她很可能会拒绝签订草约），该规则才有可能获得显著有效的威慑作用。在双方当事人都不了解法律时，该规则就不具有任何威慑作用。该规则是否可以产生足够的震慑作用，从而抵消其不按照比较过错来对待两个有过错的当事人时所产生的不公正，实际上并不清楚。

[32] See, e. g., S. C. CODE ANN. §32-3-10 (2) (Law. Co-op. 1976).
[33] See, e. g., id. §32-3-10 (4).
[34] See, e. g., id. §32-3-10 (5).
[35] See U. C. C. §2-201 (1995).

据。遗憾的是，《防止欺诈法》就具有这样一种决定性推定的效果，即所谓的口头协议从来就没有成立过；在缺乏书面形式时，被告有权获得简易判决，而原告根本没有机会来证明所谓的口头协议。

也许有人会认为，应当鼓励当事人对那些复杂的或者重要的协议采用书面形式，以便减少围绕合同条款而产生的成本高昂的纠纷，《防止欺诈法》即因提供了这种激励而具有正当性。然而，这似乎是说，在法律激励奏效的情况下，需要运用可靠的证据来证明合同条款本身就是一种足够的激励。当然，总会有一些协议不采用书面形式，而不管是否存在着采用书面形式的法律激励。有时候，双方当事人请不起律师来起草书面合同，又不相信他们自己能够以正规的书面形式清楚地表达他们的协议。经常是，双方当事人没有时间以书面形式处理日常的商业交易，而更喜欢通过电话来打理生意。在有些情况下，双方当事人会把任何有关书面形式的要求看成是一种侮辱，而更愿意相信老朋友之间的一次握手。有些当事人（例如雇员）不具备获得书面承诺的讨价还价的能力。在上述场合，《防止欺诈法》似乎并不适宜，而仅仅是给那些不去咨询或者粗心大意的人设的一个陷阱。

就此而言，反对作出决定性推定的司法回应原则 2 的价值，似乎并不逊于任何与之相冲突的公共道德原则、司法回应原则或者其他道德或正义原则。因而，我建议将大部分《防止欺诈法》予以废除。[36]

---

[36] 对某些类型的合同而言,《防止欺诈法》也许是合理的。例如,《消费者信贷法》经常要求采用书面合同或者将条款书面公开。See, e. g., N. Y. PERSONAL PROPERTY LAW §402 (1) (McKinney 1992) (要求零售的分期付款买卖合同采用书面形式); UNIFORM CONSUMER CREDIT CODE §3. 202 (1974) (要求以书面形式公开消费品租赁合同的某些条款)。这些法定的书面形式,会保护消费者免受作为债权人的经营者所实施的骗人手法以及欺诈性诉求之害。要求强制执行合同的人,往往是与消费者从事交易的经营者,因为消费者请不起律师来对抗其诉求,也无法证明事实真相。此时,原告实施欺诈的危险,加上经营者守法的成本最低以及对于不规定书面形式缺乏正当的理由,都证明了书面形式的要求是正确的。

第五章

救　济

现在我们讨论不履行时的救济问题。我们不会研究所有的问题，而是集中在三个有关违约救济的问题和一个不履行行为获得免责时所产生的问题上。

一、期待性损害赔偿作为违约的救济方法

在判决违约救济时，法院一直受两个传统的基本原则的影响。第一个原则是，违约责任是严格责任，并不取决于违约一方的过错程度。[1] 我们会在后面讨论这个原则。第二个原则是，违约时首选的救济方式是"期待性损害赔偿"，即给付一定数额的金钱，以便使原告的经济地位能像合同被履行时那样。[2]

期待性损害赔偿的计算显然需要确定这一问题，即如果合同得到履行，原告将会处于什么样的状况。正如纳普（Knapp）与克里

---

[1] See E. ALLAN FARNSWORTH, CONTRACTS §12.8, at 787–88 (3d ed. 1998).
[2] See Hawkins v. McGee, 146 A. 641, 643 (N. H. 1929); U. C. C. §1–106 (1) (1995); RESTATEMENT (SECOND) OF CONTRACTS §344 cmt. a, §347 (1981); JOHN D. CALAMARI & JOSEPH M. PERILLO, THE LAW OF CONTRACTS §14–4, at 543 (4th ed. 1998).

斯特尔（Crystal）所指出的那样：

> 由于法律的目的是使原告处于如同合同被双方全部履行时所可能获得的地位，因而，需要保护的"期待"乃是原告的"净"期待——被告允诺提供的履行价值，减去原告的履行成本，这一成本是原告允诺回报被告的履行行为的"价格"。[3]

确定原告在违约后的实际地位，需要考虑到作为与被告进行交易的结果，原告所承受的所有损失或收益。[4] 期待性损害赔偿是必须支付给原告的金钱数额，以使其从实际地位变为如果合同被履行后其可能处的地位。

举例言之，假如原告和被告订立了一个合同，合同要求原告为被告履行某种服务，以换取10000美元的合同价款。在被告违约时，原告已经花费3000美元履行了部分服务，而被告已经向原告支付了1000美元的报酬。如果可以证明原告要完成履行还必须再花费5000美元，那么原告就有权获得4000美元的期待性损害赔偿。原告对完全履行的期待是获得2000美元的净利润（10000美元的合同价款减去8000美元的全部成本）。原告的实际地位是有2000美元的净损失（已收到的1000美元报酬减去已花费的3000美元成本）。要想使原告从2000美元的净损失转变为2000美元的

---

[3] CHARLES L. KNAPP & NATHAN M. CRYSTAL, PROBLEMS IN CONTRACT LAW 894 (3d ed. 1993).

[4] See United Protective Workers of Am., Local No. 2 v. Ford Motor Co., 223 F. 2d 49, 53 (7th Cir. 1955)（为了避免过度赔偿，在赔偿作为雇员的原告的损害时，必须考虑其被不法地解雇后所获得的社会保障和年金）。

净收益，法院必须判给她4000美元的损害赔偿。[5]

虽然期待性损害赔偿是违反一个可执行合同时的首选救济方式，但它并不总是违反所有可执行的允诺时的首选救济方式。当根据允诺禁反言原则执行一个允诺时（因为此时没有对价，或者因

---

[5] 在传统上，期待性损害赔偿的判决要受到三个方面的限制。第一，原告无权要求赔偿在订立合同之际被告所无法合理预见的损失。See U. C. C. §2 - 715（2）(a)（1995）（买方的间接损害包括卖方在订立合同时有理由知道的要求和需求所产生的损失）；RESTATEMENT（SECOND）OF CONTRACTS §351（1）（1981）（在合同订立之时，被告没有理由预见到的、作为其违约的可能结果的损失，不可以获得赔偿）；JOHN D. CALAMARI & JOSEPH M. PERILLO, THE LAW OF CONTRACTS §14 - 5, at 547（4th ed. 1998）（根据Hadley v. Baxendale 案的原则，违约方不对无法合理预见的后果负责）。

第二，期待性损害赔偿的判决不能超过已经合理确定的额度。See Freud v. Washington Square Press, Inc., 314 N. E. 2d 419, 420 - 21（N. Y. 1974）；RESTATEMENT（SECOND）OF CONTRACTS §352（1981）。然而，没有任何确定性的概念是普适而不变的；当前的趋势认为，一旦损害事实得到确定，就无需精确地证明损害额。See JOHN D. CALAMARI & JOSEPH M. PERILLO, THE LAW OF CONTRACTS §14 - 8, at 555, 553（4th ed. 1998）；see also Contemporary Mission, Inc. v. Famous Music Corp., 557 F. 2d 918, 926（2d Cir. 1977）（适用纽约州法，认为当损害的存在是确定的，而唯一不确定的就是损害赔偿额时，原告要求赔偿就不会遭到拒绝）；（"新企业"规则，也即否认（由于投机性太强）对新企业所丧失的利润这一间接损害进行赔偿，并不是绝对的）；Pauline's Chiken Villa, Inc. v. KFC Corp., 701 S. W. 2d 399, 401（Ky. 1985）（明确推翻了新企业规则）；Fera v. Village Plaza, Inc., 242 N. W. 2d 372, 373 - 74（Mich. 1976）（新企业规则仅仅要求原告对损失的利润进行合理估计提供一个基础）；U. C. C. §1 - 106 cmt. 1（1995）（损害的证明，只需要根据所有事实允许的明确性和精确度来进行）；RESTATEMENT（SECOND）OF CONTRACTS §352 cmt. a（1981）（损害的计算无需绝对精确，通常最多接近精确，引用 U. C. C. §1 - 106cmt. 1）。

第三，原告不能就通过其合理努力本可以避免的损失获得补偿性损害赔偿。See Rockingham County v. Luten Bridge Co., 35 F. 2d 301, 307（4th Cir. 1929）（当被告已经拒绝建筑合同的履行时，作为建筑商的原告就不能将建筑完工，然后要求获得合同价款）；U. C. C. §1 - 106 cmt. 1（必须将损害赔偿降到最低），§2 - 715（2）（a）（买方的间接损害只包括那些无法通过补进货物或者其他方法而合理避免的损失）；RESTATEMENT（SECOND）OF CONTRACTS §350（1）（受害方无需不合理的风险、负担或者羞辱就可避免的损失不能获得赔偿），§350 cmt. b（一方当事人可以通过合理努力避免的损失不能获得赔偿）；JOHN D. CALAMARI & JOSEPH M. PERILLO, THE LAW OF CONTRACTS §14 - 15, at 563（4th ed. 1998）（该原则只是要求通过合理的努力减少损失）。

为合同很不完善、很不确定，以致不能算可执行的允诺），法院应该将赔偿救济限于已证明的直接因信赖而产生的成本。[6]

根据第三章提出的自然法方法来衡量，期待性损害赔偿这一救济方法是否是正当的呢？在第四章的第一部分中我提出，只有在原告发生了合理的有害信赖时，才应当依法强制执行允诺。司法回应原则4规定，只有在违反道德义务的行为已经导致损害时，才应当依法强制执行道德义务。在没有产生有害信赖的情况下，违反允诺的行为就不会带来严重到需要法律干涉的损害。不过，如果受约人产生了有害信赖，那么只要她没有从违约的立约人那里获得完全赔偿（通过部分履行或者其他方式），她就会受有损害。司法回应原则7证明，法院要求作为立约人的被告对受约人的有害信赖给予全部赔偿是正当的。司法回应原则8排除了比这更为严重的责任（有两种例外情形，但与这不相关）。期待性损害赔偿是否仅仅赔偿有害信赖，从而根据原则7和原则8可证明是正当的，要取决于所违反的是什么样的允诺。

1. 违反经济交换型合同

对违反经济交换型合同的行为而言，期待性损害赔偿通常是合适的。人们所允诺的交换是可以在市场上进行交易的物的交换。只要市场上存在不止一个卖方和许多买方，我们就可以假设，原告因信赖被告的允诺而放弃了可选择的交换机会，从而遭受机会成本。

---

[6] See Goodman v. Dicker, 169 F. 2d 684, 685 (D. C. Cir 1948)（不完全的合同；可获得的赔偿限于信赖支出）；Wheeler v. White 398 S. W. 2d 93, 97 (Tex. 1965)（不确定的合同；可获得的赔偿限于信赖成本）；Hoffman v. Red Owl Stores, Inc., 133 N. W. 2d 267, 276-77 (Wis. 1965)（不完全的合同；可获得的赔偿限于信赖成本）；RESTATEMENT (SECOND) OF CONTRACTS §90 (1) (1981)（救济应当以正义的要求为限）。

这些机会成本就是信赖成本，并导致了有害信赖的产生，除非原告的信赖利益与信赖成本至少同样多，也就是说，除非被告的违约行为很轻微，以致其部分履行就可以使原告处于与她的最佳选择机会所带来的情况同样好的境地。

正如富勒（Fuller）和帕迪尤（Perdue）所指出的那样，判给期待性损害赔偿是保证原告以机会成本的方式产生的有害信赖获得赔偿的最好方法：

> ［期待性救济］提供了最有可能补偿原告的（往往为数众多且难以证明的）个人作为或不作为的赔偿标准，而此类作为或不作为构成了他对合同的全部信赖。如果我们考虑到因信赖而"受到妨碍的收益"，也即因放弃订立其他合同的机会而遭受的损失，那么将保护预期的规则作为补偿有害信赖的最有效手段而加以采用的想法，看起来就一点也不牵强了……在签订大多数合同时，都会在一定程度上涉及到放弃其他机会的问题；人们无法采用任何尺度来计算这类信赖的事实，会证明一个允许将期待价值当作补偿此类损失的最有效方法的明确规则是正当的。[7]

由于很多原因，机会成本经常很难或者不可能被证明。原告不会一直保存与可选择的交易伙伴进行谈判的证据。即使当他们保存了此类证据时，还会有另外的问题：由于原告从来没有与任何一个其他伙伴达成协议，因而我们不知道与任何一个其他伙伴可以达成什么条款（除非他们中的某个人发出了不可撤销的要约）。即使在

---

［7］ L. L. Fuller & William R. Perdue, Jr., The Reliance Interest in Contract Damages (pt. 1), 46 YALE L. J. 52, 60 (1936).

市场上所有的销售都实行同样的价格，我们也不知道可以达成什么样的交付条款、赊欠条款、附属担保条款或者辅助服务条款，因而无法量化任何有意识放弃的机会的价值，更不用说当原告停止寻找机会而与被告签订合同时甚至没有意识到的那些可供选择的机会。

然而，也有可能原告的最佳选择机会恰好或者差不多与被告所允诺的交换同样好。（在大多数市场上，存在于这两个最佳机会之间的价值差别是非常小的。）因为我们不知道与被告允诺的交易相比，这种最好的替代选择有怎样的不足，甚至不知道它是否存在不足，所以保证原告能够因信赖被告的允诺、放弃这最好的替代选择而获赔偿的惟一方法就是——判给原告期待性损害赔偿，以使其处于如同被告履行允诺时所可能处的地位。这会使原告处于如下地位：如果她不信赖被告，而是与答应提供同样好的交易并且遵守其允诺的第三人订立合同时所处的地位。如果原告最好的选择机会真比被告允诺的交易差，那么期待性救济当然会对原告的机会成本形成超额补偿。（一个期待性的判决等于原告的期待减去原告违约后的地位，这将超过以机会成本减去违约后的地位来衡量的有害信赖。）但是我们通常不知道这最好的选择机会是否存在不足，因而为了避免将可获得的赔偿限于已经证明的直接信赖成本而造成的更大的赔偿不足，最好冒一些过度赔偿的风险。这样的赔偿无法补偿原告本可以从其最佳机会中获得的被抛弃的净收益，而在大部分案件中，被抛弃的净收益大大超过了存在于原告的两个最佳机会之间的价值差别（对可能过度赔偿的衡量）。因此，我们可以将期待性损害赔偿看作是信赖损害赔偿，即试图以虽然无法证明、但却可以推测的机会成本的方式来补偿原告的有害信赖。[8]

然而，对机会成本的推定不应当是决定性的。（想想告诫人们不要作出决定性推定的司法回应原则2。）如果事实很清楚——原告没有蒙受任何机会成本，或者其最好的选择机会远远比不上被告允诺的交易，那么她就不应当获得期待性损害赔偿的判决，而应当只获得对已经证明的有害信赖的赔偿（有可能包含机会成本或者实际成本）。一般而言，司法回应原则8反对任何超过有害信赖之所需的赔偿。在这一点上，我提出的方法与现行的法律原则有明显

---

[8] 在经济交换型合同的情况下，"信赖损害赔偿"与"期待性损害赔偿"（或者是"信赖利益"与"期待利益"）的区分会令人误解。

如果原告不能证明她的期待，法院可能会判决所谓的"信赖损害赔偿"，它补偿的是已经证明的信赖成本。See Dialist Co. v. Pulford, 399 A. 2d 1374, 1379-80 (Md. Ct. Spec. App. 1979); Security Stove & Mfg. Co. V. American Ry. Express Co., 51 S. W. 2d 572, 577 (Mo. Ct. App. 1932); RESTATEMENT (SECOND) OF CONTRACTS §349 (1981); JOHN D. CALAMARI & JOSEPH M. PERILLO, THE LAW OF CONTRACTS §14-9, at 556 (4th ed. 1998). 但是这些赔偿实际上是部分期待性损害赔偿，建立在原告的期待性损失中唯一可以证明的部分之上。这就是为什么允许被告证明原告有负（净损失）期待是恰当的，在这种情形，法院将会限制原告可以获得的赔偿，免得使原告处于比合同得到履行时更好的状况。See L. Albert & Son v. Armstrong Rubber Co., 178 F. 2d 182, 189-91 (2d Cir. 1949); Dialist v. Pulford, 399 A. 2d 1374, 1380-81 (Md. Ct. Spec. App. 1979) (dictum) RESTATEMENT (SECOND) OF CONTRACTS §349 (1981); JOHN D. CALAMARI & JOSEPH M. PERILLO, THE LAW OF CONTRACTS §14-9, at 557 (4th ed. 1998). 这也是为什么赔偿原告在合同成立之前发生的费用（因而从法律上说不是信赖费用）是恰当的，只要这些花费与合同有关，并且如果被告履行就可以重新获得。See Coastland Corp. v. Third Nat1 Mortgage Co., 611 F. 2d 969, 978-79 (4th Cir. 1979); Security Stove & Mfg. Co. v. American Ry. Express Co., 51 S. W. 2d 572, 577 (Mo. Ct. App. 1932).

由此可知，判决全部期待性损害赔偿，实际上就是判决信赖损害赔偿，即赔偿未经证明的、但可以推测的机会成本。一旦我们发现机会成本就是信赖成本，我们就可以确定，所有的补偿性损害赔偿最终就是信赖损害赔偿。惟一站得住脚的区分，就是判决赔偿未经证明的信赖损害赔偿（所谓的"期待性损害赔偿"）与判决只赔偿已经证明的信赖损害赔偿（所谓的"信赖损害赔偿"）之间的区分。

的不同。〔9〕

2. 违反非交易型允诺

如果被告违反了一个非交易型允诺,我们不应当假定原告因为

---

〔9〕 在上注5,我概述了传统上期待性损害赔偿的三个限制规则。在这里,我也将提出一些对法律原则的修改建议。

将可避免的损失排除在损害赔偿之外是合理的。如果原告的行为不合理,以致加大了她自己的损失和被告可能的责任,那么她就违反了公共道德原则4,该原则要求她既关心对方当事人的利益,也关心她自己的利益。此外,司法回应原则8将被告的责任限定为他所造成的损失;虽然被告的违约行为是原告本可以避免的损失的必要原因,但是原告未能减轻损失却是继起原因,可以被看作是抵消被告原因的力量。

确定性的标准已经被我们的法院打了折扣,以致对原告而言,已不再是一个很难对付的障碍。这是一个有益的发展。对违约诉讼中的其他争议点而言,原告必须做的只是以证据优势证明损失的存在和程度。

传统的可预见性标准也应当修改。该标准要求原告承受所有的间接损失,条件是该损失是被告在订立合同时无法合理预见到的(假设这一点没有通过明示的或者默示的合同得到解决)。这看起来过于保护被告。司法回应原则7建议赔偿原告所有的信赖损失。然而我们不必认为,就系争间接损失而言,恰当的解决方案是要么全有或者要么全无式的。(想想司法回应原则5。)将该损失根据司法回应原则9进行区分也许是恰当的。司法回应原则6似乎也比较合适;该原则建议法院将故意违约与非故意违约进行区分。

如果被告是故意违约,那么被告应当在违约前与原告协商,即使原告的损失在订立合同之时无法预见。公共道德原则4要求被告在决定是否违约时,要考虑原告的利益,而公共道德原则6要求被告在违约前与原告进行沟通。如果与原告的沟通很可能会使被告在违约之时可以合理预见原告的损失,而如果被告没有沟通,那么根据司法回应原则9,他就有过错,就应当承受所有的或者大部分的损失。如果被告的确进行了沟通并获取了信息,因而在违约之时合理预见到了原告的损失,那么根据司法回应原则9,被告也有过错,应当承受所有的或者大部分的损失。如果被告与原告进行了沟通,而原告没有披露她所知道的并且本来会使被告在违约之时合理预见其损失的信息,那么根据司法回应原则9,原告就有过错,应当承受全部或者大部分的损失。

我们一直假定,原告的间接损失是被告在缔约之时无法合理预见到的。即使在被告缔约之时可以合理预见原告的间接损失的情形,将损失进行分摊有时也是正当的。See RESTATEMENT (SECOND) OF CONTRACTS § 351 (3) (1981)。然而,不应当以作为原告的买方的间接损失与作为被告的卖方收取的合同价款不成比例为由,免除被告的所有责任。(上述评论 f 中似乎提出了这种责任的免除。)如果原告的损失大到与合同价款极不相称,那么它就有可能大到与原告从合同履行中获取的利益极不相称的地步。不成比例的论点在两种情形下都起作用。实际上,正是过高的损失才展示了分摊损失的最恰当情形。

信赖该允诺而蒙受了机会成本。一个被允诺给予其一份礼物或者一种因感激而生的恩惠的原告,可能没有任何选择机会。(她可能曾经有过其他的机会,但是这些机会不可能成为被告履约的替代选择;一个人很少会为了获得另一个人的礼物而不得不拒绝接受其他人的礼物。)由于无法推测机会成本,加之通常没有理由假设的确存在着可供选择的机会且与被告允诺的转让在价值上大体相当,因此期待性损害赔偿就不合适。根据司法回应原则8(该原则反对损害赔偿额超过补偿原告的有害信赖所必需的限度),只有在其机会成本已被证明时,原告才应当获得赔偿。

当然,对于因已证明的直接信赖成本而产生的有害信赖,原告应当获得赔偿。在作出一个非交易型允诺的过程中,被告并没有要求原告一方做出什么履行行为,原告也没有允诺任何履行行为,因此原告不会因为履行而产生任何实际成本。然而,原告可能因为非履行的实际成本而产生有害信赖。按照司法回应原则7,在被告没有通过部分履行或者其他方式来补偿原告的范围内,原告对所有超过信赖利益的信赖成本都应获得赔偿。

3. 违反其他协作型合同

如果被告违反了一个"其他协作型"合同,即一个非市场化的协议,那么根据司法回应原则7,原告应当就合理的有害信赖获得赔偿,但是其应当获得的赔偿也仅此而已(司法回应原则8)。由于合同不是在经济学意义上的市场环境下订立的,没有那么多买方和卖方,因此我们无法假设原告放弃了其他可供选择的机会,因而也不能假定产生了机会成本。由此,期待性损害赔偿就不合适。

即使原告证明了某一机会成本的存在,可能也难以对其放弃的机会进行估价。这种机会也许是购买通常在任何市场上都不出售的服务，因而没有任何可确定的经济价值。或者原告可能放弃了一次通过提供这种服务而赚钱的机会，于此情形，如果原告的履行成本不能量化，那么将难以确定该机会的净值。如果这个可选择的合同涉及到的是每个当事人所提供的非市场性的服务，那么对这种选择机会进行估价将是难上加难。

如果原告因为对合同的合理信赖而招致履行的实际成本和非履行的实际成本，并导致有害信赖的产生，那么对此实际成本，原告当然应当获赔。但是，如果此类信赖的实际成本没有体现为财务费用或者其他经济资产的移转，那么将难以用金钱进行量化。

如果原告的有害信赖不能量化，那么金钱损害赔偿就有些不适当，法院就应当行使其衡平权力，创设任何对双方当事人来说是公平的救济。这种救济可能包括部分实际履行。现在，我们就以不同的合同类型来考察作为金钱损害赔偿的替代选择的实际履行，而其他协作型合同就是其中的一种。

二、实际履行作为违约的救济方式

大部分美国法院将实际履行作为只有在金钱损害赔偿不够充分时才会采用的违约救济方式。[10] 认定"不够充分"的目的何在？乃在于使原告处于其所期待的状况。[11] 即使金钱损害赔偿从这种意义上说可能不够充分，但若此一救济给原告带来的利益大大超过给被告施加的困难，[12] 或者合同条款不公平，或者原告有不正当

---

[10] See JOHN D. CALAMARI & JOSEPH M. PERILLO, THE LAW OF CONTRACTS §16-1, at 611 (4th ed. 1998).

[11] See RESTATEMENT (SECOND) OF CONTRACTS §359 (1) (1981).

[12] See JOHN D. CALAMARI & JOSEPH M. PERILLO, THE LAW OF CONTRACTS §16-14, at 629 (4th ed. 1998). 因此，法院不大可能要求雇员实际履行一个雇佣合同。

行为（有"污手"），法院也会倾向于拒绝实际履行。[13]

我们的法院经常认为，某些类型的合同总是可以强制实际履行的，而其他类型的合同则很难予以强制实际履行。例如，违反那些出卖不动产的合同，一贯允许进行实际履行；[14] 然而，在建筑合同案件中，通常会拒绝采用实际履行的方式。[15] 现在，很多法院采取了一种更灵活的方法，即着眼于特定的环境，而不是将他们的判决建立在按照标的物的类型而作的任何合同分类上。[16] 尽管我赞成实际履行的适用不应当取决于被告违反的是不动产买卖合同还是建筑合同，但是我认为，被告所违反的究竟是经济交换型合同、其他协作型合同还是非交易型合同，却十分关键。

1. 违反经济交换型合同

在适用第三章提出的自然法方法时，我们注意到，司法回应原则 7 要求对原告的净信赖损失给予全部赔偿。如果一个经济交换型合同被违反，我们通常可以假定原告蒙受了以无法证明的机会成本的方式表现出来的信赖成本，因而应该得到期待性救济，以保证有害信赖获得全部赔偿。通常，实际履行令是使原告处于其所期待的

---

〔13〕 See RESTATEMENT (SECOND) OF CONTRACTS §364 (1) (1981); JOHN D. CALAMARI & JOSEPH M. PERILLO, THE LAW OF CONTRACTS §16–16 (4th ed. 1998).

〔14〕 See JOHN D. CALAMARI & JOSEPH M. PERILLO, THE LAW OF CONTRACTS §16–2 (4th ed. 1998).

〔15〕 See London Bucket Co. v. Stewart, 237 S. W. 2D 509, 510 (Ky. 1951); JOHN D. CALAMARI & JOSEPH M. PERILLO, THE LAW OF CONTRACTS §16–5, at 619 (4th ed. 1998).

〔16〕 See, e. g., City Stores Co. v. Ammerman, 266 F. Supp. 766, 776–77 (D. D. C. 1967), aff'd, 394 F. 2d 950 (D. C. Cir. 1968) (建筑合同可以实际履行，除非法院监督的困难超过实际履行对原告的重要性；当建筑是在被告控制的土地上进行的，原告因而不能雇佣其他的承包人来完成工作时，实际履行就有可能是正当的)。

地位的一个好方法,它要求被告去做的事情正是其所允诺的。作为一种期待性救济,实际履行往往在以下情形优于期待性损害赔偿:(1)不存在任何替代物来代替被告的允诺,以致原告无法用金钱损害赔偿去购买等价利益,以及(2)原告的期待无法用金钱准确地评价,以致任何裁定的金钱数额都有可能赔偿不足或者过度赔偿。如果存在被告允诺的等价替代物,那么法院就可以判给原告恰好足够的金钱来购买该替代物,以便使原告实现其期待。如果不存在等价替代物,但是原告的期待地位可以用金钱准确地予以衡量,那么法院就可以判决损害赔偿,使原告处于其所期待的地位,以实现其期待。[17]

然而,对特定的经济交换型合同而言,实际履行作为一种期待性救济方法的优越性,并不能必然证明一个实际履行令的正当性。任何有关实际履行的法律指令都应当是一种"抽象的公平"指令,[18]允许法院考虑所有道德上相关的因素,选择对双方当事人最公正的救济。除此之外,法院也应当考虑原告对实际履行的需要是否在价值上超过了被告的负担,还应当考虑各方当事人的行为(而不只是原告一方的行为)的道德品质。

假如期待性损害赔偿与实际履行作为期待性救济方法看起来同

---

[17] 在判断究竟是期待性损害赔偿还是实际履行更能让原告实现其期待的过程中,法院应当考虑在当前的法律规则下无法通过期待性损害赔偿而获得补偿的各种成本(例如律师费、浪费的时间、受到的挫折以及获得允诺的利益的延迟)。然而,在大部分情形下,不管法院判决的是期待性损害赔偿还是实际履行,对此类成本赔偿不足的程度都大致相同。

[18] 见本书第3章第五部分之5。

样好，又会怎样呢？[19] 这是否会排除实际履行的适用（正如传统上所做的那样）？法院是否应该允许原告在两种救济方法中进行选择？司法回应原则 8 指出，某种救济方法给被告施加的负担，不应当超过赔偿原告的有害信赖所必需的限度。换句话说，法律制度应当让被告以最小的成本来赔偿原告。如果在实现原告的期待时（从而对信赖给予全部赔偿），实际履行和期待性损害赔偿同样有效，那么有权选择的应当是被告，而非原告。被告大概只有在实际履行带给他自己的成本小于期待性损害赔偿的给付时，才会选择实际履行。

对于如下情形，即被告先前已同意某种救济方式，而该救济方式比完全赔偿原告更难以负担，司法回应原则 8 规定了一个例外。相应地，如果被告已经以合同的方式同意某种实际履行的救济方法，那么法院不考虑被告现在的反对意见而判决实际履行，就是正当的。

因此我认为，当一个经济交换型合同被违反时，只有在以下情形才应当判决实际履行：（1）如果实际履行作为一种期待性救济方法胜过期待性损害赔偿，或者被告已经同意实际履行（通过合同或者在审判中），以及（2）其他道德因素的价值与实际履行没有冲突。这种方法与大部分法院现在的做法不会有明显的区别。

---

[19] 在判断实际履行和期待性损害赔偿是否为同样好的期待性救济方法的过程中，法院应当考虑原告蒙受的损失是否是其本可以通过合理努力予以避免的。见上注 5、9。对这样的损失，原告不应当获得赔偿；如果判决期待性损害赔偿，原告也不会获得赔偿。当涉及到可以避免的损失时，实际履行似乎就是一种较差的救济方法；该救济倾向于实现原告的全部期待，而不考虑可以避免的损失，也不考虑无法避免的损失。在这种情形，只有以原告支付给被告与其可以避免的损失等额的费用为条件，判决实际履行，实际履行方能成为与期待性损害赔偿同样好的救济方法。

2. 违反其他协作型合同或者非交易型允诺

实际履行作为违反非交易型允诺的救济方式是不恰当的，其原因与不适于判令期待性损害赔偿时的原因相同。只有在我们可以推测无法证明的机会成本时，上述两种期待性救济方法才是合适的，但是对非交易型允诺，我们无法做出这种推测。

对违反其他协作型合同的行为而言，全部实际履行是不合适的。虽然此类合同是交易型合同，但他们不是在市场上订立的合同，因而我们不能假定存在无法证明的机会成本，也不应该判给原告期待性救济。然而，部分实际履行如果作为补偿原告已被证明的、但无法量化的信赖成本的一种方式，可能是恰当的。

三、惩罚性损害赔偿

惩罚性损害赔偿是惩罚实施了严重不法行为的一方当事人的超额损害赔偿。这种惩罚的主要目的是威慑不法行为人（以及其他人）在将来不从事类似的行为。[20] 在美国法院中，一般规则是不对违约之诉判决惩罚性损害赔偿。[21] 这个一般规则反映出在上文第一部分中提到的两个传统原则：违约的救济不应当视违约方的过错程度而定；以及救济不应当局限于补偿性的期待性损害赔偿。

然而，排除惩罚性损害赔偿的一般规则总是要受到例外的制约。早先的一个例外是针对违反婚约的行为而设定的。[22] 另外一个较早的例外是针对公用事业公司违反合同义务的行为而设定的，

---

[20] JOHN D. CALAMARI & JOSEPH M. PERILLO, THE LAW OF CONTRACTS §14-3, at 542 (4th ed. 1998).

[21] Id. See also RESTATEMENT (FIRST) OF CONTRACTS §342-3 (1932).

[22] Timothy J. Sullivan, Punitive Damages in the Law of Contract: The Reality and the Illusion of Legal Change, 61 MINN. L. Rev. 207, 222-23 (1977) 及其引证的案例。

此类合同义务也是对公众的法定义务。[23] 当某一违约行为构成或者伴有恶意的或严重的侵权行为时，许多法院会判予惩罚性损害赔偿。[24] 有些法院在某一违约行为混合着欺诈行为时，会判予惩罚性损害赔偿，即使该欺诈行为没有构成侵权性欺诈。[25] 当违约行为包含有违反信托义务的行为时，也允许适用惩罚性损害赔偿。[26] 近来一些判决表明，对于"侵权性的"违反默示的善意条款的行为，可以判予惩罚性损害赔偿。[27] 我们甚至发现了这样的判决，即建议只要违约行为涉及到任何应予阻止的严重不法行为，判予惩罚性损害赔偿都是合适的。[28]

1. 惩罚性损害赔偿之辨

合同法应当如何处理惩罚性损害赔偿这个难题呢？首先，立法

---

　　[23] See id. at 223 - 26 及其引证的案例。
　　[24] See Stanback v. Stanback, 254 S. E. 2d 611, 621 (N. C. 1979); JOHN D. CALAMARI & JOSEPH M. PERILLO, THE LAW OF CONTRACTS §14 - 3, at 542 (4th ed. 1998). See also RESTATEMENT (SECOND) OF CONTRACTS §355 (1981). 侵权性违约行为的例外，似乎归根于一个试图将问题过于简单化的想法，即惩罚性损害赔偿适合于侵权行为而非违约行为。但可以肯定的是，并非所有需要惩罚的行为都是侵权行为。与其诱导法院认定新的侵权行为作为侵权行为的例外，对其适用惩罚性损害赔偿，还不如说某些违约行为需要适用惩罚性损害赔偿更为可取——而不论此类违约行为是否属于侵权行为。
　　[25] See Welborn v. Dixon, 49 S. E. 232, 234 (S. C. 1904); JOHN D. CALAMARI & JOSEPH M. PERILLO, THE LAW OF CONTRACTS §14 - 3, at 543 (4th ed. 1998).
　　[26] See JOHN D. CALAMARI & JOSEPH M. PERILLO, THE LAW OF CONTRACTS §14 - 3, at 542 - 43 (4th ed. 1998).
　　[27] See Seaman's Direct Buying Service, Inc. V. Standard Oil Co., 686 P. 2d 1158, 1166 - 67 (Cal. 1984) (dictum); Gruenberg V. Aetna Ins. Co., 510 P. 2d 1032, 1035 - 38 (Cal. 1973) (保险人恶意违约); JOHN D. CALAMARI & JOSEPH M. PERILLO, THE LAW OF CONTRACTS §14 - 3, at 543 (4th ed. 1998).
　　[28] See Boise Dodge, Inc. v. Clark, 453 P. 2d 551, 556 (Idaho 1969); Vernon Fire & Cas. Ins. Co. v. Sharp, 349 N. E. 2d 173, 180 - 81 (Ind. 1976).

者应当抛弃违约救济不应当取决于被告的道德过错程度的传统观念。亚里士多德式的矫正正义要求救济方法能够反映道德过错，没有任何理由表明这一要求不能适用于违约行为。

法院同样应当抛弃违约救济必须局限于补偿性的传统观念。这一传统观念近来从如下理论中获得了支持，即超额损害赔偿阻止了"效率违约行为"，因而是无效率的。[29] 效率违约理论，在形成之初认为，如果违约方从违约中获得的收益超过对方当事人的损失，那么这种效率违约就应当得到法律的鼓励而非阻止；期待性损害赔偿作为补偿性的救济方法，以原告因违约而遭受的损失来衡量责任，将会鼓励效率违约，而超过赔偿数额的惩罚性损害赔偿的威胁则会阻止此类违约行为。

不过，在这种粗糙的理论中构想的所谓"效率"违约应当受到阻止。不管合同当事人是否认为自己的获利会超过对方当事人的损失，法律都不应当鼓励他违约。一方当事人很少能准确地预测对方当事人的损失，而且很有可能以有利于自己的方式来解决所有的疑问：夸大自己可能获得的收益，而低估对方可能遭受的损失。这就导致"无效率"违约。应当让合同的当事人明白，要求履行合同的法律规范需要的是遵守，而不是个人的成本效益分析。[30]

此外，初期的效率违约理论考虑的只是双方当事人的收益和损失，因而忽略了共同体价值和违约行为所带来的大量社会成本。任何违约行为都有损社会信任，当违约变得十分普遍时，筹划未来就会变得困难甚至不可能（一种效率很低的结果）。后期更成熟的效

---

[29] See, e. g., RICHARD A. POSNER, ECONOMIC ANALYSIS OF LAW 133, 142 (5th ed. 1998).

[30] See David Luban, Two Cheers for Punitive Damages, 9 QQ – REP. FROM INST. FOR PHIL. & PUB. POLY 6, 7 (1989).

率违约理论承认，当以下两个条件同时具备时，即：（1）违约的社会成本超过社会收益，以及（2）违约方因为违约而获得的收益将会超过他预期的补偿性责任，就需要以超额损害赔偿责任的方式制止违约行为。毫无疑问，这两个条件有时会共存。

排除了反对惩罚性损害赔偿的两种流行学说后，我们现在可以为此类判决找到有力的理由。惩罚并非因其完全是一种报应而具有正当性；伤害某人而不产生任何利益总是错误的。不过，惩罚性损害赔偿可以产生有益的用途。首先，惩罚性损害赔偿可以执行道德教育的功能，告诫被告和其他公众——履约义务是一项重要的共同体规范；认为只要支付受害人补偿性损害赔偿就可以故意违约，是不"可以"的。我们从惩罚中成长，而惩罚性损害赔偿或许能帮助我们当中的某些人学习公共道德标准。

其次，即使在一个人的道德观点无法改变时，对惩罚性损害赔偿的畏惧至少也可以阻止其做坏事。在我们的法律制度下，对公众造成严重伤害是承担超额赔偿责任（刑事的或者民事的）的典型情形，施加这种责任是为了在非法律制裁和补偿性责任不足时，产生威慑力。司法回应原则 8 允许在有必要制止违约时，采用超额赔偿责任。不过，该原则并没有指出应当制止哪些违约行为。

2. 惩罚性损害赔偿在什么情况下是合适的

我认为，惩罚性损害赔偿要制止的违约应当是故意违约。司法回应原则 6 对故意违约和非故意违约所做的区分似乎与此有关。社会信用和缔约实践在故意违约时受到的损害最为严重。更进一步说，只有那些有意识地把对方当事人当作一种纯粹的工具来对待的故意违约人，才最需要道德教育。其他类型的违约行为似乎没有达到需要施加惩罚性损害赔偿的程度。过失违约行为不值得大加谴责。当违约方误解其合同义务并认为他正在履行合同时,这种误解性的违约行为同样不值得大加谴责。无法避免的违约行为在道德上不应该受到任何谴责。最后,最容易受到威慑的正是故意违约行为,因为很难制止过失性的或者误解性的违约行为,更不可能制止无法避免的违约行为。

只有当被告显然知道他正在违反合同义务而仍然故意去违反时,才应当判予惩罚性损害赔偿。在有疑问的案件中,应当假定被告是无辜的。即使违约明显出于明知和故意,在故意违约行为并不涉及到重大的道德过错的情形,法院应该采用公平的方法,不判予惩罚性损害赔偿或者仅判予象征性的惩罚性损害赔偿。当被告虔诚地相信违约行为乃是对第三人负担的更高的道德义务所需要的,从而实施了一个诚实但故意的违约行为时,就会出现这种情况。(例如,一个贫穷的被告没有及时交电话费是因为他需要用这些钱来养活饥饿的孩子们。)

3. 威慑性损害赔偿的计算

下一个问题是应当如何确定惩罚性责任。简要地说,惩罚性损害赔偿的数额应当取决于实施威慑所需要的数额。虽然实现道德教育所需的数额很不确定,但实现威慑作用所需的数额通常至少可以粗略地算出来。

通常,衡量实现威慑作用所需数额的最佳标准是被告从违约中获得的收益。[31]一旦某人知道他从故意违约中获得的全部收益将被悉数拿走,他故意违约的热情就不会那么高。收益可以是收入的增加,也可以是成本的减少。收益可以通过对比被告通过违约可能

---

[31] See Dan B. Dobbs, Ending Punishment in "Punitive" Damages: Deterrence – Measured Remedies, 40 ALA. L. REV. 831, 850 – 51, 874 – 75 (1989).

获得的实际净利润与如果其履行合同时可以实现的净利润来计算。因此，如果制造允诺给原告的货物会花费被告50000美元，而原定合同价款是60000美元，被告为了将货物以80000美元的价格卖给第三方而违约，而原告花费了70000美元在市场上买到了替代物，那么被告从违约中获得的收益就是20000美元（他的实际利润30000美元减去他可以从合同履行中获得的利润10000美元）。为了实现威慑的目的，被告的全部责任就应当是20000美元。由于他的补偿性责任将是10000美元（原告购买替代物的开支70000美元减去原定合同价款60000美元），因而被告的惩罚性责任应当是10000美元。因此，按威慑力确定的惩罚性损害赔偿的标准可以用公式表述为："惩罚性损害赔偿＝被告从违约中获得的收益－补偿性损害赔偿。"

利用这个公式就能很好地制止补偿性损害赔偿所不能制止的故意违约行为，这种违约行为在被告支付补偿性损害赔偿后会给被告带来净收益（即所谓的"效率违约"）。通过被告从违约中的收益来确定其责任，是避免威慑不足的一个好方法，因为法律救济相当有效地排除了违约的动机。[32] 它也是避免责任畸重（超过威慑作用所需数额的责任）的一个好方法，因为它从被告手中夺走的刚够消除违约的动机。

以被告的收益来确定惩罚性损害赔偿，比由法律来规定固定的惩罚数额或者最高惩罚数额更可取。因为只要被告从违约中的获利超过法定的惩罚数额（或者最高限额）与可能的补偿性责任之和，法律就会鼓励违约行为。对某些被告而言，固定惩罚的数额（与设定最高限额相对）也会不可避免地产生过度威慑的问题。

---

[32] 如果我们不考虑违约方被起诉成功的概率略小于1.0这个事实，就会造成威慑力不足；在理论上，最理想的威慑力要求，想违约的人的全部预期责任乘以他被成功起诉的概率，等于他从违约中预期可获得的收益。因此，如果甲从违约中预期可获得的收益是10000美元，而且甲知道其被成功起诉的概率只有0.5，那么为了让甲负担"期望"的10000美元的责任并制止其违约行为，法律给甲施加的全部责任就应该是20000美元。然而，我以为不值得花费心思去考虑违约方被判决承担责任的概率。评估某个特定违约方的这一概率是极其困难的，除非他在许多场合都实施了同样类型的违约行为，而即使如此，也很难确定从未起诉的受害者的人数。同样，只要这些故意违约行为的受害者可以获得惩罚性损害赔偿，并且确保其可以收回诉讼费用（正如我将在下文提出的那样），那么受害者诉讼成功的概率就会接近1.0。

还有一个事实会造成威慑力不足，即从违约中获得的收益是边际责任必须制止的；它没有给违法行为任何机会，也不能确保阻止那些希望以违约的获利额来愚弄法官或者陪审团的违约者。不过，我建议，法律不要试图通过将设定的责任超过被告从违约中的获利来应对这个因素。司法回应原则8证明，具有威慑性的超额赔偿责任的正当性只限于实现威慑所"必要"的限度，而威慑过度恰恰与威慑不足同样不合适。适用一个有限的、客观的确定标准——例如被告从违约中获得的收益——比赋予陪审团裁量权、允许其判给任何其认为是确保威慑力所必需的数额更恰当。而且法律设定的任何固定的、武断的威慑力防护垫（例如，全部责任等于被告从违约中所获收益的120%）都会经常偏离这一界限（威慑力所需责任的准确——一点不多也一点不少的——数额），与边际威慑力责任限于被告从违约中的获利相比，会出现更大的偏差。

任何威慑力不足的问题大约都可以通过单独分析获得最好的解决。某些人比其他人需要更多的威慑力，无法事先确切地预测某个特定人所需的威慑数额。如果将全部责任定为被告从违约中的获利尚不足以阻止某个特定的被告重复故意违约行为，那么可以在他再次被判决对故意违约承担责任时，让他遭受更严苛的惩罚（或许可将全部责任定为其从违约中获利的150%）。对惯犯甚至可以对每次再犯加重惩罚，直至他们洗心革面或者离开市场。

根据被告从违约中的获利来确定责任，也比让陪审团自由裁量惩罚性损害赔偿额更可取。无限制的责任的威胁，对那些不顾陪审团的不确定判决，而情愿冒更大风险的道德沦丧者，不会有威慑力；而且，在很多案件中，实际判决的损害赔偿额会大大超过阻止被告重复其违约行为所必要的额度。如果我们关心的只是避免威慑力不足，那么无限制的惩罚性责任加上陪审团对原告的同情，可能就足够了。但只要我们既要防止威慑力不足，又要防止威慑过度，那么无限制的责任似乎就不如根据被告从违约中的获利来确定责任的方式了。[33]

还有这样一些情形，即被告故意违约的动机不是经济上的收益，或者其违约行为不能产生任何可以用金钱加以确定或量化的收益。此时，我们就不能通过将注意力放在被告从违约中的获利上来确定威慑性损害赔偿。这就需要法官指导陪审团考虑被告的补偿性责任、全部财富以及其他相关事项，来判予任何看起来可以阻止被告重复其不当行为的惩罚性损害赔偿额。虽然这会使惩罚性损害赔偿的数额变得更加没有限制，但是我们可以在某种程度上依赖下文将要讨论的两个限制性因素。

4. 以诉讼费用为最低限额

一般来说，惩罚性损害赔偿的数额至少应相当于补偿原告合理的律师费以及其他合理的诉讼费用（假设她没有通过补偿性损害

---

[33] 至此，我们的讨论主要围绕着如何阻止被告不再重复故意违约行为而进行。以被告从违约中的获利来确定全部责任（补偿性的加上惩罚性的），看起来似乎是对其他故意违约的社会公众实现二级惩罚性威慑作用的好方法。每当一个被告遭受惩罚性损害赔偿时，法律制度就是在告诉其他人："连想都不要想故意违约；我们会夺走你从违约中获得的一切收益。"当然，以超过被告从违约中获利的责任做威胁，甚至可以实现更大的二级威慑作用，但这将违背司法回应原则8规定的限制，该原则规定，超额赔偿责任不能超过威慑所必要的限度。

赔偿收回这些费用）所需的数额。然而，如果该诉讼在本质上是当事人因认识错误而对补偿性损害赔偿额发生的正当纠纷，那么就不应该适用以诉讼费为最低限额的标准。

当诉讼涉及的是因认识错误而发生的纠纷时，每一方当事人都应当自行负担将纠纷诉诸法庭而产生的费用。但若被告故意违约并拒绝付给原告合理的补偿，那么双方争讼的就不是因认识错误而发生的纠纷。被告错误地迫使原告为行使自己的既得权利而提起诉讼。被告不仅故意违反了其履行合同的允诺，而且还故意违反了补偿原告因其未能履行而遭受的损失的默示允诺。[34] 原告的诉讼费用是因为她所信赖的两个允诺现在都被违反而产生的成本。根据司法回应原则7，原告有权要求法院强制对方赔偿其诉讼费用。[35]

惩罚性判决数额应当足以支付原告合理的诉讼费用，即使这会使全部责任超过为实现威慑作用所必需的数额（通常是被告从违约中的获利额）。虽然司法回应原则8排除了超过威慑力所必需数额的补偿责任，但是要求支付原告诉讼费用的惩罚性判决可以被看作是补偿性的而非超额补偿性的。在我们的法律制度中，全部赔偿经常会导致过度威慑，但是我们并不对此感到担心；让一个不法行为人赔偿其受害者没有什么不公平的，即使赔偿的数额超过了阻止重复违法行为所必需的限度。

将原告的诉讼费用作为惩罚性损害赔偿的最低限额，会有很多优点。它不但直接补偿了因被告的违法行为而产生的诉讼费用，而

---

〔34〕 这种默示允诺产生于为共同体和我们的法律制度所普遍认可的社会实践。合同的当事人习惯性地期待违约方会补偿对方因违约而产生的损失，因而补偿的义务就成了合同中的一项默示条款，除非其被明确排除。

〔35〕 我们同样可以说，根据司法回应原则9，被告应当承担原告的诉讼费用。只要原告没有过错，原告的全部诉讼费用就是一项应当由被告承担的非意外损失，因为该损失是由被告的过错所造成的。

且还间接保证原告对于因被告的违约行为而产生的其他损失能够得到补偿。如果一个故意违约行为的受害者预见到她的诉讼费用会超过其补偿性损害赔偿与惩罚性损害赔偿之和,并且知道她不能收回诉讼费用,那么她就有可能不去起诉,或者接受赔偿不足的庭外和解,从而放弃其依法享有的获得赔偿的权利。[36] 但是如果她预见到通过惩罚性损害赔偿能够收回其诉讼费用,那么她就会鼓足勇气,坚持通过行使诉讼权来获得其他损失的赔偿。[37]

由于惩罚性损害赔偿能够弥补原告的诉讼费用,这一前景会激励故意违约行为的受害者去坚持他们的诉讼请求,也会提高对故意违约行为的威慑作用。试图实施故意违约行为的一方当事人将会预见到,对方当事人很可能会起诉,而不大可能接受赔偿不足的和解;因此,他必定会预见到,他所承担的全部责任至少足以剥夺他从违约中可以获得的增量收益。[38]

即使没能阻止某个当事人故意违约,在很多情形下,我提出的

---

[36] 假设被告的故意违约行为为其带来了 3000 美元的额外利润,而给原告造成 2000 美元的损失(按补偿性损害赔偿的某种传统公式计算,比如以购买替代物的成本减去合同价款)。同时假设原告预见到她必须花费 6000 美元才能胜诉。如果原告不能收回诉讼费用,她就不可能起诉并完成审判。为了获取 2000 美元的补偿性损害赔偿金和 1000 美元的惩罚性损害赔偿金(以被告从违约中的获利额减去补偿性损害赔偿金来计算)而花费 6000 美元,并无任何意义。

[37] 在上一个注释所讨论的假设情形中,如果原告知道她可以通过惩罚性损害赔偿的方式收回 6000 美元的诉讼费用,并且可以得到 2000 美元的补偿性损害赔偿金,那么原告可能就会起诉并行使自己的权利。

[38] 在上注 36 和 37 讨论的假设情形中,如果被告知晓全部事实,而且明白法律会要求其支付原告的诉讼费用,那么他很可能受到威慑而不违约。违约会给其带来 3000 美元的额外利润,但是会给其造成 2000 美元用做补偿性损害赔偿的损失以及 6000 美元用做惩罚性损害赔偿的损失。根据我提出的方法,惩罚性损害赔偿的裁决应当是以下两者中较高的一项:(1)原告的诉讼费用(6000 美元),或者(2)其数额加上补偿性损害赔偿后,等于被告从违约中的获利(1000 美元加上 2000 美元的补偿性损害赔偿,等于被告从违约中获得的 3000 美元收益)。当然,当被告决定是否违约时,他不会知晓全部事实,但是必须支付原告的诉讼费用的预期应该会使其减少违约的可能性。

方法仍会激励其主动补偿对方当事人。如果在发生纠纷的任何阶段（诉讼开始之前或之后），违约方提出要向对方当事人支付补偿性损害赔偿金以及她已经支出或增加的任何诉讼费用，而对方当事人拒绝了这一建议，那么她即无权就拒绝建议后发生的诉讼费用要求惩罚性损害赔偿。这些费用将不再是合理的，而我提出的方法则规定，为补偿原告的诉讼费用所作的惩罚性损害赔偿只能限于合理的费用。[39] 违约行为的受害者仍然有权要求惩罚性损害赔偿，其金额应使其获得的全部赔偿等于被告从违约中的获利，但是在某些情况下，受害者获得的全部赔偿可能比他的诉讼费用要低，这将不值得他继续进行诉讼。如果对方当事人接受而非拒绝了违约方的赔偿建议，那么违约方就可以为自己节省一些诉讼费用，并避免惩罚性责任。然而，如果违约方从未提出过合理的赔偿建议，那么他就必须预见到，惩罚性责任将是以下两者中较高的一项：（1）原告的诉讼费用，或者（2）其数额若加上被告的补偿性责任，就能剥夺他从违约中获得的所有收益。因此，违约的一方往往会有动力去主动赔偿受害者。

5. 以过错程度为最高限额

被告的道德过错程度，为他的惩罚性责任设定了一个适当的最高限额。故意违约方的惩罚性责任与其道德上的应受谴责性相比，不应当大到不成比例——即使这一限制会导致被告的全部责任低于

---

[39] 与律师费的合理性以及赔偿要求的合理性有关的问题可能难以决断，最好由法官来解决。因此我建议，由初审法官而不是陪审团来决定原告是否以及在何种程度上有权获得惩罚性损害赔偿，以弥补其诉讼费用。

按照从被告的违约行为中获得的收益来确定的威慑数额。[40]

当然，道德过错不容易用金钱量化，对其评估（应当由陪审团作出）也会很直观。评估应当以逐案分析为基础来进行，而不应当按照为不同种类的故意违约行为设定惩罚最高额的 FS 规则来进行。由于情势的易变性以及案件呈现的复杂性，此类规则会产生很多不公平现象。

不过，我们可以确定陪审团应当考虑的一些因素。比如，被告违反公共道德原则4，在何种程度上漠视了人类的尊严、需要以及原告的利益？如果被告看起来是真诚但错误地认为原告不会因违约行为而受到严重的损害，那么这就是一个减轻的因素。另外一个减轻的因素是，违约方真诚地相信，违约行为乃是对第三人承担的一个相冲突的、更高的道德义务所要求的。对这一因素的考虑可能会导致象征性的惩罚性损害赔偿或者不产生任何惩罚性的损害赔偿，具体如何将取决于全部道德状况。如果故意违约方自愿向受害者提出及时的、全部赔偿的要约，那么该要约就可以证明将惩罚性责任减少到低于以从违约中获得的收益为基础的威慑数额的程度是正当的（如果原告不合理地拒绝了这一要约，被告就可以免于赔偿以诉讼费用计算的最低限额）。

请注意，我们考虑的主要是减轻因素而非加重因素。被告道德上的过错程度只是为惩罚性损害赔偿提供了一个最高限额；对惩罚性损害赔偿的改变，只能通过将其降低到这一可能会被强加的数额来实现。各种减轻因素意在表明，威慑被告所需要的数额比标准的

---

〔40〕 这些情形会出现在如下场合，即尽管被告从违约中的获利非常丰厚，但是原告的补偿性损害赔偿与被告的道德过错却很轻微。在将被告的惩罚性责任限定于道德过错的最高限额内，并且将全部责任调整为低于被告从违约中获得的收益时，我们就是在承认威慑的需要部分取决于不法行为的道德严重性，而非仅仅取决于不法行为的赢利性。

威慑数额低。然而，如果加重因素可以完全或者部分抵销减轻因素，我们就应对其加以考虑，由此表明不降低惩罚性责任是正当的，或者说降低的幅度不应当等于只有减轻因素时所可能降低的幅度。

按照我提议的方法，如果根据道德过错程度而定的"最高限额"低于根据诉讼费用而定的"最低限额"，那么就会出现问题。于此情形，根据道德过错程度而定的"最高限额"应当优先。惩罚性损害赔偿的主要目的是提供道德教育和通过惩罚来威慑不法行为。为了有效地实现这两个目的，惩罚必须与过错相当。因此，惩罚性责任应当受到被告的道德过错程度的限制，即使这会导致原告的诉讼成本无法获得全部赔偿。

6. 惩罚性损害赔偿应当支付给谁？

剩下的问题就是，惩罚性损害赔偿应当付给原告还是付给政府？反对由原告接受的观点认为，原告不应当得此意外之财；就惩罚性损害赔偿作为超额赔偿责任而言，它们既不是对原告所受损害的补偿，也不是对原告所做之事的奖励。

然而，惩罚性损害赔偿还是应当支付给原告。首先，惩罚性损害赔偿的确执行了补偿的功能。当以原告的诉讼费用来确定惩罚性损害赔偿的时候，情况尤其如此。即使当惩罚性的判决超过了原告的诉讼费用，超过的部分通常也可以看作是对原告的感情伤痛、尊严受辱以及其他伤害的补偿，而这些损害按照我们的补偿性损害赔偿的标准尺度是不能得到补偿的。尽管惩罚性的判决可能会对这些伤害形成超额补偿，但是假如我们没有能力评估这些伤害，那么我们就不能确信赔偿是否超额。

其次，如果某一故意违约行为的受害者可以预见，她能获得惩罚性的损害赔偿，那么她就会更愿意起诉。任何违约行为被诉追的可能性的增加，都会减少违约的可能性。因此，要求惩罚性损害赔偿支付给原告而非支付给政府的规则，在没有增加被告负担的惩罚性责任数额的基础上，产生了某种额外的威慑作用。

7. 小结

现在我们可以总结一下我对惩罚性损害赔偿的建议。当被告故意违反一项合同义务时，惩罚性损害赔偿就是恰当的。惩罚性的判决通常应当是以下两者中较高的一项：（1）其数额如果加上被告的补偿性责任，产生的全部责任等于被告从违约中的获利，或者（2）原告的合理诉讼费用。然而，决不应该让惩罚性损害赔偿超过与被告的道德过错程度相当的最大限额。惩罚性损害赔偿应当支付给原告。

上述方法将会在司法的限度内促进威慑作用，且会给原告提供更完善的赔偿。它也会减少发生不可预料的、过度的惩罚性责任的风险。以违约获利作为衡量标准和以诉讼费用作为衡量标准都很客观，均不灵活。惟一模糊或者无限制的衡量标准是道德过错标准，但这种标准只能被用来减少而非增加惩罚性责任。

四、因情势变更而免予履行时的补救性救济

现在我们将要讨论的救济，不是为违反合同而设定的，而是在未履行义务的被告因为不可能性（履行不能）、不可行性（被告只有以高昂的费用才能够履行）或者目的落空（被告可以履行，但是原告的对待给付对被告已无意义）而获得免责时所提供的救济。上述每一种免责事由，通常都归因于合同成立之后发生的继起事件或者情势变更。与惩罚性损害赔偿相同，这些免责事由都是不考虑

过错的传统的严格合同责任原则的例外。惩罚性损害赔偿为无法容忍的过错设定了超额的责任，与此相反，因情势变更而发生的免责事由，却使被告避免承担违约的责任，因为在某种意义上来说，他并没有过错，而是不可抗力的受害者。下面的讨论不涉及免责事由的先决条件，而着眼于补救性救济。

当被告因情势变更而获免责时，原告同样被免除了所有继续履行的义务。然而，这并不意味着法院会对双方当事人听之任之。如果有一方当事人已经部分履行但未获赔偿，且她的部分履行行为给对方当事人带来了利益，那么她可以要求恢复原状。[41] 如果部分履行不能以原物的方式返还（例如，如果它是由不动产建筑或者其他服务所构成的），那么恢复原状就必须以金钱赔偿的方式做出。在确定金钱赔偿时，法院采用了多种方法。法院可以采用合同比率的方法，如果百分之 x 的工作已经完成，就判予合同价款的百

---

[41] See RESTATEMENT (SECOND) OF CONTRACTS § 377 (1981); E. ALLAN FARNSWORTH, CONTRACTS §9.9, at 665 (3d ed. 1998); John E. Murray, Jr., MURRY ON CONTRACTS §115, at 660 (3d ed. 1990).

"利益"的界定有些麻烦，解释它的方法也完全不同，尤其是当部分履行涉及的是不动产建筑物的建设或者与此相关的服务，而该不动产却被意外毁坏或者处于未完工且无用的状态时。通常，恢复原状不会因为已经对建筑物完成的工作对土地所有者不再具有实际利益而被排除适用，但是部分履行的一方只能就"建入的"（与不动产合为一体，因而转化为临时的经济价值或者潜在的保险价值）部分要求恢复原状。See Young v. City of Chicopee, 72 N. E. 63, 64 (Mass. 1904); Jeffrey L. Harrison, A Case for Loss Sharing, 56 S. CAL. L. REV. 573, 581 (1983); Philip D. Weiss, Comment, *Apportioning Loss After Discharge of a Burdensome Contract: A Statutory Solution*, 69 YALE L. J. 1054, 1063 (1960). 然而，也有很多判例对没有建入的部分判决恢复原状，只要该工作是在合同中允诺过的。See Albre Marble & Title Co. v. John Bowen Co., 155 N. E. 2 的 437, 440-41 (Mass. 1959)（对方当事人对全部履行不能具有过错时，允许对没有建入的部分适用恢复原状）; Angus v. Scully, 57 N. E. 674, 674 (Mass. 1900)（原告在被告的土地上建房子的过程中，房子被大火烧毁，此时允许适用恢复原状）; F. M. Gabler, Inc. V. Evans Labs., Inc., 223 N. Y. S. 408, 414 (App. Term 1927)（对已经交付但还没建入的材料允许恢复原状）。

1. 免予履行时的弹性需要与损失最小化

在处理情势变更问题时,初审法院需要更多的弹性,而不仅仅是在要求履行合同并判决期待性损害赔偿与认定免责而要求恢复原状之间进行选择。司法回应原则5建议,救济不必是要么全有或者要么全无式的。法律指令应当允许初审法院创设在具体情况中被认为是公平的任何救济。被告辩解不可能性、不可行性或者目的落空的案件所涉及的事实情况千差万别,并非按照FS规则就能处理。

我们要解决的问题不是在执行原合同、法院命令修改后的合同及全部免责之间进行选择,我们仅仅假设法院已以情势变更为由,决定免除被告的所有合同义务,此时的问题就是,什么是恰当的补救性救济。我们也假设双方当事人均无过错,[49] 且合同并不是真正可分的。[50]

在此类情形,补救性救济的基本目标应当是损失最小化。任何

---

[49] 尽管被告已经被免责,但是他违反应当履行的允诺,因而违反了公共道德原则1。被告违反允诺的行为很可能也是故意的,除非其履行不能。然而,法院已经裁决,由于被告无法控制的事变,违反允诺的行为在法律上应获免责,而且现在提出被告对于违反其允诺存在着过错,很可能也不合适。不过,被告可能在其他方面存在过错。他可能因为没有阻止情势的变更而有过错(尽管这可能会排除责任的免除,但也可能不会)。他可能因为没有阻止情势变更造成的某一特定后果(尽管存在情势变更,但仍可以避免的损失)而有过错。他可能没有及时通知原告其不能或者不愿履行,而其没有履行通知义务(违反公共道德原则6)也许给原告造成了额外的损失。如果法院没有考虑这样的过错就免除了被告的责任,那么在设计补救性救济时就应该将被告(或者原告)一方的所有过错都考虑进去,根据司法回应原则9,因一方或者双方当事人的过错造成的任何损失都应该按照比较过错来分担。不过,我们会假定双方当事人均无过错。

[50] "真正可分",我指的可分依据是,对卖方允诺的履行的特定部分,买方同意支付特定的价款,即使剩余的履行不会完成。如果作为被告的卖方履行了一个真正可分的合同的独立部分,且被免除履行剩余部分的责任,那么法院就应该要求作为原告的买方就已经履行的部分支付预定的价款(因为她事先已经同意,所以她就不能成功地辩解说,由于她没有获得全部履行而致使其得到的履行价值降低了。就已经履行的部分而言,这应该就是事情的结局。有关其他救济方式的问题,比如恢复原状或者分担损失,只有在一方或者双方当事人因合同未履行的部分遭受损失时才会发生。

分之 x。[42] 法院也可以按照部分履行方的工作的公平市场价格来确定金钱赔偿（在市场上，一个人要想让他人从事部分履行者所做的工作时通常必须支付的价款）。[43] 法院还可以通过接受了部分履行的一方所获的经济利益来确定金钱赔偿（该当事人的财富的增加）。[44]

美国法院通常会拒绝提供恢复原状之外的救济。[45] 因此，如果一方当事人遭受的信赖损失不符合恢复原状的适用条件，那么她往往就必须承受该损失。虽然《统一商法典》[46] 和《合同法重述（第二版）》[47] 允许公平分担此类损失，但我们的法院还没有采纳这些规定。法院甚至可能创立并执行一个新的合同，来代替原先的合同。[48] 然而这种方法并不是很受欢迎。

---

[42] See E. ALLAN FARNSWORTH, CONTRACTS §9.9, at 734 n. 24 (2d ed. 1990); 2 GEORGE E. PALMER, THE LAW OF RESTITUTION §§7.5, 7.7 (a), 7.8 (b) (1978). See also RESTATEMENT (SECOND) OF CONTRACTS §377 cmt. b (1981)（合同比率对按照市场价值或者财富增加额来确定的恢复原状设定了最高限额）。

[43] See RESTATEMENT (SECOND) OF CONTRACTS §371 (a) and cmt. a, §377 cmt. b (1981); DAN B. DOBBS, LAW OF REMEDIES §13.3 (2), at 871 (abr. 2d ed. 1993); JOHN E. MURRAY, JR., MURRAY ON CONTRACTS §115, at 660 – 61 (3d ed. 1990).

[44] See RESTATEMENT (SECOND) OF CONTRACTS §371 (b) and cmt. a, §377 cmt. b (1981).

[45] See E. ALLAN FARNSWORTH, CONTRACTS §9.9, at 666 – 67 (3d ed. 1998); Jeffrey L. Harrison, A Case for Loss Sharing, 56 S. CAL. L. REV. 573, 581 (1983).

[46] U. C. C. §2 – 615 cmt. 6 (1995).

[47] RESTATEMENT (SECOND) OF CONTRACTS §272 (2) (1981).

[48] 这是 Aluminum Co. of America v. Essex Group, Inc., 499 F. Supp. 53, 79 (W. D. Pa. 1980) 一案采用的方法（由于卖方成本意外增加而增加合同价款）。See also RESTATEMENT (SECOND) OF CONTRACTS §272 cmt. c (1981).

经济交换型合同或者其他协作型合同的一个主要目的就是互惠互利。当某个合同因情势变更而被终止时,法院当然无法为各方当事人提供净收益或者净利益,但是它至少可以尽力避免发生净损失,并且重新分配所有那些无法避免的净损失,以便使其影响降到最低。

2. 损失的避免

第一步是尽力排除因为合同中断给双方当事人造成的任何净损失。如果有可能实际恢复原状,就会为避免损失提供一个好方法。就一方当事人转让给对方的某样东西而言,将转让的东西予以返还,可以消除转让方的损失,使受让方恢复到缔约之前的那种既无收益也无损失的状态。实际恢复原状也会避免价值难以量化的问题。因此,对于已经支付部分合同价款的买方,应当向其退还付出的价款,而对于土地的卖方,则应向其返还土地。

如果不可能实际恢复原状,或者实际恢复原状完成后,一方当事人仍然存在净损失,那么给付一笔"避免损失金"就可能是合适的。要判断这种给付是否恰当,法院就必须首先计算实际恢复原状后每方当事人的净收益或者净损失。

在计算一方当事人的净收益或者净损失时,应当考虑所有合理的"非履行的实际成本"以及合理的"履行的实际成本",也即因为部分履行或者准备履行(准备的费用以履行的必需程度为限,并且不是用于其他计划)而发生的,或者虽与履行无关但却因信赖合同而发生的所有合理的[51]实际成本。不过，以"机会成本"的形式发生的信赖成本应当忽略不计。在判决被告可以免予支付期待性损害赔偿的责任时，法院就已经判决不保护以机会成本的形式发生的信赖。[52]（期待性损害赔偿的作用是补偿所有的信赖，包括机会成本，而驳回期待性损害赔偿可以被看作是判决不赔偿任何一方当事人的机会成本。）

当事人的净收益或者净损失的计算，包括利益和损失的评估。就卖方来说，其获得的任何收益可能都是买方支付的金钱；这种给付可以通过实际恢复原状的方式予以返还，因而不用考虑。然而，买方可能已经从卖方的部分履行中得到无法返还的利益。这种利益只有到了对买方来说确实是一种经济利益的程度时（而非已被毁损的临时利益），才应当被考虑。确定该经济利益可能并不容易。最好（虽然不完美）的方法是将该利益看作买方手中具有市场价值的财产。如果买方收到的是建了一半的建筑物，且具有市场价值，那么就可以以该价值为准。如果该建筑物在没有完工时不具有市场价值，那么法院就可以将建筑物完工后的市场价值减去买方将建筑物建好时所需的费用，以此来确定其价值。如果买方得到的服务虽然没有显著增加其任何资产的经济价值，但却带来了买方想要的某种利益（例如快乐或者教育），那么法院可以以市场上类似服

---

[51] 对当事人因不合理的花费而造成的损失不应当提供救济。司法回应原则9表明，当事人应当承担因自己的过错而造成的损失。如果作为被告的卖方因部分履行而合理地花费了6000美元的费用，但是也不合理地造成了一笔对于履行而言并无必要的2000美元的费用，即并非履行真正必要的费用，那么在计算其净损失时，只有这6000美元的费用才应当被考虑进去。发生在继起事件——因此事由而发生免责——之后的部分履行成本，并不必然是不合理的；该成本可能因善意的努力继续履行而合理发生，除非履行明显变得难以承担。

[52] See Philip D. Weiss, Comment, Apportioning Loss After Discharge of a Burdensome Contract: A Statutory Solution, 69 YALE L. J. 1054, 1059 (1960).

务的通常成本来评估。这容易导致价值被低估——大部分服务给原告带来的效用超过了其给付的价格——然而真正的效用难以推测，因此借助于某种相对客观的确定方法，例如市场价值，看起来似乎更为可取。

法院一旦计算出每方当事人的净收益或者净损失，就可以决定是否以及在何种程度上可以通过避免损失金的方式来预防损失。如果一方当事人遭受净损失，而另一方获得净收益，那么让获得净收益的一方付给遭受净损失的一方一笔金钱（"避免损失金"）就可以避免损失，这笔金钱等于她自己的净收益或者对方的净损失之间的较低者。这种方法消除了或者至少减少了一方当事人的净损失，而没有给对方当事人造成净损失。

假设原告与被告签订了一个为被告建设化工厂的合同，合同价款是 100 万美元。原告部分地履行了其义务，花费的合理且必要的准备成本和履行成本为 200000 美元。被告支付给原告 100000 美元的合同价款。不料，一家政府机构禁止被告在正在建厂的地区开设化工厂。被告要求原告停止工作，原告则起诉被告违约。法院以合同目的落空为由判决被告免责。同时法院发现，可以将建了一半的工厂大楼建成为（花费被告 300000 美元）一个具有 500000 美元的公平市场价值的仓库，而被告出于对合同的合理信赖，花了 80000 美元从第三方购买了某种污染控制设备，被告无法将该设备用于别处或者予以转售。

被告有权就其 100000 美元的付款要求实际恢复原状。这会使原告承受 200000 美元的净损失（零收入减去 200000 美元的履行的实际成本），并让被告获得 120000 美元的净利润（仓库的价值以 200000 美元计算，即 500000 美元的潜在市场价值减去被告完工需要花费的 300000 美元的成本，从这 200000 美元的利润中还必须减去 80000 美元的非履行的实际成本。）损失避免要求被告支付给原告 120000 美元，即原告的净损失与被告的净收益之间的较低者。这一给付在其可能的限度内降低了原告的净损失，而没有给被告带来净损失。（在被告获得净收益的限度内，它类似于补偿基金，使被告以全额赔偿的方式减轻原告的净损失，直到损失偿清或者基金用完。）[53]

3. 损失的分担

我提出的将损失最小化的最后一步程序是"损失的分担"，也即将无法通过损失避免的方式予以消除的净损失进行平均分配。如果避免损失金仍然会让一方当事人遭受净损失，那么该损失就应由双方当事人平均分担。在上文假设的情形中，被告付给原告 120000 美元的避免损失金后，原告仍然有 80000 美元的净损失。这笔净损失应当以被告付给原告 40000 美元的方式，在双方当事人之间平均分配。所以原告应付给被告 100000 美元以实际恢复原状，被告应付给原告 120000 美元的避免损失金，此外，被告还应付给原告损失分担金 40000 美元。这些衡平法上的权利的最终效果是，法院应当判决被告支付给原告 60000 美元。

如果当法院按照实际恢复原状的方法计算每方当事人的净收益或者净损失时，发现一方当事人有净损失，而另一方也有净损失（或者既无净收益，也无净损失），那就不能适用避免损失金了，

---

[53] 这看起来有点像恢复原状，但是在很多方面又与恢复原状不同。为规避损失而进行的转让，不是按照典型的恢复原状的计算方法，比如合同比例或者提供的服务的市场价值来计算的，这些都不是确定部分履行损失的好方法。规避损失的转让在某种程度上系基于部分履行者的实际成本，该成本构成了他的净损失。此外，与恢复原状不同，规避损失的转让考虑了各方当事人非履行的实际成本，此类成本不包括向对方当事人做出的任何转让（有益的或者其他的）。因此，为规避损失而发生的转让，并非严格意义上的恢复原状，也不仅仅是根据司法回应原则 11 所作的对非自愿转让的矫正。

法院应直接作出分担损失的判决。例如，如果法院发现，判决实际恢复原状、要求原告付给被告100000美元后，原告将承受200000美元的净损失，被告将承受100000美元（而非在上述假设情形中所设想的120000美元的净收益）的净损失，那么被告就应当分担原告的净损失200000美元的一半，而原告应当分担被告的净损失100000美元的一半。因此，原告有权从被告那里获得50000美元的损失分担金。由于原告应当付给被告100000美元以实际恢复原状，而被告应付给原告50000美元作为损失分担金，因此法院应当判决被告付给原告50000美元。

分担损失的理论基础是司法回应原则10，该原则规定意外损失应当在双方当事人之间平均分配，除非一方当事人已经同意由自己承担发生损失的风险。只有在发生无法预见的情形，且双方当事人都没有同意自担风险时，才适用因情势变更而发生的免责事由。因此，原则10中的"除非"条款通常没有适用的余地。

4. 反驳意见

对我提出的方法的一个可能反驳是：因任何实际恢复原状而发生的全部净损失应当平均分担，让获得净收益的一方当事人以支付避免损失金的全额赔偿方式而非支付损失分担金的平均分担方式来减少对方当事人的净损失，是不恰当的。然而，我认为当可以用一方当事人的净收益来降低对方当事人的净损失时，仍保护其净收益是毫无道理的。法院已经判决双方当事人的期待利益不受保护，因此，没收获利一方当事人的净收益，来避免对方当事人的损失，是不存在理论上的障碍的——即使该收益在被没收的当事人的期待中。法院的主要目标应当是避免净损失，因为这有悖于互惠互利的缔约目的。当被告因为情势变更而被免责时，法院应该将司法回应原则 10 解释为要求平均分担无法消除的意外的净损失。

对我提出的方法的另一个可能反驳是：并未违反允诺的原告，不应当向违背自己允诺的被告支付避免损失金或者损失分担金。让被告承受自己的净损失，可以看作是他为了被免除期待性损害赔偿责任而应当支付的公平对价。作为回应，我要指出的是，被告违反承诺的行为已经被免责，而我们现在假定双方当事人均无过错，即双方当事人都是无辜的。一方当事人是原告还是被告很偶然；这取决于哪方当事人的履行行为被意外地阻止，由此给对方造成很大麻烦或者对对方已无价值。双方当事人遭受信赖损失的程度也很偶然；起作用的是各方的履行何时到期（或者不履行的信赖何时应谨慎）以及在情势变更之前过去了多长时间。"如果置发生的信赖损失于不顾，那么谁遭受了损失以及遭受了多少损失，与合同无法得到履行这一事实同属于意外的不幸"。[54] 只要有可能，法院就应当尽量避免无辜的、意外的损失，当损失无法消除时，则将其在双方当事人之间平均分配，而不管它是原告的损失还是被告的损失。

---

[54] Philip D. Weiss, Comment, Apportioning Loss After Discharge of a Burdensome Contract: A Statutory Solution, 69 YALE L. J. 1054, 1060 (1960).

第六章

合意：要约与承诺

在违约之诉中，被告可能辩解说他从来没有同意诉争的合同，也即在有约束力的合同成立之前，他就退出了谈判过程。这里，法院要考虑的不是已经谈成的交易的本质（在第四章探讨的问题），而是谈判过程。在接下来的讨论中，我们将忽略诉争的合同条款是否完整确定到足以产生法律执行力的问题，而是将着眼点放在当事人是否就这些条款达成一致的问题上。讨论将限于经济交换型合同的成立上，从各方当事人都向对方作出一个或者数个允诺的意义上说，这种合同是"双边的"。

一、要约与承诺的传统规则

传统的合同法通过"要约"和"承诺"的概念来解决这一问题。只有在一方当事人做出要约且被对方当事人接受时，谈判才能导致合意的达成和有约束力的合同的订立。

有关要约的传统定义虽然很大程度上依赖于要约是否已经发出，但却并不十分明确。概要而言，要约是意在表达对特定交易条款的确定许诺的意思表示，是只需对方当事人的同意而无须发出方更进一步同意的许诺。[1] 只有在受要约人接收到要约后，才能作出承诺。[2]

"承诺"是向要约人发出的，意在表达受要约人对要约的所有条款无条件予以接受的意思表示。[3] 受要约人一方的单纯沉默不是承诺，除非受要约人在有合理的机会拒绝接受要约时，仍对要约人提供的财产行使所有权，或者享受提供的服务，或者要约人有理由相信受要约人的沉默就是承诺。[4] 如果要约人明确说明什么将被认为是承诺（比如，以装在蓝色信封中的挂号信方式回复），回复就必须与指定的内容相一致，以使其作为承诺而生效。[5] 只要邮寄是一种可接受的承诺方式，而且承诺以合理的方式邮寄，那么除非要约另有规定，邮寄的承诺在受要约人投邮时即告生效（成立合同）。[6] 即使受要约人后来发信拒绝接受要约（或者撤销承

---

[1] See Lonergan v. Scolnick, 276 P. ed 8, 10 (Cal. Ct. App. 1954); RESTATEMENT (FIRST) OF CONTRACTS §§24, 25 (1932); RESTATEMENT (SECOND) OF CONTRACTS §24 (1981); E. ALLAN FARNSWORTH, CONTRACTS §§3. 3, 3. 10 (3d ed. 1998).

所谓"意在表达"，是指"可以被接收者合理地理解为表示"。贯穿整个传统规则和定义的是一种客观的方法；重要的不是口头或者书面表述人的真实意思，而是接收人如何才能合理地理解意思表达。

[2] See E. ALLAN FARNSWORTH, CONTRACTS §3. 10, at 134 (3d ed. 1998).
[3] See id. §3. 13.
[4] See id. §3. 14.
[5] See id. §3. 13, at 147.
[6] See Morrison v. Thoelke, 155 So. 2d 889, 891, 905 (Fla. Dist. Ct. App. 1963); RESTATEMENT (SECOND) OF CONTRACTS §63 (a) (1981); E. ALLAN FARNSWORTH, CONTRACTS §3. 22 (3d ed. 1998).

根据《合同法重述（第二版）》，如果受要约人面对的是选择权合同，那么其承诺只有在要约人收到时才生效。RESTATEMENT (SECOND) OF CONTRACTS §63 (b) (1981)。

诺),且其通知先于承诺到达要约人,[7] 或者即使载有承诺的信件丢失,从未到达要约人,[8] 邮寄的承诺仍在投邮时生效。

要使承诺生效,受要约人必须在其仍然有权接受要约时作出承诺。下列任何一种情形一旦发生,承诺的权利都将终止:

1. 要约因期限已过而失效;
2. 要约人撤销要约;
3. 受要约人拒绝接受要约;或者
4. 要约人或者受要约人死亡或者丧失民事行为能力。[9]

要约于要约中声明的时间到来时"失效";如果要约中没有载明失效时间,则在一定的合理期限之后失效。[10] 如果在受要约人打电话作出承诺前一分钟要约失效,那么承诺就不能生效,因为受要约人已经失去承诺的权利,因而合同未成立。

要约人允诺不会"撤销"(撤回)要约,如果该允诺具有对价,那么可按"选择权合同"强制执行。[11] 当不存在选择权合同时,要约人可以在受要约人作出承诺前的任何时候撤销要约(即使他允诺不撤销)。[12] 撤销在受要约人收到通知时生效。[13] 撤销无须要约人直接告知受要约人;当要约人采取与意图订立的合同相矛盾的确定行为(例如,将要约的货物卖给第三方),且受要约人

---

[7] See Morrison v. Thoelke, 155 So. 2d 889, 905 (Fla. Dist. Ct. App. 1963); RESTATEMENT (SECOND) OF CONTRACTS §63 cmt. c (1981); E. ALLAN FARNSWORTH, CONTRACTS §3. 22, at 178 (3d ed. 1998).

[8] See RESTATEMENT (SECOND) OF CONTRACTS §63 (a) (1981); E. ALLAN FARNSWORTH, CONTRACTS §3. 22, at 179 (3d ed. 1998).

[9] See RESTATEMENT (SECOND) OF CONTRACTS §36 (1) (1981).

[10] See id. §41 (1); E. ALLAN FARNSWORTH, CONTRACTS §3. 19, at162, 163 (3d ed. 1998).

[11] See E. ALLAN FARNSWORTH, CONTRACTS §3. 23 (3d ed. 1998).

[12] See id. §§3. 17, 3. 23.

[13] See id. §3. 17, at 159, §3. 22, at 178.

获知与此有关的可靠消息时,即发生"间接撤销"。[14]

"拒绝"是受要约人向要约人发出的意在表示受要约人决定拒绝接受要约、不订立拟定的合同的意思表示。[15] 承诺的条款与要约中包含的条款有任何形式的不同的所谓承诺都不是承诺,而是"反要约"(原受要约人向原要约人发出的要约),是对原要约人的要约的拒绝。[16] 拒绝的通知在要约人收到时生效。[17] 因此,如果受要约人以邮寄方式拒绝接受要约,之后改变主意又以邮寄方式承诺,而且拒绝的通知是在承诺投邮后到达,那么承诺在投邮时生效的规则与拒绝的通知在到达时生效的规则相结合,就会得出合同成立的结论。然而,对拒绝的通知虽是在承诺投邮后到达,但却是在承诺投邮之前发出,且在要约人收到承诺之前到达的情形,《合同法重述(第二版)》规定了例外;此时"承诺"只是反要约,只有要约人同意接受该承诺,合同才能达成。[18]

受要约人在要约人均未收到前,既发出了承诺、又拒绝了要约的情形,在《合同法重述(第二版)》规则的调整下所产生的结果,[19] 如矩阵1所示。

---

[14] See Berryman v. Kmoch, 559 P. 2d 790, 795 (Kan. 1977); Normile v. Miller, 326 S. E. 2d 11, 18 (N. C. 1985); RESTATEMENT (SECOND) OF CONTRACTS §43 (1981).

[15] See RESTATEMENT (SECOND) OF CONTRACTS §38 (2) (1981); E. ALLAN FARNSWORTH, CONTRACTS §3. 20 (3d ed. 1998).

[16] See Normile v. Miller, 326S. E. 2d 11, 15 (N. C. 1985); RESTATEMENT (SECOND) OF CONTRACTS § §39, 59 (1981); E. ALLAN FARNSWORTH, CONTRACTS §3. 21, at166 – 67 (3d ed. 1998).

[17] See RESTATEMENT (SECOND) OF CONTRACTS §40 (1981).

[18] See id.

[19] 如果受要约人发出的承诺在其发出拒绝要约的通知前到达,则合同当然成立。如果受要约人发出的拒绝通知在其发出承诺前到达,则合同当然不成立。

矩阵 1
《合同法重述（第二版）》有关承诺和拒绝要约的规则

	要约人先收到承诺	要约人先收到拒绝
受要约人先发出承诺，后发出拒绝	成立合同（§63(a)）	成立合同（§63(a)以及评论c）
受要约人先发出拒绝，后发出承诺	成立合同（§40）	"承诺"只是反要约（§40）

虽然有关要约和承诺的传统规则仍得到广泛适用，然而这些规则存在很多缺陷。在合同成立的许多情形，要约与承诺的模式与现实并不相符。该模式假设，我们可以将某个个别提议看作要约，这样一方就是要约人，而另一方就是受要约人。在非承诺性谈判导致双方当事人最终以大体上同时进行的方式签订一个书面合同的情况下，该假设就不适用。[20] 显然，在这些情形下，不需要确定要约人和受要约人；合意很明确。[21] 然而在存在着口头协议且没有哪方当事人可以明确地被确定为要约人——对特定的交易先表示出明确许诺的一方当事人——的场合，合意就不是很明显。即使在诉称的合同是通过书面通信而达成的情形，经常也很难或者不可能确定作为要约的信件和作为承诺的信件；大部分这类信件都会就合同条款作出提议，但是我们可能无法确定第一封表示确定许诺的信。然而，根据传统的规则，一封信被看作是单纯的要约邀请还是要约或者承诺，就很关键。对单纯的要约邀请的答复不能成立合同。一个

---

〔20〕 See E. ALLAN FARNSWORTH, CONTRACTS §3.5 (3d ed. 1998).
〔21〕 See id. at 116; JOHN E. MYRRAY, JR., MURRAY ON CONTRACTS §33, at 67 (3d ed. 1990).

有效的要约可以被撤销,但是一个有效的承诺却不可以。在传统的规则下,成功地订立一个合同很像成功地跳一曲经典的小步舞曲;一个人必须明确自己的角色,按正确的节拍走正确的舞步。然而差别在于,我们经常不能确定在合同游戏中的舞步是否是正确的舞步,因为我们甚至不能确定某个特定的当事人扮演的是要约人的角色还是受要约人的角色。

传统的合同规则中也存在某些舞步明显正确或者明显错误的情形,但是这些规则却与一般人的理解不符。比如,在同一次面对面或者电话交谈中,既出现承诺又发生撤销,如果要约人在受要约人承诺前撤销要约则合同不成立,但是如果受要约人在要约人撤销前承诺,则合同成立。为什么何者在先会那么重要?不管哪种情形,要约人不想订立合同这一点对受要约人来说都很清楚,且受要约人也没有机会合理地信赖她的承诺会导致合同的订立;受要约人只能到对话结束时才能产生信赖,而到那时她已经知道要约人并不想做这一笔买卖。

如果受要约人刚刚以邮件方式作出承诺后,又马上收到了邮寄来的撤销要约的通知,且其还未信赖要约或者还未相信自己的承诺已达成合同,此时,传统的规则似乎也不合适。按照传统的规则,合同已成立,因为承诺在投邮时生效,而撤销只有在到达时方生效。因为合同已经成立,故在要约人不履行时,受要约人有权要求赔偿全部期待,即使她没有因为合理的期待而丧失任何东西。这种结果有悖于一般人的理解,也伤害了我们的正义感。

如果受要约人以邮件方式作出承诺,尔后又改变主意作出拒绝,且要约人在收到承诺之前收到了拒绝的通知,此时会出现类似的情况。根据传统的规则,受要约人将承诺投邮时,有约束力的合同即告成立。然而,一般人的理解与此见解不同。受要约人不想做这一笔买卖，而要约人也知道这一点（假定他知道拒绝后于承诺发出）。要约人不大可能合理地信赖合同已经达成（在他收到受要约人的承诺时，他已经收到了受要约人随后发出的拒绝）。更有可能的是，要约人已经信赖了拒绝，例如与某个第三人订立了合同。[22]

这些只是传统的要约、承诺规则不太适当的情形中的几种。常见的是，这些规则要么必须被严格而不公正地适用，要么为了正义被扭曲适用。这些规则应当由适用起来既公正又合理的法律指令来代替。

二、《统一商法典》对合同成立的规定

《统一商法典》（UCC）进行了一些改革。§2-204（1）规定，合同成立的方式可以是任何足以证明合意的形式，包括双方当

---

[22]《合同法重述（第二版）》规定，如果要约人可以证明对拒绝通知的信赖，则受要约人应当被禁反言，不能执行合同。See RESTATEMENT (SECOND) OF CONTRACTS §63 cmt. c, illus. 7 (1981). 但是这种方法在要约人要求执行合同时，无法帮助受要约人。

受要约人将承诺投邮时合同成立，受要约人此后不可能作出有效的拒绝，这一一般规则常常基于这样的理由，即在受要约人作出承诺的信件到达受要约人所需要的时间内，它可以防止受要约人以损害要约人的利益为代价做投机买卖。See id. at cmt. c; E. ALLAN FARNSWORTH, CONTRACTS §3. 22, at 178 (3d ed. 1998). 例如，假设受要约人是市场中的卖方，而市场价格波动很快，如果法律允许她以效力更高的拒绝通知来否定先前以邮件发送的承诺，那么她就可以以邮件的方式接受要约，然后花几日观察市场价格；如果市场价格涨到高于要约的价格，就打电话做出有效的拒绝，如果市场价格跌到低于要约的价格，就什么也不做。对该规则的这一抗辩没有说服力，因为受要约人一旦以邮件方式做出承诺后就不能再拒绝的规则，只有在受要约人有投机可能时才合理。See Ian R. Macneil, Time of Acceptance: Too Many Problems for a Single Rule, 112 U. PA. L. REV. 947, 960-62 (1964). 通常，只有在波动较快的市场中，受要约人的投机行为才能成为危险因素。但是在波动较快的市场中，要约人很可能会为其要约设定一个非常早的届满期，或者要求承诺采用某种即时通讯手段，以此来阻止受要约人投机。在这个交流便捷的时代，受要约人投机很可能成为一种构想。

事人承认合同存在的行为。[23] 而§2-204（2）规定，即使合同的成立时间无法确定，合同也可以通过调查来查明。[24] 这些规定似乎省却了传统的有关要约和承诺的技术规则，而代之以一种判断标准，也即看当事人之间是否有明示的协议或者像合同成立那样来行动。

141　　非但如此，UCC§2-205，§2-206以及§2-207明确提到要约和承诺。上述每一条都否定了一项传统规则。§2-205要求，尽管缺乏对价，仍可强制执行某些不撤销要约的允诺。[25] §2-206规定，除非要约的用语或者情境明确表明另有所指，接受要约的方式可以是回复允诺、履行或者开始履行等任何在当时情形下合理的方式。[26] §2-207抛弃了除非对要约的回复接受了要约的全部条款、因而是要约的"镜像"时方构成承诺的传统规则。[27] UCC的这些规定以新的规则代替了传统的规则，尽管传统的规则可以使法院对合同的裁定更容易——在需要法院进行裁决时。虽然UCC对传统的要约与承诺规则有些摇摆不定，没有完全将之替代，但是UCC似乎将这些规则仅看作是为查明合意而提供的一种（虽然不是惟一的）方法。[28] 我们需要对传统规则进行更彻底的抛弃。

三、提出的方法

合意的问题通常会在以下情形发生：一方当事人在对方许诺前

---

[23] U. C. C. §2-204（1）（1995）.
[24] Id. §2-204（2）. 评论显示，该规定主要针对交互通信无法揭示交易达成的准确时间的情形。Id. §2-204 cmt.
[25] See id. §2-205 and cmt. 1.
[26] See id. §2-206（抛弃了传统的关于要约的合同是单务还是双务的假设，本书对此没有讨论）.
[27] See id. §2-207（1）.
[28] See id. §1-103.

做出了许诺。[29] 其中一方又撤回了自己的许诺，而且双方都没有实施一个为对方当事人接受的或者因为与合同不符而被拒绝的履行行为（在上述接受或者拒绝后实施履行行为，表明以行为方式成立了合同，因而合意很容易查明）。虽然一方当事人先于对方作出许诺的交易可能只占所有合同交易的一小部分，但它们确实产生了一些难题。现在我就针对这些交易提出一种法律方法（恰恰是与传统的要约、承诺规则看起来最相关的交易）。我提出的方法以允诺的目的、公共道德原则和司法回应原则为基础，并限于双务经济交换型合同。

任何经济交换型合同的主要目的都是促成互惠互利的交易。[30] 如果一个人因为相信交易不会给自己带来利益而不想履行，这就是我们认为他可以撤销许诺而不必负责任的一个原因。另一方面，公共道德原则1规定，一个人应当遵守自己的允诺。如果一方当事人许诺了一项交易，那他就作出了一个允诺。司法回应原则7规定，法院应当保护对允诺的合理信赖，要求违背允诺者赔偿受约人的有害信赖。司法回应原则4（只有在违反义务的行为造成损害时，才运用法律制裁来强制执行道德义务）与司法回应原则8（不要让违约方承担的责任超过补偿其造成的信赖损失所必要的限度）似乎排除了比这更严格的责任。在合同成立的过程中，公共道德原则4（关注对方当事人的利益）和原则6（在采取可能损害对方当事人利益的行动之前先进行沟通）经常能发挥作用。如果某个当事人违反了上述原则之一，那么按照司法回应原则9（意外损失应当按

---

[29] 如果双方当事人看来都没有做出承诺，就不可能产生合意的问题。而如果当事人明显（对同一交易）同时做出承诺，合意的问题似乎也不会发生。这或许可以解释为什么传统的合意规则以"要约"和"承诺"这样的词汇表述。

[30] See supra text at pp. 3–4.

照比较过错进行分配)来分配损失可能比较恰当。

根据前述目的和原则,一方当事人应当可以撤销其许诺而不承担法律责任——如果对方当事人还没有信赖其作出的允诺性许诺的话。但是如果对方当事人已经信赖该许诺,则应当判令撤销许诺并拒绝履行的当事人赔偿对方当事人合理的有害信赖。如果对方当事人可以证明其因信赖该许诺而遭受了履行的实际成本或者非履行的实际成本,[31] 那么她应当就这些成本获得赔偿(以这些成本超过信赖利益为限)。如果对方当事人的信赖产生了机会成本,[32] 她也应当就此获得赔偿。如果可以合理地假设,她遭受了无法证明的机会成本,则此时应当提供第五章所提出的期待性损害赔偿救济。

合同是否成立以及何时成立的问题不是很重要,重要的是当事人信赖的许诺被撤销后,什么救济方式是适当的。要回答该问题,需要判断我们能合理假设发生信赖的当事人开始遭受无法证明的机会损失的时间点。如果该时间点早于对方当事人撤销其许诺,则发生信赖的当事人有权要求期待性救济。否则,他有权要求赔偿的只能是从已经证明的合理信赖成本中产生的有害信赖。[33]

如果甲已经许诺某项经济交换,我们通常可以假设,一旦乙也许诺该交易,乙就开始发生合理的、无法证明的市场机会成本。只要乙发通知告诉甲,她许诺该交易,那么她就可能会通知其他正在谈判的贸易伙伴,她将不会与他们做交易。(实际上,公共道德原则 6 似乎给乙施加了该义务,要求其尽快通知这些人)如果乙这

---

[31] See supra text at p. 8.
[32] See supra text at p. 8.
[33] 不应当强迫法院在全部期待性救济和根本不予救济之间进行选择。(司法回应原则 5 告诫法院,不要假设救济必定是要么全有或者要么全无式的。)传统规则的一个缺点是,它要求法院采用两分法:要么判决合同成立,给予期待性救济;要么判决合同不成立,没有任何救济。

样做了，她就放弃了其他选择机会，因而招致了机会成本。在放弃的这些机会中，有些可能与甲提供的机会大致相同，或者相差不大，但是只要其他的贸易伙伴没有向乙作出确定的许诺，那么乙就无法证明这一点。于此情形，乙将享有要求期待性救济的权利。不管乙是否放弃了与其他人正在谈判的机会，一旦她许诺了甲，她大概就会停止在市场上寻找选择机会。她很可能无法证明她因此而忽略的机会，基于此，她应当获得期待性救济。当然，关于一旦乙许诺了甲，就开始放弃无法证明的选择机会的推定，也不是决定性的。（想想司法回应原则2）当时的情境可能会表明其他的可能。

然而，我们大致可以假设，如果甲先作出许诺，那么，一旦乙也作出许诺，她就开始发生无法证明的机会成本；如果此后甲撤销了他的许诺，那么乙有权要求期待性救济，但是如果甲在乙许诺之前撤销，则乙有权获赔的只是甲撤销之前发生的已经证明的信赖成本（在甲撤销之后发生的信赖显然是不合理的）。为了判断是甲的撤销在先，还是乙的许诺在先，乙的许诺应当被认为是在乙发出时生效，因为这是乙可能开始放弃选择机会的时刻。[34] 另一方面，甲的撤销应当被认为是在乙收到时生效，因为乙可能在那之前合理信赖了甲的许诺，因而可能也是在那之前，合理地放弃了其他的选择机会。[35]

我们已经假设，先作出许诺的当事人就是后来决定不想做交

---

[34] 为了赋予乙要求期待性损害赔偿的权利，当且仅当乙的承诺通知表明（在审判时的事实调查者看来）乙意在承诺时，才应当认为该通知有效（否则，我们不能假定乙开始放弃选择机会）。换句话说，在解释乙给甲的通知时，应当采用主观的方法。甲是否可以将乙的通知合理解释为承诺并不是很关键。即使甲将乙的通知合理地解释为决非承诺，如果他之后撤销了自己的承诺，他仍然应当对乙的信赖成本负责，而这一责任是否涉及期待性救济，就取决于乙的所作所为。

[35] 只有在一个理性的人站在乙的立场上将甲的撤销通知解释为撤销时，该通知方生效（否则，乙发生更进一步的信赖就是正当的）。此时，客观的解释方法要恰当些。

易、因而撤销其许诺的当事人。但是也存在甲向乙许诺，然后乙又向甲许诺，接着乙又撤销其许诺并拒绝履行交易的情况。如果甲起诉乙违约，则法院应当保护甲对乙的允诺性许诺的信赖，判决给甲损害赔偿，赔偿其在收到乙的许诺之后、撤销之前而发生的合理信赖成本。通常，我们可以假设，一旦甲收到乙的许诺，他就开始放弃无法证明的选择机会，因而，只要甲在收到乙的撤销之前先收到了乙的许诺，甲就有权要求期待性救济。[36] 要注意的是，为了确定甲的救济，乙的许诺和乙的撤销应当分别被认为是在甲收到时生效，而非自乙发出时生效。（除非甲收到乙的许诺，否则他不可能发生合理的信赖，而且除非其收到乙的撤销，否则甲一直都可以进行合理的信赖。）[37]

现在让我们来看看，适用我提出的方法，如何解决一方当事人可以明确被确定为先作出许诺的一方时所产生的某些问题。（我不是在为其他类型的案件提出解决方案。）为了方便，我将借用传统规则的称呼，将第一个许诺称为"要约"，将作出第一个许诺的人称作"要约人"。许诺无须全部包含于某个单独的信息交换中；它可以逐步出现在一系列的信息交换和行为中。我们将把"受要约人"回答的允诺性许诺（如果存在的话）称作"承诺"，而且，我们也会使用其他的传统词汇，比如"撤销"、"拒绝"以及"期限届满"。

---

[36] 在特殊的案件中，如果有证据证明，甲并没有因信赖乙的承诺而放弃无法证明的选择机会，那么甲有权要求赔偿的就只能是已经证明的（任何类型的）有害的合理信赖。

[37] 而且，既然审查的焦点是甲的合理信赖，法院就应当采用客观的方法来解释乙向甲作出的承诺（如果甲可以合理地将乙的通知解释为承诺，则乙的通知就作为承诺而生效；如果甲可以合理地将乙的通知解释为撤销，那么乙的通知就作为撤销而生效）。

四、撤销问题

当一方当事人发出要约时,他就作出了一个允诺性许诺,即如果受要约人同意该要约并履行其在交易中的义务,他就会履行这笔交易。这似乎意味着,在受要约人考虑要约时,要约人默示地允诺不撤销自己的要约。[38] 如果要约人撤销了自己的要约,因而违反了这一默示的允诺,那么他就违反了公共道德原则1。[39] 如果受要约人没有因为要约人违反允诺而受损害,她就不能获得救济(司法回应原则4)。但是如果她因合理信赖该要约而遭受了损失,她就应当获得损害赔偿(司法回应原则7)。

如果受要约人在收到要约人的撤销前,向要约人发出作为承诺的许诺,那么通常我们应假定,受要约人发生了无法证明的机会成本,因而在要约人履行不能时,有权要求期待性救济。在这种情况下,我提出的方法与传统的合同法是一致的,传统的合同法认为此时合同已经成立,应以期待性损害赔偿的方式予以执行。

如果受要约人在发出自己的承诺前,收到了要约人的撤销通知,那么受要约人有权获得的赔偿只能是,在收到撤销通知前对要

---

[38] 假如甲对乙说,"只要你同意我提出的条款,我一定会与你做这笔交易。好好想想,然后告诉我你的决定。哎,顺便说一句,在你接受我的要约前的任何时间,我都可能撤销我的许诺。"我认为,甲并没有发出要约,因为他并没有真正做出许诺。保留撤销的权利即是对确定许诺的否定。要想认定一个要约,我们必须推定要约人起码隐含了不去撤销的允诺。既然一个要约是一项许诺,可撤销的要约的概念——当事人这样理解——就是不合逻辑的。

[39] 即使我们不愿认定存在着一个不去撤销的默示允诺,如果受要约人同意要约人进行交易的允诺,并履行了交易中自己一方的义务,那么做出撤销的要约人就是在否认自己的允诺;他是在宣布,即使受要约人同意他的允诺且履行了她的义务,他仍然不会从事此项交易。

约产生的已经证明的合理的有害信赖,[40] 作出撤销的要约人不承担更进一步的合同义务。在这里,我提出的方法与传统的合同法有所不同,传统的合同法没有给受要约人提供救济。我提出的方法同样与在 Drennan v. Star Paving Co.[41] 一案和《合同法重述(第二版)》§87(2)[42] 中提出的创新方法有所不同,后者认为,只要受要约人对要约产生了合理的、可预见的有害信赖,该要约就不可撤销(因此,如果受要约人接受了要约并且要约人因不履行而违约时,受要约人有权要求全部期待性损害赔偿)。根据我提出的方法,作出撤销的要约人不必完成交易,也不必承担期待性救济的责任,只需赔偿受要约人已经证明的信赖成本。

也许有人会主张,如果受要约人在作出承诺前收到撤销通知,那么她就不应当获得信赖成本的赔偿,因为只有受要约人作出承诺,因而可以合理相信最终的协议已经达成时,她才能合理地信赖要约(而一旦其收到撤销通知,随后的任何信赖显然都是不合理的)。当然,这得取决于当时的情境,但在有些情形下,受要约人也会在作出承诺前对要约产生合理的信赖。对受要约人来说,其向要约人作出许诺可能并不重要——除非她已经做了某些预备措施,包括向第三人许诺或者许诺提供资源。(比如总承包商在接受分包商的要约前,必须投标总承包合同并中标。)如果这种合理信赖引

---

[40] 应赔偿的信赖成本应包括履行的实际成本、非履行的实际成本、机会成本以及任何已经证明的因信赖要约人而合理发生的成本。如果受要约人的信赖也为其带来了利益,则应将它用来抵销她的成本,她仅应就其可能存在的净损失(她的有害信赖)获得赔偿。

如果受要约人在收到要约人的撤销前做出了承诺,但是情况表明在这期间内受要约人没有放弃无法证明的选择机会(比如,在同一对话中,承诺和撤销同时出现),则受要约人获得的救济应当与上面相同。

[41] 333 P. 2d 757 (Cal. 1958).

[42] RESTATEMENT (SECOND) OF CONTRACTS §87 (2) (1981).

发了成本、并因要约人的撤销造成了损害，那么受要约人应当获得其信赖损失的赔偿。[43]

然而，我们应当承认，还没有发出承诺通知的受要约人有义务告诉发出撤销通知的要约人，她已经对他刚撤销的要约产生了信赖。如果受要约人没有通知要约人，那么要约人可能基于这样的假设——即他对受要约人不用承担责任——来重新安排自己的事情。他可能更愿意与受要约人做这笔交易，而不愿意赔偿她的信赖损失。公共道德原则4（关注对方当事人的利益）与原则6（在采取可能损害对方当事人利益的行动之前先进行沟通）仿佛给受要约人施加了通知的义务，要求其通知发出撤销通知的要约人，她已经发生了信赖成本。如果受要约人在收到撤销通知后，没有立刻履行这一义务，那么之后对假如她将自己的信赖通知了要约人就可能避免的信赖损失，就不应该获得赔偿。当受要约人初次与要约人沟通时，她无须告诉作出撤销的要约人其全部而准确的信赖度，但是她至少应当告诉他信赖的性质，并回答任何对详细信息的合理询问，以便使要约人可以在知悉信息的基础上作决定，是坚持撤销要约还是同受要约人完成交易。[44]

我们还没有考虑要约人明确承诺不撤销要约的情形。由于我认为任何要约人都默示地作出了不撤销要约的允诺，因而明示允诺似乎意义不大。但是明示允诺有两个方面的特殊意义。首先，它可以使那些可能有点不确定的暗示变得明确。虽然我坚持认为任何要约

---

[43] 如果要约人已经警告受要约人他可能随时撤销要约，那么受要约人在此警告之后发生的任何信赖，可能都是不合理的。

[44] 对受要约人在收到撤销前发出承诺的情形，受要约人无需告诉要约人她的信赖。一旦要约人收到承诺，他就有理由相信，受要约人在收到他的撤销前都会信赖他的要约。（要约人只有在未收到承诺的时候，才可能在听说受要约人产生了信赖时感到吃惊。）如果要约人不清楚受要约人的信赖的本质，那么他应该与受要约人沟通以澄清这一点。

都隐含了不撤销的承诺,但是我承认,经常很难确定一个人是否真地发出了要约——确定的许诺。明示的不撤销承诺排除了上述大部分困难。其次,明示的不撤销承诺对受要约人的任何信赖都是合理的这种可能性也有影响。如果要约人明确允诺在要约发出后的30日内不撤销要约,那么受要约人在这段期间的任何信赖可能都是合理的;受要约人已经确知,她可以推迟到该期限的最后时刻作出承诺,而仍可订立有约束力的合同。但是受要约人在30天的期限过后的任何承诺大概都是不合理的,即使她还没有收到撤销通知。("我承诺在30天内不撤销"似乎暗示,30天后我可能撤销,因而你不应该再指望我了。)[45]

五、期限届满问题

我主张所有要约人都默示地允诺不撤销自己的要约,并非想建议要约人必须给受要约人提供无限的时间以让她作出决定。当然,要约人可能明确指出要约届满的期限。即使原要约人没有明确指出届满的期限,已经花一段合理期间等待回应的要约人,也有正当的理由与受要约人联系并设定承诺的最后期限。只要截止日期是合理的,就应该产生法律效力。

不过,假设要约人没有设定届满期限或者截止日期。根据传统的规则,要约在一段合理的期限之后终止,之后不能通过对其承诺而订立合同。这项规则不太适宜,不仅仅因为经常很难判断一段合

---

[45] 有人会主张,在某种程度上,明示的不撤销允诺还有第三个方面的特殊意义:如果要约人已经明确允诺不撤销要约,那么我们就可以推断受要约人放弃了无法证明的选择机会,因而有权要求期待性救济,即使她在收到撤销前并没有发出承诺通知。这种推断似乎并不可靠。尽管受要约人可能因为要约人明确允诺不撤销要约而放弃了某些选择机会,但是她也可能在向要约人做出承诺之前,仍然保留那些与要约人承诺的机会相当或者差不多的机会。既然放弃这些机会时可以证明期待性救济是正当的,那么受要约人在收到撤销通知前,如果没有做出承诺,则期待性救济似乎就不恰当。

理的期限是否已经过去。公共道德原则6要求,要约人在做出替代性安排并剥夺受要约人订立合同的可能性之前,应当先与受要约人联系。不管多长时间已经过去,这一交流的义务似乎都在起作用。除非受要约人收到设定最后期限的通知,且该期限已经过去,否则她应当可以通过向要约人发出承诺而订立合同。

六、承诺遗失问题

假设要约人没有为承诺设定届满期间或者最后期限。如果受要约人用邮寄的方式发出承诺,正确地填写了地址、粘贴了邮票,但是在邮寄过程中承诺遗失了,不曾到达要约人处,则我们可以推断,受要约人自将承诺发出之时起,就开始放弃了无法证明的选择机会。[46] 如果此时要约人拒绝履行交易,受要约人似乎应当有权要求期待性救济。而且根据传统的合同法规则,也即当承诺正确地发出时合同即告成立的规则,她也可以获得该救济。另一方面,要约人等啊等,却仍然没有收到承诺,他可能就会假定受要约人已经决定不做这笔交易,而且可能会信赖这一假定。然而,公共道德原则6为要约人设定了一项义务,要求在其采取任何可能损害受要约人利益的行动前,与受要约人进行联系。要约人打个电话成本很低,却可能避免一方或者双方当事人重大的损失。除非要约人与受要约人联系,通过受要约人得知其不想做这笔交易(或者通过受要约人的秘书得知,受要约人已经乘船开始了为期6个月的游览,或者诸如此类的情况),否则要约人就不能合理地信赖受要约人已经决定不做这笔交易的假设。因此我认为,如果要约人在履行交易的时间开始前,没有与受要约人联系(或者虽然与受要约人联系

---

〔46〕 这种信赖是合理的,大部分合理投邮的信件都会寄到。

并知道了其承诺，但却拒绝履行交易），那么就没有理由不为受要约人提供期待性救济。[47]

七、受要约人改变主意的问题

受要约人可能向要约人发出承诺后，又改变主意并作出拒绝通知。反之，受要约人也可能在拒绝要约人后，又改变主意并发出承诺。这些情形造成的问题最好通过聚焦于信赖来解决。

如果受要约人先发出承诺后作出拒绝，那她很可能没有履行合同并且主张合同不成立，而要约人则主张合同成立且被违反了。如果要约人先收到承诺，我们通常可以推断，一旦他收到承诺（受要约人对交易的许诺），他开始放弃无法证明的选择机会就是合理的，因而有权获得期待性救济。在这种推断不合理的情形（比如在要约人收到承诺后几分钟又收到拒绝通知时），要约人的赔偿应当限于其收到承诺通知后、撤销通知前发生的已经证明的信赖成本（与传统规则相反的限定）。

如果要约人先收到拒绝通知，那么他信赖之后收到的承诺就不是合理的，因而无权获得任何救济。这种结果要比传统规则下的结果更恰当，传统规则认为当受要约人发出承诺时合同就已成立。

在受要约人先作出拒绝、后发出承诺的情形，受要约人可能主张合同成立，而不履行的要约人则主张合同不成立。如果要约人先收到拒绝通知，他可能相信与受要约人不会达成协议（比如他可能已经与某个第三人订立了合同），这是合理的。虽然这不是对允诺的信赖，但也值得保护。而且还有另外一个甚至更充足的理由来

---

[47] 如果要约人明确规定，除非要约人收到承诺，否则承诺不生效，这将会产生什么后果？这一警告可能会彻底使受要约人在得知其承诺到达要约人前放弃选择机会变得不合理；如果是这样，即便她遗失承诺，也不能获得期待性救济。她是否有权就其他形式的信赖获得赔偿，则是另外一个问题。

主张受要约人无权获得该救济：受要约人并没有信赖之后被要约人违反的任何允诺。根据实践和一般人的理解，我们必须说，一旦要约人收到受要约人对自己要约的拒绝，要约人就从其要约中包含的允诺性许诺中解放出来了，因而没有违反任何允诺，也不用承担责任。[48]

　　如果要约人先收到承诺，那么他信赖之后收到的拒绝就不可能是合理的。情况可能是这样的：要么是受要约人打电话向要约人作出承诺，告诉他不要管之前邮寄的拒绝通知；要么是要约人既收到用邮件发出的承诺，也收到用邮件发出的拒绝通知，并且发现拒绝信件的邮戳早于承诺信件的邮戳（表明受要约人改变了主意，现在又想做这笔交易）。既然要约人不能以自己信赖拒绝来进行辩论（合同不成立），也不能主张当他收到拒绝通知时，他就已经从自己的允诺性许诺中解放出来（他之前已经收到了承诺），那么问题就是，受要约人信赖要约人的许诺是否是合理的。如果受要约人打电话作出承诺，告诉要约人不要管她之前发出的拒绝通知，而要约人没有宣布放弃自己对交易的许诺，那么受要约人开始相信合同已经成立就是合理的。她的信赖很有可能包含了放弃无法证明的选择机会（因为她自己已经作出了许诺），因而，她有权获得期待性救济。然而，如果受要约人用邮寄（或者甚至是用电报）的方式作出承诺，她就无法确信该承诺可以赶上她先前发出的拒绝通知，因而没有正当的理由信赖要约人的持续许诺，除非她与要约人联系，告诉后者她想做这笔交易，而且也被告知要约人仍然许诺做该交

---

[48] 在拒绝的到达先于承诺的发出的情形，我提议的结果与传统规则是一致的，传统的规则认为，受要约人承诺的权力在拒绝到达时终止。在拒绝和承诺均在彼此到达前发出的情形，我提议的结果与传统的合同法（认为对要约人而言，承诺发出时合同成立）相反，而与《合同法重述（第二版）》§40 提出的例外相一致。

易。只要这些事没有发生，受要约人就不应该获得任何救济。在这里，我提出的解决方法与传统合同法以及《合同法重述（第二版）》均不相同，后两者认为，当承诺在拒绝通知到达要约人之前前发出时，合同即告成立，要约人应遵守该合同。（如果要约人先收到承诺，《合同法重述（第二版）》§40 规定的例外就不适用。）

八、法律指令的形式

对合意问题，我建议的解决方法并非要设计为硬性的规则。上述对受要约人改变主意的讨论表明，关于要约和承诺问题的分析可以变得多么复杂。每个问题都包含了很多变数。情况也会因案件的不同而不同，其中所包括的相关因素甚至是我的讨论中没有提到的。因此，法院不能期待通过机械地适用一套 FS 规则来公正地解决这些问题。任何类似的规则适用于特别情形，都容易非常复杂却不够灵敏。更恰当的解决方法是运用合理性标准，以便使法律结果由每方当事人行为的合理性来决定。这些标准应该着眼于信赖的合理性和沟通的义务。甚至可能存在一些最好由"抽象的公平"方法来解决的情形。

法院也不应当认为自己受限于任何概念性的两分法，而被迫在认定合同成立且可以通过期待性救济的方式执行与认定合同不成立且不提供救济之间作出选择。在某些情形下，一方当事人应该获得赔偿，但只是限于合理的且已经证明的有害信赖。在双方当事人看起来都有过错的案件中，因为误会和未能沟通造成的损失可以根据司法回应原则 9 项下的比较过错进行分配。

第七章

控制订约过程：未批露

即使对价和合意的要求获得了满足，法院也可能因为订约过程中的某些瑕疵而拒绝执行合同。如果被告成功地提出未成年、意识能力不足、错误、欺诈、胁迫、不当影响或者显失公平等抗辩，那么她就可以"废止"合同。上述每一个抗辩都着眼于订约过程的某个方面，且该方面会造成被告的同意并非出于完全理解和自愿，因而会造成这种可能性，即合同的履行会有害于被告，并且强制执行合同并不公平。

本章要处理的是控制订约过程中遇到的最难的问题之一：被告何时可以以自己是对方当事人欺诈性未披露的受害者为由而废止合同？未批露是指未能讲出某些事实，有别于虚假陈述（对事实的不实陈述）。被告可以辩称，由于原告未批露某个特定事实，她被诱导订立了一个如果她知道该事实就不会订立的合同。

在某些案件中，作为买方的被告可以基于卖方违反了明示的或者默示的担保（卖方未能披露的事实本身就可以构成对这种担保的违反）为由，进行抗辩或者反诉。在其他案件中，作为消费者的被告可以在消费者保护法中寻求救济，消费者保护法要求对方当事人就某些事实做出披露。然而，在很多案件中，被告惟一的希望是以欺诈性未披露作为抗辩事由。

一、现行法

在美国法院中，通行的普遍规则一直是，合同谈判中的当事人对对方当事人没有积极披露信息的义务，因而未披露不是对方当事人可以主张的一个抗辩事由。[1] "不要期望正在订立合同的当事人将他所知道的一切都告诉对方当事人，即使他知道对方当事人缺乏交易中某些方面的知识"。[2]

然而，法院承认了很多例外。在下列情形中，未披露可能成为废止合同的理由：(1) 未披露的一方采取积极措施隐瞒真相或者阻碍对方当事人进行调查；[3] (2) 未披露的一方仅做了部分披露，且因为不完整（部分事实）而使人误解；[4] (3) 未披露的一方知道，为防止他之前所做的陈述造成误解，有必要做进一步的披露；[5] (4) 未披露的一方与对方当事人之间存在信托关系或者委托与信任关系；[6] (5) 当事人之间议定的是保证合同或者保险合

---

[1] See JOHN D. CALAMARI & JOSEPH M. PERILLO, THE LAW OF CONTRACTS §9-20, at 336 (4th ed. 1998).

[2] RESTATEMENT (SECOND) OF CONTRACTS §161 cmt. a, (1981).

[3] See id. § 160; JOHN D. CALAMARI & JOSEPH M. PERILLO, THE LAW OF CONTRACTS §9-20, at 337 (4th ed. 1998).

[4] See JOHN D. CALAMARI & JOSEPH M. PERILLO, THE LAW OF CONTRACTS §9-20, at 337 (4th ed. 1998).

[5] See RESTATEMENT (SECOND) OF CONTRACTS §161 (a) (1981); JOHN D. CALAMARI & JOSEPH M. PERILLO, THE LAW OF CONTRACTS §9-20, at 337 (4th ed. 1998); E. ALLAN FARNSWORTH, CONTRACTS §4.11, at 248 (3d ed. 1998).

[6] See RESTATEMENT (SECOND) OF CONTRACTS §161 (d) (1981); JOHN D. CALAMARI & JOSEPH M. PERILLO, THE LAW OF CONTRACTS §9-20 at 339 (4th ed. 1998); E. ALLAN FARNSWORTH, CONTRACTS §4.11, at 247-48 (3d ed. 1998).

同;[7] (6) 未披露的一方知道对方当事人误解了他们之间的书面合同的内容或者法律后果;[8] 或者 (7) 未披露的一方知道对方当事人误解了某个基本假定,而公平交易的合理准则要求其进行披露。[9]

前六个例外不能经常适用。前三个例外要求言语或者行动超出单纯的沉默,所有这六个例外都仅限于特殊的情况。

然而,第七个例外在适用上非常宽泛且不确定。"基本假定"的概念很宽,足以包括任何信念或者假定,这些信念或假定是促成当事人决定订立合同的一个因素,而在一个特定市场或者共同体中[10]公平交易准则的存在和内容经常又很不确定。这种宽泛和不确定导致了司法判决中的矛盾。许多法院判决,卖方在出卖不动产时必须披露隐蔽的瑕疵。[11] 然而有些法院却采用其他的方法。[12]

[7] See JOHN D. CALAMARI & JOSEPH M. PERILLO, THE LAW OF CONTRACTS §9-20, at 339 (4th ed. 1998).

[8] See RESTATEMENT (SECOND) OF CONTRACTS §161 (c) (1981).

[9] See id. §161 (b); JOHN D. CALAMARI & JOSEPH M. PERILLO, THE LAW OF CONTRACTS §9-20, at 337-38 (4th ed. 1998); E. ALLAN FARNSWORTH, CONTRACTS §4.11, at 248-50 (3d ed. 1998).

[10] RESTATEMENT (SECOND) OF CONTRACTS §161 cmt. d (1981) 规定,体现在当前商业道德中的准则才是可以适用的公平交易的合理准则。

[11] See Hill v. Jones, 725 P. 2d 1115, 1117-18, 1119 (Ariz. 1986) (出卖住宅的人必须披露白蚁问题); Lingsch v. Savage, 29 Cal. Rptr. 201, 204 (Cal. Ct. App. 1963) (卖方的代理人被指称未能披露建筑物的瑕疵); Johnson v. Davis, 480 So. 2d 625, 629 (Fla. 1985) (出卖住宅的人必须披露屋顶的瑕疵); Weintraub v. Krobatsch, 317 A. 2d 68, 74 (N. J. 1974) (卖方必须披露较严重的蟑螂之害); Sorrell v. Young, 491 P. 2d 1312, 1315-16 (Wash. Ct. App. 1971) (卖方必须披露住宅区的垃圾掩埋情况)。

[12] See Ray v. Montgomery, 399 So. 2d 230, 233 (Ala. 1980) (没有义务披露使用中的、用来居住的不动产的白蚁危害); Tison v. Eskew, 151 S. E. 2d 901, 903 (Ga. Ct. App. 1966) (只有对方当事人隐瞒危险性的瑕疵时,不披露不动产中的瑕疵方构成欺诈)。

折中的立场认为，如果隐蔽瑕疵具有危险性，就必须将其披露。[13]尽管被告经常有公认的披露隐蔽瑕疵的义务，买方却不必披露那些会使财产的价值高于卖方想象的价值的事实。[14]对这种观点的一种解释是，不能指望买方进行披露，通行的公平交易准则也没有要求其披露。[15]然而，很难相信共同体准则要求卖方披露白蚁却不要求买方披露在卖方的土地中蕴涵了珍贵的矿石。实际上，有关公平披露的共同体准则能否以这样或者那样的方式建立起来值得怀疑。卖方和买方会主张完全不同的准则，其中的任何一种都没有获得普遍的认可。

我们的法院需要一些比普遍规则的前6个例外更宽泛、但又不像第7个例外那么具有开放性的指导方针。按照第三章提出的自然法方法形成的指导方针也许可以满足这一需求。

二、自然法方法的适用

在制定有关欺诈性未披露的法律指令时，法院不应该过多地关注有关欺诈的精确定义。正如西奥菲勒斯·帕森斯所评述的那样，精确的技术性定义"将会使那些诡计多端的人得到他们所想要的，因为该定义会准确地告诉他们怎样避免被法律逮到"。[16]另一方面，法律指令应该给公民和法院提供一些指导。如果法律要执行道德教育的功能，它就不能只是告诉人们当不披露事实会造成不公平

---

[13] See Glanski v. Ervine, 409 A. 2d 425, 430 (Pa. Super. Ct. 1979)（白蚁侵害是危险性瑕疵）。

[14] See Holly Hill Lumer Co. v. McCoy, 23 S. E. 2d 372, 376-77 (S. C. 1942)（土地的买方没有义务披露珍贵的地下矿藏）; E. ALLAN FARNSWORTH, CONTRACTS §4. 11, at 249 (3d ed. 1998)。

[15] RESTATEMENT (SECOND) OF CONTRACTS §161 cmt. d, illus. 10 (1981)（不要求土地的买方披露有关珍贵矿藏的信息）。

[16] THEOPHILUS PARSONS, 2 THE LAW OF CONTRACTS 769 (5th ed. 1886).

时就应该披露。因此，理想的法律指令应该奉行亚里士多德式的中庸之道，既不能太精确又不能太粗糙。

法院也不应该试图将法定披露要求等同于道德标准。对此，帕森斯的观点仍具有启发意义：

> 道德之法，即上帝之法，奉行的不过是一项原则，即我们有义务如我们期待别人对待我们那样来对待别人，该原则当然地排除且禁止一切阴谋诡计……然而人类之法，或曰国内法，是人类要求彼此服从的规则；该规则就其本质而言，应当具备有效的惩罚措施……
>
> 继之而来的是，相当数量的自私狡诈行为未能纳入法律的规制范围……[17]

根据亚里士多德式的矫正正义理论，在判断什么是不法行为时，法律不应当要求人们披露只有圣徒才会披露的事情。问题是一方当事人的未披露行为是否不法到足以使对方当事人违背允诺而无须承担责任。

在回答这个问题时，法律不应当将所有故意不披露重要事实的行为都认定为不法。如果某"重要"事实是对方当事人会感兴趣的事实，或者是可能影响对方当事人决定的事实，那么要求披露所有重要事实就会不当地阻碍商业活动。[18] 法律不应该要求双方当事人浪费时间来披露他们知道的一切。它甚至不应当要求当事人披露对方可能想知道的每一事实。卖方可能想知道买方会出的最高价

---

[17] Id. at 768-69.
[18] See GULIAN C. VERPLANCK, AN ESSAY ON THE DOCTRINE OF CONTRACTS 74-75 (1825).

钱。但是法律肯定不应该要求买方披露这一事实。因此，应该抛弃单纯的重要性标准。

什么标准是恰当的呢？采用第三章提出的自然法方法的立法者应该从确定与未披露情形相关的缔约目的、公共道德原则、司法回应原则入手，评价、权衡上述每一目的或者原则适用于未披露情境时的相对价值。

有两项原则似乎有助于强制执行被告的允诺，而不考虑原告的未披露行为。公共道德原则 1 要求当事人遵守自己的允诺，被告即违反了这项原则。司法回应原则 7 指示，法院应要求违反允诺的人赔偿受约人的有害信赖。在大部分未披露案件中，未披露的原告都因被告未能履行自己的允诺而蒙受了信赖损失。

其他的目的或原则可能倾向于允许被告以未披露为由废止合同。首先，任何经济交换型合同或者其他协作型合同的一个主要目的就是互惠互利。正如阿奎那所指出的，买卖似乎是为了双方当事人的共同利益而建立的。[19] 按照自然法的观点，实践规则应该与实践的目的或者目标相符。因而合同法应当阻止任何会导致合同的履行给不知事实的一方当事人造成净损失的未披露行为。法律可以通过允许不知事实的一方当事人废止合同的方式来阻止这种未披露行为。这种推理方法表明，当未披露行为会造成严重的净损失威胁时，应允许当事人废止合同。

其次，公共道德原则 2 规定，一方当事人不应当欺诈另一方。如果未披露行为是某个精心计划的一部分，且该计划旨在使对方当事人一直蒙在鼓里并利用这种无知时，未披露行为似乎就是对该原则的故意违反。

---

[19] THOMAS AQUINAS, SUMMA THEOLOGICA part 2 of the 2d part, question 77, article 1.

第三，公共道德原则4要求，一方当事人应当关注对方当事人的利益。该原则未必要求当事人像为自己着想那样来关注对方当事人的利益；它只是要求当事人进行适度的关注。这似乎表明，知晓更多事实的一方当事人虽无须试图将对方当事人的利益最大化，但为避免对方当事人遭受严重损失或者防止某项特殊障碍被利用而有必要披露时，该当事人应当将其知道的事实进行披露。

第四，公共道德原则5规定，一方当事人不应当欺骗对方，也即不应当违反有关交易的社会实践规则。因此，如果某种相关的社会实践要求披露，则未披露的一方当事人就违反了该原则。

司法回应原则4规定，只有在违反道德义务会造成损害时，才能够以法律制裁的方式执行道德义务。如果未披露行为违反了某项公共道德原则，使不知事实的当事人比缔约之前的处境更糟，那么从这个意义上说，它可能会给不知事实的当事人造成损害，也可能不会造成损害（未披露也许仅仅是减少了不知事实的一方当事人从交易中获得的净利益）。但是，任何严重违反公共道德原则2、4或者5的行为，往往都有损社会信任，因而给社会造成重大的损害。当然，问题是全部社会损害（包括对不知道事实的当事人所造成的损害）是否严重到足以需要对未披露的当事人实施法律制裁。

在权衡赞成执行合同的因素与赞成不执行合同的因素时，立法者应该看到，赞成执行的原则可能不像平时那么重要。当允诺是对方当事人未能披露重要事实的结果时，公共道德原则1——要求一个人遵守诺言——就不像平时那么重要。司法回应原则7表明，违反允诺的人应该赔偿受约人的人信赖损失。但是该原则保护的只是合理的信赖，如果受约人本应预见到，立约人会发现真相并决定不履行其允诺时——因为立约人相信受约人未披露事实的行为欺骗了自己，受约人对该允诺的信赖可能就不是合理的。

根据上述意见，立法者制定法律指令时应当：（1）提供具有灵活性的有益的指导，（2）不追求尽善尽美，以及（3）只有在未披露行为造成或者可能造成严重的损害，足以超过有点弱化的赞成执行合同的原则时，才允许废止合同。当违反公共道德原则2、4或者5的行为损害社会信任时，就会对社会造成严重的损害；当执行合同会使被告遭受净损失时，就可能会对被告造成严重的损害。

三、未披露抗辩的可能构成要件

假定被告（D）试图以原告（P）未能披露与合同交易有关的某些事实为由来废止合同。我提出的指导方针采用了一套构成要件或者要素的方式，D必须满足这些要件或者要素方能废止合同。我们先从几个较明显的要素入手分析，然后再转到那些有争议的要素上。

要素1. 在合同订立之时，P知道事实。除非P在合同订立之时知道事实，否则D不应当获准废止合同。如果P本应知道事实，但是却不知道，那么除非他负有特定的调查义务，否则他不知道事实就没有严重违背道德义务，在这种案件中D可能享有某项不同于欺诈性未披露的权利或者抗辩。

要素2. 在合同订立之时，D不知道事实。未披露D已经知道的事实无须承担法律责任。

要素3. 在合同订立之时，P有理由知道D不知道事实。如果P可以合理地假定D已经知道了事实，那么出于现实的考虑，P就不应该承担披露的义务。为防止对方当事人没有知晓全部事实而要求一个人将自己的所知悉数披露的义务，会不当地阻碍订约过程。但是为什么不要求P的确知道D不知未披露的事实呢（如《合同法重述（第二版）》§161（b）所要求的那样[20])？依据"知道"的内涵，要证明一个人知道另一个人的思想状态或许是不可能的。如果"知道"的意思是毫无疑问或者毋庸置疑，那么一个人就不可能曾经知道另一个人的思想状态。另一方面，如果一个人可以从另一个人明显知道的事实中推断其思想状态，那么可以说这个人"知道"另一个人的思想状态，这种知道是可能的且可证明的。既然这相当于"有理由知道"的意思，要素3就应该使用这一措辞（在过去时中），以避免使用"知道"造成的模棱两可。

要素4. 在合同订立之前，D要么无法合理获知这一事实，要么没有理由想到存在这一事实。如果D本可以通过自己的调查发现事实，那么她必须对自己的不知事实承担主要责任，并且不应被获准废止合同。然而，如果D没有机会以合理的成本去发现事实，那么我们就不应该要求她调查并发现事实。（此时的问题就是，D是否有合理的便利来获得该事实，而非D和P是否有同等的便利。）即使D有合理的机会来获得事实，如果她没有理由想到这一事实会存在，没有理由想到应当进行调查，那么我们也不应该要求她进行调查。因此，如果D没有合理的机会获知事实或者没有理由想到事实的存在，即满足了要素4的要求。

要素5. 社会实践没有明确表明P无须披露事实。如果P和D所从事的社会实践中的规则明确表示P无须就事实进行披露，那么D就不应该获准废止合同。在扑克牌游戏中，玩家当然无须将自己手中的牌情与别人分享。其他合同交易也受制于类似的惯例。

因素6. 前5个构成要件似乎非常明显，因而争议不大。然而，这5个要素还不足以证明废止合同的正当性。必须提出某种附

---

[20] RESTATEMENT (SECOND) OF CONTRACTS §161 (b) and cmt. d, (1981).

加因素，以表明 P 违反道德义务的行为造成的社会损害或者 D 因履行合同而遭受的潜在损害非常严重，以至于超过了强制执行的理由。什么能够作为附加因素是一个颇有争议的问题。我将提出四个因素，每一个应该都具备条件。然而，我列出的四个因素不应该被认为是排他性的。

（a）P 未披露事实产生了这样一种严重危险，即履行合同会给 D 带来净损失。如果 P 的未披露致使履行合同会给 D 造成净损失，则合同的主要目的——即互惠互利——就无法实现。既然未被披露的事实给 D 带来的不是净收益，而是净损失，那么该事实肯定是一项重要的事实，因而我们通常可以假定 P 意识到了其对 D 的潜在重要性。由此，P 的未披露就是滥用缔约实践的行为，也是订约过程中的重大瑕疵。给被告造成的净损失确实很严重，以致不执行合同的理由胜过了执行的理由。

"净损失"是什么意思呢？我们并不是试图寻找一种计算违约损害赔偿的有效方法。我们试图确定一个假设的交易给 D 带来的是利益还是损害。因此，重要的是 D 的主观价值判断，而不是市场价值或者其他的客观计算方法。如果 D 是买方，并且她支付的合同价款超出了她对购买物的主观评价，那么她即遭受了净损失。如果 D 是卖方，并且她对出卖物的主观评价超过了她获得的合同价款，那么她即遭受了净损失。不管 D 是买方还是卖方，相应的主观价值都是她在从事假设的交易时所认定的价值，也就是在她发现 P 未能披露的事实后所认定的价值。（我们假设，由于 D 发现了真相，所以其拒绝履行交易。[21]）

---

〔21〕 在某些案件中，被告的请求——称她发现了原告未能披露的事实，故而拒绝履行与原告订立的合同——可能是违心的；被告真正的想法可能与此相差悬殊。这是事实层面的问题，如果被告描述的看起来值得相信，就应当获得认可。

我们是否可以说，如果要 D 履行与 P 之间的合同，D 就会失去一个比与 P 之间的合同交易更好的选择机会，因而 D 就会遭受净损失？换句话说，机会成本是不是应该被考虑计入净收益或者净损失之内？我不这样认为。虽然履行与 P 之间的合同会使 D 的处境比如果她寻找了选择机会时的处境要糟，D 可能还是会从与 P 的合同交易中获得有实益的净收益。以机会成本形式发生的损害似乎也没有严重到足以超过执行 D 的允诺的理由（为了赔偿机会成本而计算违约损害赔偿时，没有提到任何先决条件）。如果允许法院废止每一个对各方当事人而言并非最理想的合同，签订合同就不再是一种可靠的行为。

在某些案件中，D 履行合同会遭受净损失这一点就非常清楚。假设巴尼·诺斯（Barney Knots）同意以 10000 美元从邻居 J·R·达拉斯（J. R. Dallas）家购买一匹马。达拉斯并没有向诺斯披露如下事实，即这匹马患有一种致命的病，很可能会在几个月之内死亡。我们可以确定地说，履行合同会给诺斯造成净损失；诺斯当然不会想花 10000 美元买一匹如此短命的马。[22]

在很多案件中，很难或者不可能确定履行合同是否会给 D 造成净损失。例如，如果 D 是一个消费者，要买一幢房子，我们无法确切地知道，被未披露的白蚁侵蚀了的房子是不是与 D 允诺支付的合同价款等值。这就是为什么我们必须满足于如下说法的原因，即如果未披露事实会导致发生净损失的"严重危险"，那么 D 可以废止合同。缔约行为的互惠互利目的是如此之根本，避免发生净损失是如此之重要，因此 D 应当享有存疑之利。

(b) P 未能披露出卖物既定的当前市场价格，而 D 作为买方

---

[22] 假设达拉斯并非一个马商，诺斯就不受默示的适销性担保的保护。See U. C. C. § 2-314 (1) (1995).

同意支付的价格远远高于市场价格，或者 D 作为卖方同意接受的价格远远低于市场价格。如果 P 从事了严重违反某项公共道德原则的行为，且该违反行为可能损害了社会信任（一种严重的社会损害），以至于超过了执行合同的理由，那么废止合同就是正当的。满足我们提出的前五项构成要件的未披露行为，通常可以看作是违反公共道德原则 2 的行为，该原则规定一个人不应当欺诈他人。问题是哪些情形的欺诈会严重到足以超过执行合同的理由？（法律必须容忍某些欺诈。）我认为，如果欺诈同时违反了另外一项公共道德原则，且该违反行为很可能有损社会信任时，就可以认定欺诈行为足够严重。

公共道德原则 4 规定，每个当事人都应当关注对方当事人的利益。该原则只是要求适度的关注，并没有要求一方当事人为满足对方当事人的利益而让其尽可能获得最好的合同条款。不过，该原则似乎确实要求一方当事人要设定一个合理的合同价款，为另一方的利益着想。在一个有既定市场价格的市场上，该市场价格可以被看作是公平的价格标准。[23] 对那些熟悉市场的人而言，既定的当前市场价格是一项常识，他们知道以那样的价格很容易达成那样的交易。

我们现在假设，前 5 个要素已经被满足（否则没有必要讨论第 6 个要素）。因为考虑到要素 4，我们必须假定，如果 P 未能向 D 披露当前的市场价格，D 就没有合理的机会获得该信息（我们大

---

[23] 既定的市场价格不一定是唯一的价格；它可以是一个价格范围（比如，在某个特定城市，无人售油机中销售的通常不含铅的汽油的价格。）

亚里士多德和阿奎那似乎曾用市场价格作为判断公平价格的标准。See THOMAS AQUINAS, SUMMA THEOLOGICA part 2 of the 2d part, question 77, article 1 – 3; ARISTOTLE, NICOMACHEAN ETHICS 1133a 6 – 1133b 28 (Martin Ostwald trans., 1962); James Gordley, *Equality in Exchange*, 69 CALIF. L. REV. 1587, 1604 – 06 (1981)（概括介绍亚里士多德和阿奎那的观点）。

概不可以说，D 没有理由想到市场价的存在）。D 为什么没有合理的机会获得有关市场价格的信息呢？D 可能对某个特定的市场很陌生，就特定交易而言，她获得当前市场价格的成本可能非常高。比如，D 可能是一名在纽约市的叙利亚游客，需要一副眼镜。我们不能指望 D 耗费时间和金钱去查明当时纽约的眼镜市场价格。假设 D 同意向医生 P 支付 100 美元购买一副眼镜，货第二天交，而 P 未能披露类似眼镜的当前市场价格是 40-50 美元这一事实。

P 利用了 D 的特殊障碍，D 不了解对 P 的其他顾客来讲是常识的市场价格。P 的未披露行为完全置 D 支付公平价格——其他顾客支付的价格——的利益于不顾，因而 P 违反了公共道德原则 4，在某种程度上可能也损害了社会信用。应该允许 D 废止合同。更普遍的是，只要满足了前五项有关欺诈性未披露的要素，如果 P 未能披露既定的当前市场价格，而 D 作为买方同意支付的价格远远高于市场价格，或者作为卖方同意接受的价格远远低于市场价格，则 D 就应该被允许废止合同。

如果没有既定的市场价格，无法满足要素 6（b）的要求，D 就必须寻找其他满足要素 6 的方法。要素 6（b）描述的是明显违反公共道德原则 4 的情形；P 利用了 D 的特殊障碍，将 D 获得公平合同价格的利益弃之不顾。然而，当没有既定市场价格时，我们对公平的价格就没有基本的标准，因而我们不能假定 P 置 D 获得公平合同价格的利益于不顾。合同价格可能非常公平。在没有既定市场价格的市场上，P 不披露通常会对合同价格产生重大影响的事实，可以证明其弃 D 获得公平合同价格的利益于不顾，违反了公共道德原则 4，但是我认为决不至于将这些违反行为描述为一项规则或者指导方针的构成要件。此时法院必须采用逐案分析的公平方法。

(c) P的未披露行为构成或者涉及到对规制交易的社会实践规则的违反。公共道德原则5规定，当事人不应当欺骗他人；一方当事人不应当违反规制双方当事人所从事的交易的社会实践规则，除非对方当事人明确放弃该规则。违反对方当事人认为有效的社会实践规则可能有损社会信任——对方当事人的信任以及得知该违反行为的人的信任。欺骗因此造成严重的社会损害，可能使天平向赞成废止合同的一方倾斜。如果相关的社会实践要求披露或者如果未披露同其他作为或不作为相结合，构成对相关社会实践规则的违反，那么未披露的一方P就违反了原则5。

(d) P有理由知道D相信P会披露尚未披露的事实，但是P未能告诉D不要指望其披露。如果D明显相信P会做出某种披露，那么P的未披露就是对信任的违反，不管这种关系是否会被认定为传统法律原理下的信托或者信任关系。任何此类对信任的违反都可能有损社会信任，因而导致严重的社会损害。这大概也可以被认定为违反了披露的默示允诺，因而违反了公共道德原则1，也违反了禁止欺诈的公共道德原则2。或许这还可以被认定为违反了要求P适度关注D的利益的公共道德原则4。D主张废止合同的理由压倒了执行的理由，看起来会非常有说服力。

总结一下我提出的抗辩欺诈性未披露行为的构成要件，D可以以P未能披露相关事实为理由废止合同，只要：

(1) 在合同订立之时，P知道事实；以及

(2) 在合同订立之时，D不知道事实；以及

(3) 在合同订立之时，P有理由知道D不知道事实；以及

(4) 在合同订立之前，D要么无法合理获知这一事

实，要么没有理由想到存在这一事实；以及

（5）社会实践没有明确表明 P 无须就事实进行披露；以及

（6）以下之一：

（a）P 未披露事实产生了这样一种严重危险，即履行合同会给 D 带来净损失，或者

（b）P 未能披露出卖物既定的当前市场价格，而 D 作为买方同意支付的价格远远高于市场价格，或者作为卖方同意接受的价格远远低于市场价格，或者

（c）P 的未披露行为构成或者涉及对规制交易的社会实践规则的违反，或者

（d）P 有理由知道 D 相信 P 会披露尚未披露的事实，但是 P 未能告诉 D 不要指望其披露。

再重述一遍，为满足要素 6 而列出的四个可选项并非想穷尽所有可能；法院和评论者当然可以创设其他的合理项。

四、一些假设的案例

让我们看看在一些假设案件中，该如何适用我提出的构成要件。除非假定的事实表明有不同情况，我们将假设在每个案件中，前五个要件都已得到满足。

1. 卖方未能披露出卖物的内在瑕疵

假设买方与卖方订立合同，以 80000 美元的价格从后者那里购买一处房产及相应的土地。卖方没有披露房子被白蚁侵蚀的事实。我们假定前五个要素已得到满足，也假定买方没有合理的机会来主

动发现白蚁问题。

买方应当被允许废止合同,因为卖方未能披露出卖物的重大内在瑕疵。我所谓的"内在瑕疵",是指会使出卖物的价值对买方而言要低于其本会具有的价值任何异常特征。未披露类似白蚁侵蚀的内在瑕疵极有可能使合同的履行给买方造成净损失(要素6(a))。买方若发现了白蚁问题,就会大幅降低对财产的主观价值判断,也很可能会使该主观价值判断低于买方曾允诺支付的合同价格。

在某些情形下,未披露的内在瑕疵非常轻微,给买方造成净损失的可能性不大。例如,我们假设的卖方可能没有告诉买方,地下室的门锁需要更换。如果更换这把锁需要花费5美元,那么这种未披露行为就不构成买方废止合同的理由。买方不知情时的主观价值判断超出80000美元合同价格的幅度决不可能少于5美元,因此买方知情后的主观价值判断也不可能少于80000美元。未能披露内在瑕疵是否极有可能给买方造成净损失,是一个需要事实查明人靠直觉来判断的问题。任何疑问都应该以有利于作为买方的被告为原则来解决。如果不存在疑问,法院可以有充分的理由判决,作为一个法律问题(有作为判例的价值),某种内在瑕疵即是(或者不是)废止合同的理由。

2. 买方未能披露出卖物的内在价值

卖方同买方订立合同,以100000美元的价格卖出一块地,买方知道这块地蕴藏了珍贵的矿物,而且有充足的理由知道卖方不清楚矿物的存在;然而,买方没有向卖方披露矿物的存在。在许多类似案件中,卖方可能有合理的机会知道有关矿物的真相,但是我们假定,我们的卖方没有这样的机会(卖方可能是个住在离这块地1000英里之外的年老的寡妇)。

卖方应当被允许废止合同，因为买方未能披露出卖物的某个重大"内在价值"。我所谓的"内在价值"，是指会使出卖物的价值对卖方而言要高于其本会具有的价值的任何异常特征（会使卖方对其作出更高的价值判断）。未能披露类似矿这样的内在价值，极有可能使合同的履行给卖方造成净损失（要素6（a））。若卖方知道了矿物的存在，可能就会大幅提高对土地的主观价值判断，也很可能会使该主观价值判断高于卖方曾同意的合同价格。一旦卖方意识到她可以通过雇人开矿或者将有关矿物的权利转让给一个矿业公司来赢利，她可能会不愿意仅以100000美元就将土地卖出。因此，卖方废止合同的理由在于土地的内在价值，而非依赖可以将土地以更高的合同价格卖出的任何选择机会。卖方因此有遭受"净损失"的危险，我已经对该词做过定义。[24]

与内在瑕疵相同，某些案件中的内在价值可能很小，以致不大可能会给被告造成净损失。对这种可能性，法律制度应该比照上文对内在瑕疵提出的方法来处理。

3. 买方未能披露会增加卖方的履行成本的事实

我们已经看到，未披露出卖物的重大的内在瑕疵或者内在价值

---

[24] 问题是履行合同会不会给卖方造成效益上的净损失，而非是否履行会导致卖方在效益上的净收益小于把土地卖给第三人的某种选择机会所可能产生的受益。我们问履行会不会给卖方造成效益上的净损失，就是在问卖方知道信息后对土地的主观价值判断会不会超过合同价格。（当买方是土地的唯一可能买家时，我们就是在问土地保留在卖方手中，其价值会不会高于合同价格（用金钱计算））卖方知道信息后对土地的主观价值判断会受市场上出卖矿石的机会的影响。惟一没有考虑的市场机会是将土地卖给第三者的机会。将这些机会考虑在内，可以保护卖方在达成可能最好的土地交易时的利益（卖方将自己在效益上的净获利最大化时的利益）。但是我们并不试图保护这一利益。应当指明的是，我在使用"内在瑕疵"和"内在价值"这些词时，其中的"内在（intrinsic）"意思是"外在（extrinsic）"的反义（出卖物的外表），而非"工具（instrumental）"的反义。出卖物的某种内在（内部的）特征可能只具有工具性价值（instrumental value），但仍然可以是"内在价值（intrinsic merit）"。

可以满足要素6（a）的要求。然而，这不是惟一一种极有可能造成净损失的未披露行为。假设生产商签订了一个合同，约定以100000美元的合同价格向某政府机构提供1000个设计独特的小物件。该政府机构知道，只有通过一道非常昂贵的工序，才能造出符合规格的小物件，也有理由知道作为卖方的生产商并不知道这一事实，但却未向其加以披露。

如果卖方的履行成本会超过100000美元的合同价款，那么应该允许其废止合同。[25] 在这种情形，履行合同会给卖方造成净损失，因而满足了要素6（a）的要求。我们一直在假定前五个要素均已被满足，并且假定卖方没有合理的机会来获得未被披露的信息（例如，政府机构订购的是一种新型的小物件，之前任何人都未生产过）。

4. 卖方未能披露当前的市场价格

再来看一下假设的叙利亚游客的案件，游客同意支付100美元来购买一副眼镜，但眼镜商未能披露此类眼镜的既定市场价格是40-50美元。我们假定作为买方的游客没有合理的机会来获得有关市场价格的信息。

买方应当被允许废止合同。我们不能说卖方未披露事实极有可能使合同的履行给买方造成净损失。对买方而言，该眼镜可能至少值100美元。因此，要素6（a）的要求没有得到满足。但是，由于卖方未能披露既定的现行市场价格，而买方同意支付的价格远远高于市场价格，因而满足了要素6（b）的要求。

---

[25] Cf. Helene Curtis Indus. V. United States, 312 F. 2d 774（Ct. Cl. 1963）（卖方履行了合同，且被允许就超过的成本获得赔偿，因为政府有义务披露生产工序会非常昂贵的事实）。

假如卖方和其他眼镜商制定了一条行规，要求对任何顾客都以现行的市场价格来出售眼镜，那么要素6（b）同样可以被满足。卖方欺骗了叙利亚买方。卖方向买方收取两倍于其他顾客的价钱时，就违反了规范该交易的社会实践，该实践并没有被买方明确放弃。

5. 买方未能披露当前的市场价格

在11月5日，一份当地的报纸报导说，唐纳德·富伦玻（Donald Frump）决定在橡树角（Oaks Corners）建一处新的购物中心。11月8日，维尔玛·威勒（Wilma Wheeler）去见居住在橡树角地区的一个年老的农场主瑞德·耐科（Red Kneck），并向耐科发出以100000美元来购买其农场的要约。耐科回答说："我也不想干农场的事情了，你出的价钱听起来比较公正。我知道，在过去的几年中，这个地区的农场每英亩能卖900－1100美元，而我的农场有100英亩。"威勒知道有关购物中心的计划，也知道11月7日在橡树角有两个农场主接受了以大约5000美元每英亩的价格来购买他们的农场的要约，但是威勒没有向耐科（他还不知道情况）披露任何这种信息。耐科同威勒签订了碰巧就在威勒的公文包中的买卖合同；合同价款是100000美元。几天之后，耐科听说了购物中心的计划，也知道了相邻的农场是以大约5000美元每英亩的价格卖出的。耐科拒绝履行与威勒订立的合同，于是威勒将耐科起诉到法院，要求其承担违约的损害赔偿责任。

如果前五项要素都已得到满足，那么应当允许耐科以欺诈性未披露为由废止合同。在合同订立之时，对于有关购物中心的事情以及11月7日订立的有关相邻农场的合同这些事实，威勒是知道的，但耐科并不知道。根据耐科对威勒说的话，威勒有理由知道耐科不了解这些事实。如果耐科没有理由预见到要在橡树角建一座购物中心，也没有理由想到相邻的农场是以大约 5000 美元每英亩的价格卖出的，那么第四个要素就得到了满足。如果耐科是一个独居的老人，固守在自己的农场，并且不阅读当地的报纸，那么指望耐科会想到未披露的事实的存在就是不合理的。最后，我们可以认定，没有任何社会实践清楚地表明威勒不负披露的义务。因此，满足前五个要素的可能性很大。

能满足第六个要素吗？我们不能说威勒的未披露行为极有可能使合同的履行给耐科造成净损失。假如忽略将农场以更高的合同价格卖出的其他机会的话，100000 美元的合同价款很可能超过了耐科对其农场的主观评价。耐科会同其他买主达成更好的交易的可能性，并不意味着履行他与威勒之间的合同会给其造成"净损失"，就像我们在要素 6（a）中使用该词的意思一样。至于要素 6（c），威勒的未披露行为不大可能违反了任何相关的社会实践并由此构成欺骗；也不大可能有什么社会实践去要求买方披露当前的市场情况，或者要求买方只能以现行的市场价格来购买。威勒也没有理由认为耐科相信她会披露有关信息（要素 6（d））。

不过，要素 6（b）似乎得到了满足。11 月 7 日的有关相邻农场的合同表明，在耐科与威勒签订合同之际，橡树角地区农场的市场价格已经升到大约 5000 美元每英亩。因此，威勒未能披露出卖物既定的现行市场价格，而耐科作为卖方同意接受的合同价格也远远低于市场价格。

6. 卖方未能披露有关未来市场价格的事实

假设在罗得岛（Rhode Island）闹饥荒期间，食物卖到了天价，来自埃及的亚历山大市的一个商人带了一大船谷物来到罗得岛。该商人知道另外有几只船满载了谷物正在开往罗得岛，但没有将这一事实告诉那些不知情的罗得岛的消费者，这些消费者同意向其支付当前的市场价格。这是对西塞罗提出的假定情形的稍微修改。[26] 按照西塞罗的观点，任何此类商人都有道德责任向其顾客披露他所知道的其他船只会很快带来更多谷物（且很可能会降低当地的市场价格）的消息。[27] 人们觉得，在该类案件中，西塞罗会同意法定披露的要求。另一方面，阿奎那认为正义并没有要求卖方披露这些事实，比如更多的供给就要到来，从而预示着未来市场价格会下跌。[28] 我们应该同意谁的观点呢，西塞罗还是阿奎那？

根据我提出的指导方针，买方是否可以以卖方未能披露有关未来市场价值的事实为由而废止合同，将取决于关于欺诈性未披露的六个要素是否得到了满足。通常情况下，关键的问题是要素 4 和 6 (a) 能否得以满足。

假如要素 1、2、3 及 5 已获满足，那么首先出现的争议就是，作为被告的买方是否有理由想到这种事实可能存在或者是否有合理的机会获得此一事实；如果答案是肯定的，那么要素 4 就无法满足。一个典型的消费者作为买方通常没有合理的机会得知未来会增加谷物的消息，但是一个商人作为买方就可能有合理的机会获悉此类事实（除非卖方有秘密的"内幕"信息是罗德岛上的商人所无法知道的）。这完全取决于特定买方的实际情况，事实可能因买方不同而不同。

要素 6 (a) 是否可以被满足同样取决于作为被告的买方是谁。

---

[26] See CICERO, DE OFFICIIS 3. 12. 50 (Walter Miller trans., 1913).
[27] See id. at 3. 13. 57.
[28] See THOMAS AQUINAS, SUMMA THEOLOGICA part 2 of the 2d part, question 77, article 3.

如果买方是一个消费者，合同的履行可能不大会给买方造成净损失。消费者作为买方可能会同意购买价格高于其主观价值判断的谷物，且只要以低于合同价格购买谷物的选择机会被忽略，那么当她发现其他船只装载了谷物这一事实时，她的主观价值判断也不会降低。卖方不应当被认定为有法定义务保护买方的如下利益，也即为获得最佳的可能交易而选择购买时机。

然而，如果买方是一个零售商，在10月1日同意按10月1日的市场零售价每蒲式耳20美元向卖方购买将于10月15日交付的谷物，而其他载有谷物的船只的到来将零售市场的价格从10月1日的每蒲式耳25美元，降到了10月15日的每蒲式耳10美元，履行合同会给买方造成净损失。买方不得不以每蒲式耳20美元的价格购买谷物，这对她来说不可能比用10美元每蒲式耳购买到的更值钱（买方无法以每蒲式耳超过10美元的价格将谷物再卖出去，而且可能遭受出卖谷物的成本之外的其他成本）。合同价格由此超过了买方知情后的主观价值判断，因而要素6（a）被满足。如果买方可以满足前五个构成要素的要求（包括要素4），他应当被获准废止合同。

如果卖方未能披露有关未来市场价值的事实，要素6（b）、要素6（c）或者要素6（d）就不可能被满足。买方抱怨的不是未披露当前的市场价格（要素6（b））。在大部分案件中，卖方没有违反任何既定的社会实践（要素6（c））。[29] 卖方也不可能有理由认为买方相信卖方会披露有关未来市场价格的事实（要素6（d））；在当面交易中，买方通常不会期待这种披露。

---

[29] 大部分市场都不存在要求卖方就有关未来市场价格的事实进行披露的社会实践。即使存在一项要求卖方对所有的顾客都以现行市场价格进行出售的实践，也决不会存在要求卖方在本星期就以下星期可能的市场价格进行出售的实践。

根据我提出的指导原则，买方不可能经常以卖方未能披露有关未来市场价格的事实为由而废止合同。消费者作为买方很少能满足要素6，而商人作为买方不会常能满足要素4。

7. 买方未能披露有关未来市场价格的事实

假设在战争期间，由于海军的封锁阻止了烟草的出口，导致烟草的市场价格被压低。卖方，一个烟草经销商，同意以现行市场价格向买方出售卖方早已库存的大量烟草。买方未能披露他知道的、还未向卖方及公众披露的一项秘密：已经签订了和平条约，封锁很快将会被解除。合同成立几个小时以后，公众知道了该和平条约，烟草的市场价格大幅上涨。卖方拒绝向买方交付允诺的烟草。[30] 卖方是否应当因为买方未能披露有关未来市场价格的事实而被获准废止合同？我们将假设前五项有关欺诈性未披露的要素已经满足。

然而，我还没有看出如何才能满足要素6。履行合同不会给卖方造成净损失（要素6(a)）。我们可以假设，卖方可能愿意以任何超过其成本的价格来售出烟草（而不管将烟草售出的更好的选择机会）。我们也可以假设，卖方同意合同价格是因为该价格的确超过了其成本。因此我们可以得出结论，合同价格（签订合同之

---

[30] 该假设情形系以如下案件为基础：Laidlaw v. Organ, 15 U. S. (2 Wheat.) 178 (1817). 根据首席大法官马歇尔的观点，买方没有披露的法定义务。"恰当地限定相反的原则将非常困难……" Id. at 195. 要求就有关未来市场价格的事实（与有关当前市场价格的事实相对而言）进行披露的主要问题是，它有一种要求一个人将其知道的所有可能在未来影响市场的相关因素都进行披露的倾向。这种要求将会不正当地阻碍订约。

时的市场价格）超过了卖方知情后对烟草的主观价值判断。[31] 由此，未能满足要素6（a）。

卖方似乎也无法利用其他三个满足要素6的方法。卖方抱怨的不是未能披露当前的市场价格要素（要素6（b））。买方也不可能违反了任何规范交易的社会实践（要素6（c））。卖方也不可能相信买方会披露影响未来市场价格的事实（要素6（d））。尽管法院可能以某种衡平法上的原因为由合理地允许卖方废止合同，但是我提出的指导原则并没有提供废止的理由。实际上，我提出的指导原则很少会允许卖方以买方未能披露有关未来市场价格的事实为由废止合同。卖方可能会无法满足要素6的要求，除非她是一名职业商人，订约出售的东西是她还没有购得的（见上文引注31）；但是在这种情形，她可能无法满足要素4的规定，除非买方有秘密的内幕信息。

8. 买方未能披露他愿意支付的价款高于合同价格的事实

假设买方是一名消费者，急需一辆汽车。他去了一个二手车市场，看到一辆车符合他的要求。车的标价是6000美元。买方没有时间去货比三家，因此他向该车的卖家出价5900美元。买方没有

---

[31] 我们假设卖方不会故意以高于市场的价格——她可以将烟草重新售出的价格——来购买烟草。但是即使卖方在封锁导致市场价格降低之前购得烟草，以致卖方的成本超过了其同买方订立合同之时的市场价，该市场价格仍然会超过卖方对烟草的主观价值判断。为了避免投资全部损失，卖方在忽略选择机会时，可能愿意以任何价格出售容易腐烂的烟草。换句话说，她被告知后的主观价值判断仍将低于合同价格。这种情形同假设情形6中零售商作为买方有所不同，在那种情形，当烟草卖方同买方订立合同之时，其成本早已降低。同我假设的情形相反，如果卖方还没有买到向买方许诺的烟草，而且只能通过以高于合同价格的费用买到烟草方能履行合同，那么她可以满足要素6（a）。

向卖家披露他的急需,他不愿意到处逛,甚至他实际上愿意出价8000美元买下该车的事实。卖家同意以5900美元将该车卖出,并允诺第二天交车。第二天,另一名顾客向卖家出价6200美元购买同一辆车,因而卖家拒绝向买方交车。买方起诉卖家违约。如果买方未能披露表明其愿意支付的价款高于他的5900美元出价的事实以某种方式被证明,那么卖家是否应该被允许废止同买方订立的合同?

虽然卖家知道了这些事实就可能会拒绝买方的要约,因而未披露的事实从这个意义上来讲是重要的,但是对这一问题的答案显然是"否"。这也是从我提出的废止合同的六个构成要件中推导出的答案。

要素1到4显然已经被满足,要素5看起来可能没有得到满足,即某项社会实践清楚地表明,买方无须披露他愿意支付高于5900美元的价款。然而,某项社会实践的存在和内容经常很难确定,为了论证,我们将假设要素5被满足。

由于作为被告的卖家不能满足要素6,因而不能废止合同。买方的未披露行为并没有引起使合同的履行给卖家造成净损失的严重危险(要素6(a))。合同价格很可能超过了卖家的成本,因而给卖家带来净利润。即使5900美元的合同价格低于卖家的成本,这种危险也并非因买方的未披露而造成;当卖家算错其成本或者有意将汽车以低于成本价卖出时,这种危险就已存在。无论如何,我们必须假定,合同价格超过了卖家知情后对汽车的主观价值判断,即超过了卖家可能愿意接受的出售汽车的最低额。(在这里,我们必须忽略卖家将汽车以6200美元卖给其他顾客的选择机会。)买方只是未能披露他自己对汽车的主观价值判断(买方可能愿意支付的最高价),而买方未能披露其主观价值判断并非极有可能使卖方的主观价值判断会超过合同价格。买方和卖方的主观价值判断是独立的价值判断；谁也不依赖于谁。

如果没有其他的事实，卖家就不能满足要素6（b）、6（c）或者6（d）。买方没有拒绝当前的市场价格，没有违反任何社会实践，也没有理由认为卖家相信他会披露他可能愿意支付的最高价。

9. 卖方未能披露表明她愿意接受的价格低于合同价格的事实

假设事实同上述假设的情形相同，但不同的是这次是买方要求废止合同，理由是卖家未能披露她本来愿意接受低于5900美元的合同价格的事实。买方不应当被允许废止合同。即使买方可以满足要素5，他也无法满足要素6。

要素6（a）未能被满足是因为卖家的未披露行为并非极有可能使合同履行给买方造成净损失。我们可以假定，买方知情后对汽车的主观价值判断超过了合同价格。当合同成立之时，汽车对买方来说，可能曾经比5900美元更值钱。我们没有理由认为，买方因为知道卖家本来愿意以低于5900美元的价格卖出汽车，因此改变了其愿意对该汽车支付的最高价。这种信息可能会影响买方讨价还价的策略，但是不会影响买方诚实的主观价值判断。

如果没有其他事实，要素6（b）、6（c）或者6（d）都无法得到满足。因此，买方应当遵守合同，其原因如同上文假设的卖家应遵守合同一样。

双方当事人均不应当以对方未能披露表明其愿意接受的条款比合同条款要差的事实为由，被允许废止合同。一个现实的理由是，违反要求披露此类信息的规则的行为极难查明。但即使没有这一实际原因，对披露的要求也不应当因为如下更根本的原因而被否决，即双方当事人均没有道德义务来保护对方当事人获得尽可能好的交易。合同法要执行的道德并非圣徒渴望的道德。这大约是我们这些可怜的罪人能够以公共道德的名义正当地要求彼此去做的。

第八章

为什么是自然法?

我在前几章提出了合同的自然法理论,并将该理论适用到一些法律问题上。在这总结性的一章中,我将试图证明自然法方法是分析合同法的最佳法哲学视角。我将解释为什么我要采用自然法方法,并说明我是怎样适用它的。

自然法理论有五个特性,使其在合同领域中占据显著的优势。自然法理论具有目的性、道德性、多元性、公共性以及适度理性。

自然法理论具有目的性。应当如何评价一件事情或者一项行动,取决于事物或者行动的目标或者目的。[1] 生命应该如何去度过,取决于人生的目标或者目的。有关允诺的社会实践应该如何去引导,取决于允诺的目的。由于允诺的社会实践本身并不是一个目标,故其只有在服务于某些深层的目的或者目标时,才具有价值。目的论方法的优势在于,它能够迫使我们反思那个目的是什么。

在第一章,我将允诺的基本目的界定为两个方面:促进有益信赖和推动互惠合作。在随后的几章中,允诺的这些目的对于我选择

---

[1] See, e. g., ARISTOTLE, NICOMACHEAN ETHICS 1094a 1 – 1094b 12, 1097a 15 – 1098a 17 (Martin Ostwald trans., 1962).

各种公共道德原则和司法回应原则很有帮助，在处理一些选定的法律问题时，又连同这些原则一起发挥了作用。

自然法理论具有道德性。它主张法律应当植根于道德，法律制度应该弘扬和促进道德。[2] 弘扬和促进什么道德？就是那些有助于实现人类最基本的善（人类生活的目标）的德性或者原则。我无法证明某些事物（例如生命、爱情、友谊、宗教、美）是人类最基本的善。但是如果你相信人类存在某些最基本的善，那么你就应该相信，能够实现这些善的行为在道德上就是正确的，而破坏或者损害这些善的行为在道德上则是错误的。你也应当相信，在道德上正确的行为应当受到鼓励和弘扬，而在道德上错误的行为则应当被劝阻。如果你还相信，没有法律制度的帮助，就无法充分弘扬道德，那么你就可以得出结论，即法律应当弘扬道德。

在第三章，我指出，没有法律制度的帮助，道德或者德性就无法充分地予以弘扬，因为其他弘扬道德的社会机构（家庭、学校、教堂）都不能或者不愿提供一个文明社会所必需的道德教育。在同一章中我还指出，合同的订立依赖于社会合作和信任（这需要高度的道德教育），我确定了一些与缔约有关的道德德性或者原则（我提出的公共道德原则），而且我还说明了如何运用合同法来弘扬这些德性或者原则。

自然法方法具有多元性。在其存在的早期，自然法就为人类确定了一些最基本的善。[3] 这些善经常发生冲突，当它们发生冲突时，我们无法将其进行量化对比，也无法将其按照优先性排序，从

---

[2] 比如 Thomas Aquinas：《神学大全》，第二部分之一，第92题，第1节。
[3] See, e. g., JOHN FINNIS, NATURAL LAW AND NATURAL RIGHTS 86 – 90 (1980).

这个意义上说，它们是无法理性地加以通约的。[4] 我无法证明这种多元化视觉的真谛。但是如果你和我一样认可这一点，那么你就必须承认，立法者应该确认许多不同的价值或者善，而合同法不应该只关注一种价值。你也必须承认，在出现价值冲突的情形，没有任何合理的公式能够为这种冲突提供一个独一无二的、正确的解决方法。

在第二章，我拒绝了三种分析合同法的方法，这主要是因为每一种方法都仅仅关注一种价值，而忽略了人类价值的多元性。在第三章，我注意到合同法的各种不同目的和原则（它们与不可通约的人类诸善有关）会经常发生冲突，因此，制定法律指令的立法者必须运用不完全取决于理性方法的判断力。在处理选定的法律问题的几章中，这些冲突变得非常明显。

自然法理论具有公共性。它主张法律制度应当促进公益，即每个社会成员的幸福。[5] 因此，法律应该鼓励那些会增进所有参与者的幸福的社会实践和行为。但是，除非参与者进行合作并遵守旨在限制利己主义的各种规则，否则此类实践和行为就不会取得成功。在这里，自然法理论的最大优势是，它认为我们最好是通过促进他人的福利来增进我们自己的福利，而不是与别人互相争夺。

自然法理论的公共性内涵体现在第三章中，在这一章，我把一些有关合作、信任以及正常尊重他人利益的原则纳入到我提出的公共道德原则之中。在我提出对第四章到第七章中讨论的法律问题的解决方案时，这些原则发挥了重要的作用。

---

〔4〕 See, e. g., id. at 92-93, 112.

〔5〕 See, e. g., THOMAS AQUINAS, SUMMA THEOLOGICA part 1 of the 2d part, question 90, article 2; THOMAS AQUINAS, THE TREATISE ON LAW 78, 133 (R. J. Henle ed., 1993) （编者评论）。

自然法理论具有适度理性。从某种程度上来说，它永远是理性的——探求并评价命题的论据，将逻辑标准应用到论据的结构中，从更普遍的原理中推导出特殊命题，并将完全不同的命题调和或者综合为协调的思想体系。然而，自然法理论仅具有适度理性。它并没有宣称人的理智可以回答所有的问题。它承认理性方法需要用文化传统和个人直觉加以补充。政治和法律对正义的追求，在某种程度上必须以规范的文化传统为指导，正义正是在这种文化传统中被追寻到的；不存在任何在传统上中立的标准。[6] 由于道德的复杂性和人类诸善的不可通约性，法律判决往往必须部分地依赖于直觉。因此，法律制度必须允许法官采用公平方法，在这种方法中，直觉判断可以纠正法律规则的一些缺陷。[7]

适度理性在法哲学上的优势是很明显的。不考虑传统和直觉的纯粹理性的方法不可能很好地为立法者服务。忽略了文化传统的法律制度将不会得到其国民的尊重，而且如果不是不稳定的话，也将注定是无效的。不采用直觉判断的司法机构，只能通过排除对所有使人难以进行理性分析的相互冲突的价值和情境变化的考虑，方能做出判决；任何类似的排除方法会经常导致判决只适合于某种虚假的世界。因此，我在第三章中建议，在合同法中所采用的那套道德原则包括了我们的文化传统所内含的某些原则，我还强调了对于公平法律指令的需要，以便允许法官运用其直觉判断力。

以上关于自然法法哲学的五个典型要素的讨论，为我将自然法方法运用到合同法中提供了一部分正当理由。这并非是一个决定性

---

[6] See, e. g., ALASDAIR MACINTYRE, WHOSE JUSTICE? WHICH RATIONALITY? 350, 351, 369, 393, 401–02 (1988).

[7] See, e. g., ARISTOTLE, NICOMACHEAN ETHICS 1137b 11–33 (Martin Ostwald trans., 1962).

的、强有力的论据。也不可能有这样的论据。不过,我认为还有两个论据可以进一步强化采用自然法方法的理由,这两个论据的关注点是我们的法哲学现状和当前的社会条件。这些历史的或者情境的论据表明,不管自然法理论是不是适合于所有时代的最好的理论,它是适合于我们这个时代的最好的理论。

首先,让我们将自然法方法和当前提出的其他法哲学方法进行一下对比。当我们考虑合同自由、财富最大化、平均主义的分配正义或者任何其他自由主义者、自由派、功利主义者或者批判法学派的方法时,我们会发现自然法理论不但能够解决这些方法可以解决的问题,而且还能够解决这些方法无法解决的一些问题。我之所以作出这种大胆的判断,是因为自然法乃是当代惟一没有受到过分简单化或者简化论影响的方法,是惟一尝试去考虑而非曲解在道德上或者实践中相关的一切事物的方法。

如果研究合同法的法哲学方法仅仅着眼于一个(或者一些)相关因素而忽略了其他的相关因素,那么该方法就会被过分简单化。举个极端的例子来说,假设某种法哲学理论只考虑一个因素,即财富总量。如果这种理论只是建议立法者永远去努力争取获得财富总量最大化的结果,那么在很多案件中,当财富总量并非惟一的相关因素时,这种理论提供的建议就是有害的。如果这种理论较为谨慎地建议立法者,只有在财富总量是惟一的相关因素的案件中,才去追求财富总量最大化的结果,那么这种理论的适用范围就非常有限,以致无法解决许多只要运用自然法理论就可以解决的法律问题。

一种自然法方法也许会尽力避免过分简单化并考虑所有的相关因素,但却遭受了简化论的影响;它可能会像功利主义那样,试图将所有的相关因素简化为一个更基本且可量化的因素,以便使所有相冲突的相关因素能够进行量化比较。在很多案件中,各种相冲突的因素无法按照效用或者其他基本因素为参照进行量化(例如,我们如何将社会信用的降低进行量化?),因此简化论的方法无法解决法律问题,除非这种解决方法在直观上很明显;但在这类案件中,立法者并不需要来自法哲学的任何建议(就如立法者必须在人类种族灭绝与所得税税率提高1%之间进行选择时一样)。

除了功利主义和自然法理论,以上列举的每一种法哲学方法都遭受了过分简单化的影响(主要是因为每一种方法都是一种狭隘思想的藉口。)功利主义试图把一切事物都按照如下方式来加以考虑,也即将所有那些对我们的道德世界具有重要意义的独特的、无法通约的、不能简化的价值都看作是可以简化的。这就导致自然法理论成为惟一可行的方法。当然,自然法方法不可能对所有的法律问题都给出确定的解决办法。总是有一些疑难案件找不到最好的解决办法。但是,至少自然法方法提供了一个获得合理的解决方法的可能性。它利用所有可利用的工具(包括推理、传统和直觉),肯定所有相关的人类价值,而且它不会规避或者扭曲道德的复杂性。

我对自然法方法提出的第二个情境论据,如同第一个那样,考虑的是美国法哲学的现状;它也注意到美国社会在近代历史上令人遗憾的发展。为了实现个体幸福和社会稳定,一个社会的文化和公共机构应该推动不同价值和德性之间的和谐交织,既不能太强调也不能太忽视个人自由,既不能太关注也不能太忽视经济增长,既不能过分地、严苛地强制执行道德,也不能完全忽视道德。我相信,大体而言,在美国的法哲学和美国社会中,近几十年来钟摆已经太过于偏向个人自由和经济增长的方向,而不受道德因素或者社会责任感的约束。由于自然法法哲学强调道德教育与社会合作,可以帮助矫正当前的这种不和谐,因此它似乎就是适合我们的历史处境的法哲学。

现在我想研究一下对自然法法哲学的两种异议。通常的反对意见是，自然法方法的实施容易产生这样一种法律制度，也即在努力执行道德的过程中变得在道德上武断而强制。这一异议有点说服力。自然法理论有时被用来支撑那些武断的、不尊重个人自治的法律体制。不过，我想本书所采纳的自然法方法不适于这样的异议。我已经反复强调了道德的复杂性和频繁的不确定性。这应该起到警惕道德教条主义的作用。同时我也建议，尽管法律应该进行道德教育，但它不应该试图将人们变成道德上的完人，而应该仅仅在不道德行为对他人造成损害时施加制裁。

对自然法理论的第二个异议与第一个实际上是相对的。该异议宣称，自然法原则太少，太不明确，以致无法给立法者提供充分的指导，并且留给立法者相当大的随心所欲的自由。就某些可能的自然法理论而言，例如将"弘扬善行、消除邪恶"作为惟一原则的自然法方法，这种异议具有说服力。但是我提出的有关合同的自然法方法会在很大程度上对立法形成约束。正如第三章所指出的，应当根据允诺的某些目的、公共道德原则以及司法回应原则来制定法律指令。这些目的和原则很具体，足以给立法者施加实质性的约束。

我希望我提出的将自然法方法运用到合同中的理由，能够鼓励学者们将自然法理论应用到其他法律领域。侵权法、家庭法、公司法以及宪法或许是非常适宜应用的领域。

我也希望其他学者能够发展出他们自己的适用于合同法的自然法方法。我提出的方法并非惟一可以从自然法传统中推导出的方法。它也吸纳了一些与传统的自然法理论没有多大关系的思想和主题。这些思想和主题包括：第一章中确定的允诺的两个目的，对信赖的普遍而深入的关注（这使我的理论如同可称为自然法理论那样，同样也可称作信赖理论），机会成本作为一种信赖形式的重要性，在公共道德原则中找到其归属的特定的道德德性，包含在司法回应原则中的各种正义原则。我想我的两套原则仍有改进的余地，而我对选定的法律问题提出的解决办法也并非总是最合适的。如果这本书能引发批评，从而导致适用于合同的更好的自然法理论的产生，那么我想这本书就是成功的。让我们期待这些理论能够使我们的立法者明白，道德准则和法律正义是怎样使得缔约实践不再野蛮，不再天使化，而是更真实的人性化。

索 引

Albre Marble & Tile Co. v. John Bowen Co., 第135页, 注41

Aluminum Co. of America v. Essex Group Inc., 第135页, 注48

Angus v. Scully, 第135页, 注41

Aquinas, Saint Thomas, 第11页, 注6、10; 第49、50、73、76、77页; 第88页, 注23; 第89页, 注34; 第90页, 注44、47、48; 第93页, 注80; 第94页, 注92、96; 第95页, 注101、111、112; 第96页, 注116、120、125; 第155-56、165页, 注169页, 注19; 第170页, 注23、28; 第177页, 注2; 第178页, 注5

Aristotle, 第41页, 注44、45; 第45-47、47、……82、83页; 第86页, 注2-7; 第87页, 注10、15、17、20; 第88页, 注22、27、30、31; 第88-89页, 注34; 第90页, 注40、48; 第91页, 注57; 第91-92页, 注58; 第92页, 注59、60、62-65; 第93页, 注71-73、76、79、80; 第94页, 注95; 第95页, 注100、103-7、109、110、113-15; 第96页, 注117、125、128; 第118、155页; 第170页, 注23; 第177页, 注1; 第178页, 注7

Atiyah、P. S., 第10页, 注1; 第13页, 注22

Baby M, In re, 第103-4页; 第109页, 注15-18

Baumol, William J., 第39页, 注22

有益信赖, 定义, 第4页

Berlin, Isaiah, 第48页; 第87页, 注8、13、14、21; 第88页, 注22

Berman, Harold J., 第xi页, 注2; 第11页, 注2

Bernard of Chartres，第 xi 页，注 5

Berryman v. Kmoch，第 149 页，注 14

Boise Dodge, Inc. v. Clark，第 133 页，注 28

Bok, Sissela，第 90 页，注 43；第 91 页，注 53、55

Brosnan, Donald F.，第 95 - 96 页，注 115

买方未能披露当前的市场价格，第 164 - 65 页

买方未能披露有关未来市场价格的事实，第 166 - 67 页

买方未能披露会增加卖方的履行成本的事实，第 163 页

买方未能披露表明他愿意支付的价款高于合同价格的事实，第 167 - 68 页

买方未能披露内在价值，第 162 - 63 页

Calamari, John D.，第 107 页，注 2、5；第 129 页，注 2、5；第 130 页，注 5、8；第 131 页，注 10、12、13；第 132 页，注 14、15、20、21、24 - 27；第 169 页，注 1、3 - 7、9

情势变更，履行义务因此被免除时的补救性救济，第 124 - 28 页

Cicero，第 55 页；第 90 页，注 45；第 91 页，注 52；第 165 页；第 170 页，注 26、27

City Stores Co. v. Ammerman，第 132 页，注 16

Coastland Corp. v. Third Nat'l Mortgage Co.，第 130 页，注 8

Coleman, Jules L.，第 39 页，注 22；第 41 页，注 44、45

Collier, James Lincoln，第 xi 页，注 3、4

Collins, Hugh，第 12 页，注 20

Contemporary Missions, Inc. v. Famous Music Corp.，第 129 页，注 5

Coons, John，第 72 页；第 94 页，注 91

Cooper, John M.，第 91 - 92 页，注 58；第 92 页，注 61、64

Craswell, Richard，第 38 页，注 13

Crystal, Nathan M.，第 111 页；第 129 页，注 3

Dante，第 54 - 55 页；第 91 页，注 51

Dasgupta, Partha，第 90 页，注 43

Derico v. Duncan，第 109 页，注 20

有害信赖，定义，第 4 - 5 页

Dialist Co. v. Pulford，第 130 页，注 8

分配正义，第 25 - 37 页；第 86 页，注 1；第 175 页

Dobbs, Dan B.，第 133 页，注 31；第 135 页，注 43

Donagan, Alan,第 90 页,注 46;第 91 页,注 49、52

Drennan v. Star Paving Co.,第 144 页;第 151 页,注 41

Dworkin, Ronald,第 40 页,注 35

Eatwell, John,第 43 页,注 63

经济交换型允诺,定义,第 3 页

弹性,解释,第 42 - 43 页,注 53

允诺的可强制执行性,标准,第 99 - 110 页

Epstein, Richard A.,第 40 页,注 34

Estate of Steffes, *In re*,第 109 页,注 24

期待性损害赔偿,第 111 - 15 页;第 115 - 17、118、125、126 页;第 132 页,注 17、19;第 140、142、143、144、146、147 页;第 150 页,注 33、34

(要约)期限届满的问题,第 145 - 46 页

F. M. Gabler, Inc. v. Evans Labs, Inc.,第 135 页,注 41

特定事实规则 (FS - rules),分析,第 79 - 82 页

Farnsworth, E. Allan,第 11 页,注 4;第 38 页,注 7;第 107 页,注 1、4;第 108 页,注 12;第 109 页,注 14、19、23、27 - 29;第 129 页,注 1;第 134 页,注 41;第 135 页,注 42、45;第 148 页,注 1 - 8;第 149 页,注 10 - 13、15、16、20 - 22;第 169 页,注 5、6、9、14

Feinman, Jay M.,第 41 页,注 47、48

Fera v. Village Plaza, Inc.,第 129 页,注 5

Ferguson, C. E.,第 43 页,注 65、66

Finnis, John,第 11 页,注 10;第 12 页,注 19;第 48 页;第 87 页,注 9、21;第 88 页,注 22;第 89 页,注 34;第 178 页,注 3、4

法律指令的形式,第 79 - 86 页

欺诈性未披露,第 153 - 71 页

合同自由理论,第 15 - 19 页;第 86 页,注 1;第 175 页

Freund v. Washington Square Press, Inc.,第 129 页,注 5

Fried, Charles,第 12 页,注 15;第 37 - 38 页,注 6;第 38 页,注 11、13

Fuller, L. L.,第 113 页;第 130 页,注 7

Gabel, Peter,第 41 页,注 47

Gagarin, Michael,第 12 页,注 18

索 引 253

Galston, William A., 第87页, 注21; 第88页, 注22

Gambetta, Diego, 第87页, 注12; 第90页, 注43; 第92页, 注68; 第92-93页, 注70

Gardner, George K., 第94页, 注93

Gert, Bernard, 第90页, 注45、46; 第91页, 注49、50、52、56; 第92页, 注66

Gilmore, Grant, 第37页, 注4; 第38页, 注9

Glanski v. Ervine, 第169页, 注13

Goetz, Charles J., 第11页, 注7-9; 第43页, 注62

Good, David, 第92页, 注67

Goodman v. Dicker, 第130页, 注6

Gordley, James, 第170页, 注23

Gould, J. P., 第43页, 注65、66

Gruenberg v. Aetna Ins. Co., 第132页, 注27

Hadley v. Baxendale, 第129页, 注5

Harrison, Jeffry L., 第135页, 注41、45

Harsha v. State Savings Bank, 第129页, 注5

Hawkins v. McGee, 第129页, 注2

Helene Curtis Indus., Inc. v. United States 第170页, 注25

Hill v. Jones, 第169页, 注11

Hiram Ricker & Sons v. Students Int'l Meditation Soc'y, 第109页, 注21

Hoffman v. Red Owl Stores, Inc., 第130页, 注6

Holly Hill Lumber Co. v. McCoy, 第169页, 注14

Jaeger, Werner, 第94页, 注94

Johnson v. Davis, 第169页, 注11

Justinian's *Digest*, 第11页, 注2

卡尔多—希克斯（Kaldor-Hicks）效率标准, 第39页, 注22

Kant, Immanuel, 第37页, 注2

Karlin v. Weinberg, 第109页, 注26

Kastely, Amy H., 第89页, 注36

Kelman, Mark, 第41页, 注47、48; 第96页, 注124、129

Kennedy, Duncan, 第97页, 注131

Kessler, Friedrich, 第37页, 注4; 第38页, 注9

Knapp, Charles L., 第111页; 第129页, 注3

Kronman, Anthony T., 第37页, 注4; 第38页, 注9; 第39页, 注24; 第41页, 注48

L. Albert & Son v. Armstrong Rubber

Co., 第130页, 注8
Laidlaw v. Organ, 第170页, 注30
Larmore, Charles E., 第88页, 注22、27
LeGoff, Jacques, 第xi页, 注5
Lingsch v. Savage, 第169页, 注11
权衡因素表（公平指令的形式）, 分析, 第84-85页
Llewelllyn, Karl, 第89页, 注36
Locke, John, 第95页, 注97
London Bucket Co. v. Stewart, 第132页, 注15
Lonergan v. Scolnick, 第148页, 注1
Lorenz, Edward H., 第90页, 注43; 第93页, 注78
承诺遗失的问题, 第146页
Luban, David, 第133页, 注30
Luhmann, Niklas, 第90页, 注41

MacIntyre, Alasdair, 第xi页, 注1; 第52页; 第88页, 注25、28; 第90页, 注38、39; 第178页, 注6
Macneil, Ian R., 第149页, 注22
边际成本, 定义, 第41页, 注51
边际收益, 定义, 第42页, 注51
约翰·马歇尔, 首席大法官, 第170页, 注30
Marvin v. Marvin, 第104-5页; 第109页, 注24、25

May, Elaine Tyler, 第95页, 注108
McNaughton, David, 第88页, 注24、32
Mill, John Stuart, 第12页, 注20; 第95页, 注97
道德的复杂性, 第47-51页
道德教育, 分析, 第73-79页
Morrison v. Thoelke, 第148页, 注6、7
Murphy, Jeffrie G., 第41页, 注44、45
Murray, John E., Jr., 第134页, 注41; 第135页, 注43; 第149页, 注21

Nagel, Thomas, 第87页, 注8; 第87-88页, 注21; 第88页, 注22、32
Narveson, Jan, 第37页, 注2
自然法方法, 适用理由, 第173-78页
非交易型允诺, 定义, 第6-7页
非履行的实际成本, 定义, 第8页
Nordhaus, William D., 第43页, 注56-61、63、64; 第44页, 注71
Normile v. Miller, 第149页, 注14、16
Nozick, Robert, 第15页; 第37页, 注3

Nussbaum, Martha C., 第 49 页；第 87 页，注 16、17、20；第 88 页，注 31；第 89 页，注 34；第 90 页，注 40；第 93 页，注 73

《纽约州动产法》§402（1），第 110 页，注 36

要约与承诺，第 137－51 页
受要约人改变主意，第 146－47 页
机会成本：定义，第 8 页；包含的情形，第 101 页；第 107－8 页，注 7；第 112－15、116、117、126 页；第 130 页，注 8；第 142－43、144、146、146－47 页；第 150 页，注 34、36；第 150－51 页，注 40；第 151 页，注 45、47；第 158－59、165、166、168 页；第 170 页，注 24；第 171 页，注 31

其他协作型允诺，定义，第 5－6 页
履行的实际成本，定义，第 8 页

Pagden, Anthony, 第 53 页；第 90 页，注 42；第 92 页，注 70

Palmer, George E., 第 135 页，注 42

Parsons, Theophilus, 第 52 页；第 89 页，注 36；第 154－55 页；第 169 页，注 16、17

Pauline's Chicken Villa, Inc. v. KFC Corp., 第 129 页，注 5

Perdue, William R., Jr., 第 113 页；第 130 页，注 7

Perillo, Joseph M., 第 107 页，注 2、5；第 129 页，注 2、5；第 130 页，注 5、8；第 131 页，注 10、12、13；第 132 页，注 14、15、20、21、24－27；第 169 页，注 1、3－7、9

Polinsky, A. Mitchell, 第 43 页，注 62；第 44 页，注 68、70、71

Pollock, Frederick, 第 13 页，注 22

Posner, Richard A., 第 19－25 页；第 39 页，注 16－22；第 39－40 页，注 24；第 40 页，注 25－30、36、38、41；第 40－41 页，注 42；第 41 页，注 43；第 44 页，注 68；第 133 页，注 29

公共道德原则 1（遵守诺言）：提出，第 54 页；应用，第 100、103 页；第 135 页，注 49；第 141、144、155、156、161 页

公共道德原则 2（切勿欺诈）：提出，第 54－56 页；应用，第 156、157、159、161 页

公共道德原则 3（切勿胁迫），提出，第 56 页

公共道德原则 4（关注对方当事人的利益）：提出，第 56－58 页；应用，第 123 页；第 130 页，注 9；第 131 页，注 9；第 142、144－45、

156、157、159、160、161 页

公共道德原则 5（切勿欺骗……）：提出，第 58－59 页；应用，第 100、156、157、160 页

公共道德原则 6（在采取可能损害对方当事人利益的行动之前进行交流）：提出，第 59－60 页；应用，第 131 页，注 9；第 135 页，注 49；第 142、144－45、145、146 页

公共道德原则 7（折衷解决争议……），提出，第 60 页

司法回应原则 1（不要猜想双方当事人的合同意图），提出，第 64 页

司法回应原则 2（不要做那些排除考虑相关证据的决定性推定）：提出，第 64－65 页；应用，第 101、106、107、114、142－43 页

司法回应原则 3（任何放弃法律权利的行为，必须明确地表达出来才能生效）：提出，第 65－66 页；应用，第 102 页

司法回应原则 4（只有当违反义务的行为造成损害时，才运用法律制裁来强制执行各种道德义务）：提出，第 66－67 页；应用，第 100－101 页；第 107－8 页，注 7；第 112、141－42、144、156 页

司法回应原则 5（不要认为各种救济必定是要么全有或者要么全无）：提出，第 67 页；应用，第 106、125 页；第 131 页，注 9；第 150 页，注 33

司法回应原则 6（区分故意的与非意的违约行为）：提出，第 67－68 页；应用，第 119 页；第 131 页，注 9

司法回应原则 7（保护对允诺的合理信赖……）：提出，第 68－69 页；应用，第 100、102、103 页；第 107－8 页，注 7；第 112、114、115、116、121 页；第 131 页，注 9；第 141、144、155、156 页

司法回应原则 8 司法回应（不要让违约方承担的责任超过补偿其造成的信赖损失所必要的限度，除非……）：提出，第 70 页；应用，第 112、114、115、116、117、119、121 页；第 130 页，注 9；第 133 页，注 32；第 134 页，注 33；第 141－42 页

司法回应原则 9（非意外损失应当根据比较过错进行分配）：提出，第 70－72 页；应用，第 106；第 131 页，注 9；第 134 页，注 35；第 135 页，注 49；第 136 页，注 51；第 142、148 页

司法回应原则 10（意外损失应在双方当事人之间平均分配，除非一方当

事人已经承担了风险）：提出，第72页；应用，第128页

司法回应原则 11（矫正非自愿的转让行为）：提出，第72-73页；应用，第105页

公共道德原则，提出，第51-61页

司法回应原则，提出，第61-73页

Printing and Numerical Registering Co. v. Sampson，第38页，注10

允诺，定义，第1-3页

Prost, Antoine，第93页，注77

Protagoras，第94页，注94

强制执行时因公共政策产生的例外，第103-6页

惩罚性损害赔偿，第117-24页

抽象公平指令，分析，第85-86页

允诺的目的，提出，第3-7页；促进有益信赖的目的，应用，第53、55、59、68页；推动互惠合作的目的，应用，第53、54、55、56、57、59-60、60、80、125、128、141、155-56、158页

Rawls, John，第11页，注11；第12页，注12；第95页，注97

Ray v. Montgomery，第169页，注12

矫正正义，解释，第25-26、45-47页

《合同法重述（第一版）》：§24，第148页，注1；§25，第148页，注1；§342，第132页，注21

《合同法重述（第二版）》：§2，第11页，注4；§4，第11页，注3；§24，第148页，注1；§36（1），第149页，注9；§38（2），第149页，注15；§39，第149页，注16；§40，第139、147页；第149页，注17、18；第151页，注48；§41（1），第149页，注10；§43，第149页，注14；§59，第149页，注16；§63，第139页；第148页，注6-8；第149页，注22；§71，第107页，注3；§73，第109页，注13；§86，第108页，注10；§87（2），第144页；第151页，注42；§89，第109页，注13；§90（1），第97页，注134；第108页，注12；第130页，注6；§160，第169页，注3；§161，第157页；第169页，注2、5、6、8-10、15、20；§178，第109页，注14；§181，第109页，注22；§188（1），第109页，注26；§197，第109页，注29；§241，第97页，注133；§272，第135页，注47、48；§344，第129页，注2；§349，第130页，注8；§350，第129-30页，注5；

§351，第129页，注5；第131页，注9；§352，第129页，注5；§355，第132页，注24；§359（1），第131页，注11；§364（1），第131页，注13；§§370－77，第109页，注29；§371，第135页，注43、44；§377，第134页，注41；第135页，注42－44（要约）撤销的问题，第143－45页

Rizzo, Mario J.，第40页，注33

Robinson, Joan，第43页，注.63

Rockingham County v. Luten Bridge Co.，第129页，注.5

Rosenfield, Andrew M.，第40页，注36

Salkever, Stephen G.，第89页，注34

Samuelson, Paul A.，第43页，注56－61、63、64；第44页，注71

《南卡罗来纳州法典注释》§32－3－10，第110页，注32－34

Scheppele, Kim Lee，第91页，注54

Schlag, Pierre，第97页，注131

Scott, Robert E.，第11页，注7－9

Seaman's Direct Buying Service, Inc. v. Standard Oil Co.，第132页，注27

Security Stove & Mfg. Co. v. American Ry. Express Co.，第130页，注8

卖方未能披露当前的市场价格，第163－64页

卖方未能披露有关未来市场价格的事实，第165－66页

卖方未能披露表明她愿意接受的价格低于合同价格的事实，第168页

卖方未能披露内在瑕疵，第161－62页

Senese, Guy B.，第95页，注98

Shell, G. Richard，第89页，注36；第96页，注129

Sherman, Nancy，第87页，注20；第88页，注22；第92页，注65；第95页，注100、102、113

Sophocles，第49页；第87页，注19

Sorrell v. Young，第169页，注11

实际履行，第115－17页

Stanback v. Stanback，第132页，注24

（抽象公平指令的形式的）标准，分析，第83－84页

强制执行时因防止欺诈法产生的例外，第106－7页

Stocker, Michael，第93页，注75

Sullivan, Timothy J.，第132页，注22、23

Taylor, Charles，第87页，注8、21

Tison v. Eskew，第169页，注12

Tozer, Steven E.，第95页，注98

Tushnet, Mark, 第41页, 注47

Unger, Roberto Mangabeira, 第44页, 注69

《统一商法典》: §1-102, 第96页, 注127; §1-103, 第108页, 注11; 第150页, 注28; §1-106, 第96页, 注127; 第129页, 注2、5; §1-201 (3), 第11页, 注2; §1-203, 第96页, 注127; §1-205 (1), 第11页, 注2; §1-205 (2), 第11页, 注2; §2-103 (1) (b), 第97页, 注132; §2-201, 第110页, 注35; §2-204, 第140页; 第149页, 注23、24; §2-205, 第141页; 第149页, 注25; §2-206, 第141页; 第149页, 注26; §2-207, 第141页; 第150页, 注27; §2-208 (1), 第11页, 注2; §2-209, 第108页, 注11; §2-302, 第96页, 注127; §2-306 (1), 第97页, 注130; §2-314, 第40页, 注40; 第170页, 注22; §2-316 (3) (b), 第40页, 注40; §2-615, 第135页, 注46; §2-714 (2), 第96页, 注127; §2-715 (2) (a), 第129页, 注5; §2-719 (3), 第96页, 注127

《统一消费者信贷法典》§3.202, 第110页, 注36

单务合同, 第107页, 注6

United Protective Workers of Am., Local No. 2 v. Ford Motor Co., 第129页, 注4

Urmson, J. O., 第88页, 注27; 第89页, 注34; 第92页, 注65

功利主义, 第19页; 第37页, 注1; 第86页, 注1; 第175、176页

Varian, Hal R., 第43页, 注54-57、61、62

Vernon Fire & Cas. Ins. Co. V. Sharp, 第133页, 注28

Verplanck, Gulian C., 第169页, 注18

Violas, Paul C., 第95页, 注98

Wallace, James D., 第88页, 注26、33

Wasserstrom, Richard A., 第96页, 注123

财富最大化理论, 第19-25页; 第86页, 注1; 第175、175-76页

Webb v. McGowin, 第108页, 注10

Weinrib, Ernest J., 第39页, 注23; 第40页, 注32

Weintraub v. Krobatsch, 第169页, 注

11

Weiss, Philip D., 第135页, 注41; 第136页, 注52、54

Welborn v. Dixon, 第132页, 注25

Wheeler v. White, 第130页, 注6

White, James Boyd, 第78、79页; 第96页, 注118、119

Wiggins, David, 第87页, 注20; 第88页, 注30

罗伯特 N. 威兰茨, 首席大法官, 第109页, 注18

Williams, Bernard, 第87页, 注18; 第88页, 注29; 第93页, 注74

Young v. City of Chicopee, 第135页, 注41

译 后 记

　　摆在读者面前的这本书，不仅是一部合同法著作，同时也是一部法理学著作。作者以精练的语言，对当下流行的合同自由、财富最大化和平等主义的分配正义这三种合同正义理论进行评析后，提出了七项公共道德原则和十一项司法回应原则。作者认为，公共道德原则是合同的双方当事人应当遵守的基本原则，也是合同法的道德方法在当事人身上的体现。与此不同，司法回应原则是合同法的道德方法在法官身上的体现，是法官在决定是否以及如何施加法律责任时应当遵守的原则。公共道德原则和司法回应原则构成了作者提出的合同法的道德方法的全部精髓。

　　公共道德原则和司法回应原则比较抽象，在处理特定的问题时，需要细化为可操作的具体法律指令。为此，作者重点以如下四个问题为例，即什么样的允诺可予以强制执行、合同被违反时当事人应获得何种救济、如何判断当事人是否达成了合意并导致合同成立、一方可否以对方当事人在缔约过程中没有披露某些事实为由而废止合同，阐释了立法者、司法者以及合同当事人应如何将公共道德原则和司法回应原则运用到具体问题中。作者的思想自成体系，逻辑严密，相信读者看过本书后会有所收获。

　　在翻译本书时，我们尽可能采用直译的方法，以求完整准确地表达出作者的意思。在人名和法律术语的翻译上，凡有通行译法的，我们一概从之。对于那些在目前尚无统一译法的法律术语，我们只能结合自己对本书内容的理解，选择我们认为最恰当的用语。在翻译的过程中，就某些法律术语的译法，我们请教了彭诚信教授、黄海律师；就部分经济学术语的译法，我们请教了蒋志平先生。当然，书中所有的翻译错误均应由我们负责。由于我们既无在英语国家求学的经验，又没有受过专业的翻译训练，因此译文中的错误之处在所难免，恳请读者予以批评指正。

  本书由戴孟勇翻译第一章、第二章、第三章，贾林娟翻译前言、第四章、第五章、第六章、第七章、第八章。翻译完各自负责的部分后，我们又进行了互校，最后由戴孟勇统一定稿。

译者

2005年7月2日

图书在版编目(CIP)数据

合同法与道德／(美)马瑟著；戴孟勇,贾林娟译． —北京： 中国政法大学出版社， 2005
(美国法律文库)
ISBN 7-5620-2851-6

Ⅰ.合… Ⅱ.①马…②戴…③贾… Ⅲ.合同法-研究-美国 Ⅳ.D971.23

中国版本图书馆 CIP 数据核字(2005)第 001509 号

书　名	合同法与道德
出 版 人	李传敢
经　销	全国各地新华书店
出版发行	中国政法大学出版社
承　印	固安华明印刷厂
开　本	880×1230　1/32
印　张	8.625
字　数	205 千字
印　数	0 001-5 000
版　本	2005 年 8 月第 1 版　2005 年 8 月第 1 次印刷
书　号	ISBN 7-5620-2851-6/D·2811
定　价	20.00 元
社　址	北京市海淀区西土城路 25 号　　邮政编码 100088
电　话	(010)58908325(发行部)　58908335(储运部)
	58908285(总编室)　58908334(邮购部)
电子信箱	zf5620@263.net
网　址	http://www.cuplpress.com(网络实名:中国政法大学出版社)
声　明	1. 版权所有,侵权必究。
	2. 如发现缺页、倒装问题,请与出版社联系调换。

本社法律顾问　北京地平线律师事务所